LE GUIDE DES MEILLEURS VINS

À PRIX ABORDABLES

LES ÉDITIONS LA SEMAINE
Charron Éditeur inc.
Une société de Québecor Média
955, rue Amherst
Montréal (Québec) H2L 3K4

Directrice des éditions : Annie Tonneau
Coordonnateur aux éditions : Jean-François Gosselin
Directrice artistique : Lyne Préfontaine
Réviseures-correctrices : Nathalie Ferraris, Gaëlle de Rocquigny

Les propos contenus dans ce livre ne reflètent pas forcément l'opinion de la maison d'édition.

Remerciements
Gouvernement du Québec. Programme de crédit d'impôt pour l'édition de livres. Gestion SODEC

L'Éditeur bénéficie du soutien de la Société de développement des entreprises culturelles du Québec pour son programme d'édition.

Nous reconnaissons l'aide financière du gouvernement du Canada par l'entremise du Fonds du livre du Canada pour nos activités d'édition.

Dépôt légal : troisième trimestre 2015
Bibliothèque et Archives nationales du Québec
Bibliothèque et Archives Canada

ISBN : 978-2-89703-313-2

JEAN-LOUIS DOUCET

LE GUIDE DES MEILLEURS VINS

À PRIX ABORDABLES

DISTRIBUTEURS EXCLUSIFS

- Pour le Canada et les États-Unis :
  MESSAGERIES ADP*
  2315, rue de la Province
  Longueuil (Québec) J4G 1G4
  Tél. : 450 640-1237
  Télécopieur : 450 674-6237
  * une division du Groupe Sogides inc.,
  filiale du Groupe Livre Québecor Média inc.

- Pour la France et les autres pays :
  INTERFORUM editis
  Immeuble Paryseine, 3, Allée de la Seine
  94854 Ivry CEDEX
  Tél. : 33 (0) 4 49 59 11 56/91
  Télécopieur : 33 (0) 1 49 59 11 33

  Service commande France métropolitaine
  Tél. : 33 (0) 2 38 32 71 00
  Télécopieur : 33 (0) 2 38 32 71 28
  Internet : www.interforum.fr

  Service commandes Export — DOM-TOM
  Télécopieur : 33 (0) 2 38 32 78 86
  Internet : www.interforum.fr
  Courriel : cdes-export@interforum.fr

- Pour la Suisse :
  INTERFORUM editis SUISSE
  Case postale 69 — CH 1701 Fribourg — Suisse
  Tél. : 41 (0) 26 460 80 60
  Télécopieur : 41 (0) 26 460 80 68
  Internet : www.interforumsuisse.ch
  Courriel : office@interforumsuisse.ch

  Distributeur : OLF S.A.
  ZI. 3, Corminboeuf
  Case postale 1061 — CH 1701 Fribourg — Suisse

  Commandes : Tél. : 41 (0) 26 467 53 33
  Télécopieur : 41 (0) 26 467 54 66
  Internet : www.olf.ch
  Courriel : information@olf.ch

- Pour la Belgique et le Luxembourg :
  INTERFORUM BENELUX S.A.
  Fond Jean-Pâques, 6
  B-1348 Louvain-La-Neuve
  Tél. : 00 32 10 42 03 20
  Télécopieur : 00 32 10 41 20 24

Table des matières

Remerciements

À Lise, mon épouse, pour sa patience et son appui inconditionnel. Merci d'accepter que notre demeure se transforme en salle de dégustation pendant les semaines qui précèdent la publication de ce guide.

À ma sœur, Josyanne Doucet, informaticienne, correctrice et lectrice de première ligne, pour son appui, la correction orthographique de mes textes et la programmation d'une base de données facilitant la rédaction de ce livre. Tu m'as permis d'être plus organisé que jamais.

À toute l'équipe des Éditions La Semaine, pour m'avoir fait confiance dans ce projet et pour son appui tout au long de l'année.

Aux agences promotionnelles participantes et à leurs représentants pour leur disponibilité et leur dévouement lors des divers salons et événements vinicoles qu'ils organisent, et pour l'envoi d'échantillons, essentiels à la réalisation de ce livre.

Introduction

Le premier constat que j'ai fait au terme du marathon de dégustation qui a pris fin un peu avant la publication de ce guide, c'est qu'il y a de moins en moins de vins de qualité dans la catégorie de prix se situant entre 10 et 15$. Au cours de la dernière année, plusieurs personnes sont montées aux barricades pour dénoncer la situation. La SAQ a réagi et augmenté son offre, mais encore faut-il que les produits proposés en vaillent la peine.

Heureusement, il a des exceptions! Ainsi, vous trouvez dans ce guide plusieurs produits dignes de mention vendus à moins de 15$. Toutefois, les produits les plus intéressants se trouvent dans la catégorie des vins rouges se détaillant entre 15 et 20$. Pas moins de 104 produits se situant dans cette échelle de prix sont présentés dans ce guide. J'ai toujours affirmé que c'est dans cette gamme de prix qu'on trouve les meilleures aubaines et force est d'admettre que c'est encore plus vrai cette année. Cela dit, vous découvrirez dans cette édition plusieurs vins dans toutes les gammes de prix.

Pour qu'un vin fasse partie de ce guide, il doit offrir un excellent rapport qualité-prix-plaisir. Ce rapport se mesure grâce à une formule toute simple. Le premier critère de sélection est la qualité. Chaque vin est évalué sur une échelle de 1 à 10. Pour passer ce premier test, il faut que le vin obtienne une note supérieure à 6. Cette première étape franchie, je m'attarde au prix. Ainsi, un vin qui obtient une note de 6/10 a peu de chance de passer la deuxième étape s'il se vend 25$. À l'inverse, s'il se détaille 12 ou 15$, il est sélectionné. Le troisième critère est le plaisir ressenti lors de la dégustation. Ce plaisir est représenté par un nombre d'étoiles. Certains vins obtiennent également une mention coup de cœur.

Le système de pointage

La note de passage pour ce guide a été fixée à 1 étoile (digne d'intérêt). En pourcentage, cela équivaut à une note de 60 %, soit 10 % au-dessus de 50 %. Plus on s'approche de la note parfaite, plus le rapport qualité-prix-plaisir est élevé.

	imbuvable
½	mauvais
★	digne d'intérêt
★½	intéressant
★★	bon
★★½	très bon
★★★	excellent
★★★½	plus qu'excellent
★★★★	exceptionnel
★★★★½	presque parfait
★★★★★	parfait

Des vins en vrac embouteillés au Québec : de la piquette ?

On a beaucoup fait état dans les journaux de certains vins vendus à la SAQ qui sont acheminés en vrac au Québec et embouteillés ici. On a entre autres évoqué le fait qu'il s'agissait de piquette, de vins moins bons que les produits vendus dans les dépanneurs

J'ai personnellement goûté à la majorité de ces vins et je dois dire que plusieurs d'entre eux ont passé le test et se retrouvent dans ce guide. Il y en a même qui ont reçu une mention coup de cœur ! On pourrait discuter longtemps du fait que les vins sont acheminés ici dans des citernes et non dans des fûts, mais ce serait injuste. Injuste pour les vins, car ils ne sont pas tous égaux au départ et à l'arrivée. Injuste aussi pour les entreprises d'ici et leurs employés qui ont développé au fil des ans, un savoir-faire dans la manipulation des produits et leur embouteillage. Le procédé vise à réduire les coûts de transport pour une meilleure rentabilité. C'est louable, pourvu qu'on ne lésine pas sur la qualité du travail. Dans un contexte économique difficile, on ne peut blâmer les entreprises de vouloir économiser quelque part. L'important c'est qu'en bout de piste, les clients en aient pour leur argent, qu'ils ne sentent pas floués.

Des vins pas chers? Tout est relatif!

Ce guide contient une bonne dose d'aubaines, mais comme nous sommes au Québec et que la SAQ a le monopole du commerce du vin, il faut ajouter que lorsqu'on dit qu'on ne paye pas cher pour un vin, tout est relatif. Il est clair qu'au Québec, on paye davantage une bouteille qu'ailleurs. Est-ce qu'on se fait avoir? Oui dans la plupart des cas, mais nous avons fait un choix de société. Le Québec s'est doté d'un modèle qui fait en sorte que la SAQ est une vache à lait qui renfloue les coffres de l'état, comme Hydro-Québec, à la différence que cette dernière est une taxe incontournable alors que la SAQ est une taxe « volontaire » - on n'est pas obligé de consommer de l'alcool mais on n'a pas le choix de consommer de l'électricité. Il est donc difficile de comparer le prix payé ici et le prix payé ailleurs dans le monde.

Néanmoins, comme nos voisins ontariens ont adopté un modèle semblable au nôtre, j'ai décidé d'inclure dans cette édition le code et le prix de la LCBO (Liquor Control Board of Ontario) des produits disponibles chez nos voisins. Vous constaterez qu'il est très rare qu'un vin soit vendu plus cher en Ontario qu'au Québec. Parfois, la différence de prix entre les deux établissements frise l'indécence. Donc, lorsque vous me lirez et que vous verrez un commentaire du genre « bon rapport qualité-prix » ou « ce vin n'est pas assez cher », dites-vous qu'il a été formulé en ayant comme comparatif les autres vins sur le marché québécois.

En guise de complément, voici un tableau tiré du rapport annuel 2014 de la SAQ, qui explique la répartition du prix de vente d'une bouteille qui se détaille 16,20$.

Répartition du prix de vente

Vin importé 750 ml *(en dollars et en pourcentage)* 29 mars 2014

1 Majoration [(1)]	7,34$	45,3%
2 Prix du fournisseur en dollars canadiens incluant le transport	5,44$	33,6
3 Taxe de vente provinciale	1,40$	8,6
4 Taxe spécifique versée au gouvernement du Québec	0,84$	5,2
5 Taxe fédérale sur les produits et services	0,70$	4,3
6 Droit d'accise et de douane versés au gouvernement du Canada	0,48$	3,0
Prix de vente au détail (la bouteille)	**16,20$**	**100,0%**

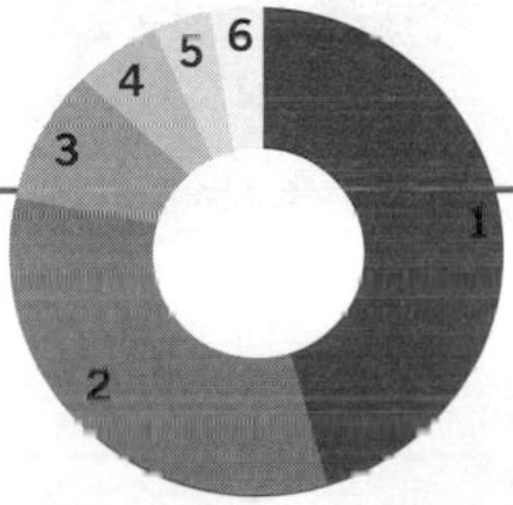

6 5 4 3 1 2

(1) la majoration permet d'assumer les frais de vente et mise en marché, de distribution et d'administration et de dégager un résultat net.

Une sélection de vins entre 10 et 30$

J'ai toujours considéré que le vin ne devrait jamais être réservé à une élite de la société. D'ailleurs, aucun vin ne devrait être vendu plus cher que 100$, même dans le cas des plus grands vins de ce monde. L'élaboration d'un vin d'exception demande des soins plus rigoureux et les coûts sont plus élevés à cause de plusieurs facteurs, dont l'achat de fûts neufs, un travail incessant dans les champs et une sélection des meilleures baies qui impliquent de sacrifier une partie de la récolte. Cela dit, les coûts de production ne s'élèvent jamais au-delà de trois ou quatre fois ce qui en coûte normalement pour produire un vin digne de ce nom. Dans la plupart des cas, une bouteille de vin coûte entre 1,15$ et 3$ à produire. Ce montant inclut le vin, la bouteille, l'étiquette, le bouchon, la capsule et tous les faux frais (frais non prévus au budget initial) servant à sa production. Le reste des frais est imputé au transport et à la représentation des produits. Évidemment, ces frais varient selon la provenance et la région de production, les salaires n'étant pas les mêmes d'une région à l'autre. La notoriété d'un vin contribue à fixer le prix.

Tel que mentionné précédemment, ce guide recense essentiellement des vins dont le prix se situe entre 10 et 30$, mais il y a des exceptions. Quelques produits se situant en dehors de cette gamme de prix ont été sélectionnés. Ceux qui sont vendus sous le prix plancher représentent un rapport qualité-prix-plaisir indéniable. Dans le cas des vins se situant au-delà de 30$ représentent d'incontournables qui valent leur pesant d'or.

La disponibilité des produits

Tous les vins décrits étaient disponibles à la SAQ au moment de l'impression de ce guide. Mais comme le marché est très changeant, il est impossible d'affirmer qu'ils le seront tout au long de 2015-2016. Toutefois, la grande majorité des vins présentés sont des produits réguliers de la SAQ ou des produits de spécialité en approvisionnement continu.

Une approche originale pour les accords mets et vins

Avec ce guide, je propose un regard différent et unique en matière d'accord mets et vins. Ainsi, vous découvrirez dans les lignes qui suivent des outils qui vous permettront de réussir d'incroyables accords mets et vins, même si vous avez peu ou pas d'expérience en la matière. Au fil des années, j'ai élaboré une technique peu compliquée et surtout efficace. Grâce à une simple équation mathématique, vous pourrez repérer les vins qui se marieront à merveille aux plats que vous cuisinerez. C'est comme avoir un sommelier à sa disposition, en tout temps!

Une question d'équilibre

Le mariage des mets et des vins est un travail qui peut s'avérer facile pour certains, difficile pour d'autres. C'est un exercice qui se fait souvent d'instinct chez les experts, mais même les plus aguerris font des faux pas, particulièrement s'ils n'analysent pas tous les aspects d'une recette donnée. Ainsi, il ne faut pas seulement s'arrêter à l'ingrédient de base de la recette. Le mode de cuisson peut faire toute la différence, de même que la garniture (la sauce, l'assaisonnement).

L'idée d'utiliser une formule mathématique remonte au temps où je planchais sur les bases d'une application pour téléphone intelligent. Lorsqu'on évoque les différents types de vins, on fait souvent référence aux qualificatifs « léger » et « lourd ». Il s'agit d'une manière imagée de décrire les vins. Si on transpose cette image en un concept concret et qu'on attribue un poids réel à chaque vin (ultra léger, moyennement léger, très lourd…), on obtient des vins ayant des poids différents. La même chose s'applique avec les mets.

Les trois éléments d'une recette

Une recette comporte trois éléments : l'ingrédient de base, le mode de cuisson et la garniture. Chaque élément de la recette a son importance, mais à un degré différent. Le plus important, c'est l'ingrédient de base, c'est-à-dire la pièce de viande, de poisson, de fruit de mer. Il est au centre de la recette. Il est donc normal que l'ingrédient de base représente au moins cinquante pour cent de l'équation. Dans les faits, un poisson à chair blanche, comme un filet de doré, a un I.M.V. (Indice Mets et Vin) plus bas qu'une pièce de viande rouge, comme un carré d'agneau. Le poisson est plus « léger » que l'agneau.

Mais l'ingrédient de base ne fait pas foi de tout. Le deuxième élément d'importance à considérer est le mode de cuisson. Souvent laissée de côté lorsque vient le temps de choisir un vin, la cuisson apporte une dimension différente à une recette. Une cuisson à la vapeur apporte peu de goût à un ingrédient de base, tandis qu'une cuisson sur le gril, avec ses arômes de fumée, influence l'ingrédient de base et affecte ses structures externe et interne. Vous l'aurez deviné, une cuisson à la vapeur a un I.M.V. plus bas qu'une cuisson sur le gril.

Le troisième élément est la garniture. Cet élément est essentiel puisque son apport à la recette influencera son goût. Ainsi, une sauce à base de fond de volaille aura un I.M.V. moindre qu'une demi-glace.

L'objectif dans l'accord mets-vin est de trouver l'équilibre parfait entre le mets et le vin. Après avoir effectué plusieurs tests, j'ai réussi à développer une formule mathématique simple et facile à utiliser (pourvu qu'on sache additionner et parfois diviser), rendant accessible à tous les accords mets et vin. Le plus important est que ça fonctionne à tout coup.

Prenons l'exemple d'une balance. Celle-ci est composée de deux plateaux. Supposons que sur le plateau de gauche nous avons une recette et que sur le plateau de droite, il y a un vin. Déposons à gauche un ingrédient principal. Ce dernier a un poids. Pour donner un exemple concret, un poisson à chair blanche est, au sens figuré, plus léger qu'une entrecôte de bœuf. Cet ingrédient doit subir une cuisson. Encore une fois, au sens figuré, une cuisson à la vapeur est plus légère qu'une cuisson poêlée. La cuisson poêlée, contrairement à la cuisson vapeur, apporte une caramélisation qui augmente la puissance aromatique de l'ingrédient de base. Pour finir, déposons la garniture, la touche finale à la recette qui apporte goût et dimension, et qui fait souvent toute la différence. Elle est parfois plus importante que l'ingrédient de base. La somme de ces trois éléments fera basculer la balance vers la gauche. L'exercice est de trouver un vin qui sera en équilibre avec le plat. Heureusement, j'ai fait ce travail pour vous!

Une simple question de poids?

Vous aurez compris que chaque élément qui compose un plat a une valeur numérique. Comme je l'ai mentionné précédemment, une entrecôte de bœuf a une valeur numérique plus grande qu'un filet de sole. Le même vin ne pourra se marier à ces deux plats.

Pour réussir un accord mets et vins, l'équilibre n'est pas le seul élément à considérer. Il faut s'attarder aux différents caractères du vin afin d'arriver à une harmonie de saveurs. De plus, vous devez prendre en compte votre goût personnel. Certains préfèrent les vins légers, d'autres les vins fruités, d'autres encore les vins costauds. En plus d'une description du vin, vous trouverez dans ce guide plusieurs éléments facilitant l'harmonie des mets et des vins ainsi que différentes informations sur les caractères du vin. Voici un exemple:

Chardonnay, Robert Mondavi, Private Selection

Producteur: Robert Mondavi Winery
Appellation: California
Pays: États-Unis
Millésime dégusté: 2013

Code SAQ: 379180
Prix SAQ: 19,00 $
Code LCBO: 379180
Prix LCBO: 16,95$

Cette cuvée médiane de la gamme Mondavi est élaborée à base de raisins récoltés sur la côte centrale californienne. Le climat frais qui prévaut favorise une maturation lente des baies et imprime au vin une grande complexité et un meilleur équilibre. Son pouvoir d'attraction débute à l'examen visuel grâce à sa robe jaune paille aux inflexions dorées. Des notes de mangue et d'ananas paradent sous le nez. Elles s'accompagnent de nuances de chêne et de vanille, embellies d'accents de beurre et de bonbon anglais. La bouche confirme l'odorat. Les intonations décrites au nez envahissent le palais, sans le prendre d'assaut.

IMV: 64

Acidité/corps: Fraîche • Assez corsé
Cépages: Chardonnay (97 %) + autres cépages blancs
Température: Entre 8 et 11 °C

Cuissons	Garniture	Type de plat	Arômes complémentaires
Poêlé Au four Grillé	Au beurre Aux fruits Fond de volaille	Morue charbonnière, sauce vierge	Agrumes Safran Vanille

Ainsi, chaque fiche comprend des renseignements pour réussir un accord parfait mets et vins. Outre la description du produit, vous trouverez des informations pertinentes comme les modes de cuisson idéaux pour accompagner le vin, des suggestions de garnitures (sauce, marinade, etc.) et une suggestion de plat. Les arômes complémentaires vous aiguilleront dans le choix de vos recettes. Vous trouverez également l'indice mets et vins (I.M.V.).

Marche à suivre

Voici les étapes à suivre pour réaliser des accords mets et vins à l'aide de ce guide.

1. Repérez l'ingrédient de base qui compose votre plat dans la section « Les ingrédients de base » à la fin de cet ouvrage (page 204) et retenez le chiffre qui lui correspond. Si vous avez plusieurs ingrédients de base, additionnez les chiffres leur correspondant puis divisez la somme par le nombre d'ingrédients de base. Faites attention de ne pas confondre l'ingrédient de base et les ingrédients secondaires (légumes, féculents) ou encore la garniture.

2. Repérez le mode de cuisson correspondant à votre recette dans la liste « Les modes de cuisson » (page 210) et additionnez ce nombre à celui correspondant à l'ingrédient principal.

3. Si vous avez une garniture, repérez-la dans la liste « Les garnitures » (page 211) et notez son chiffre. Si vous avez plus d'une garniture, faites une moyenne. Si vous n'avez aucune garniture, le mode de cuisson fera office d'accompagnement puisqu'il devient le seul facteur qui changera le goût de votre ingrédient de base. Dans ce cas, vous devez multiplier la valeur numérique attribuée au mode de cuisson par deux. Le résultat sera additionné aux deux indices mets et vins précédents.

4. La somme des trois nombres correspondant à chacun des éléments (ingrédient de base + mode de cuisson + garniture) constitue l'IMV de votre plat.

FORMULE DE CALCUL DE L'IMV D'UN PLAT

Ingrédient principal: ___________

+

Mode de cuisson: ___________

+

Garniture: ___________

IMV du plat =

5. Lorsque vous avez fait votre calcul et que vous avez l'IMV de votre recette, repérez les vins ayant un indice mets et vins équivalent ou s'approchant le plus possible de celui de votre plat. Les vins dont l'IMV est de cinq points au-dessus et de cinq point en dessous de la somme obtenue devraient être en équilibre avec votre plat, mais les vins dont l'IMV est le plus près de la somme obtenue devraient constituer les meilleurs choix. Servez-vous du tableau suivant pour vérifier l'écart entre deux I.M.V. et juger dans quelle mesure le vin sera en accord avec votre plat.

9 et moins	De – 6 à - 8	De -3 à -5	De -2 à +2	De +3 à +5	De + 6 à + 8	9 et plus
exécrable	à éviter	bon	excellent	bon	à éviter	exécrable

Mon amour pour le vin... en citations!

J'ai toujours été un grand admirateur de citations sur le vin. Plusieurs grands personnages ont versé dans la poésie ou dans l'humour pour évoquer leur amour du vin. Loin de vouloir me comparer à ces grands qui ont écrit l'histoire et qui ont pondu des phrases rendues célèbres, je me suis lancé un défi pas commode, celui d'écrire une citation de mon cru sur le thème du vin chaque jour, pendant un an. Celles-ci sont publiées sur mon compte Facebook. Vous trouverez dans ce guide quelques citations tirées de ce défi un peu fou.

Les vins de semaine (moins de 15 $)

« Un vin n'est petit que si on le regarde de haut. »

Pas de quoi vider votre portefeuille dans cette section qui regroupe les vins vendus à moins de 15 $ à la SAQ. Vous y trouverez des vins de qualité fort acceptable et parfois des aubaines qui feront votre fierté. Ces vins sont la preuve qu'il n'est pas nécessaire de payer cher pour avoir un vin digne de ce nom. J'ai nommé cette section « vins de semaine », car il s'agit du genre de produits pour lesquels on peut remettre le bouchon sur le goulot sans se sentir coupable et boire le reste de la bouteille le lendemain.

Muscat, Natureo

★★½

Producteur : Miguel Torres SA
Appellation : Catalunya
Pays : Espagne

Millésime dégusté : 2013
Code SAQ : 11334794
Prix SAQ : 9,30 $

Certainement le meilleur vin désalcoolisé qu'il m'ait été donné de déguster ces dernières années. Il n'est pas entièrement dénué d'alcool toutefois, puisqu'il titre à 0,5 % d'alcool. Il est idéal pour les femmes enceintes ou les invités qui ne consomment pas d'alcool. Il affiche une teinte jaune-vert. Au nez, on reconnaît les arômes typiques du muscat, avec des notes bien appuyées de fleurs, accompagnées de nuances de miel, d'agrumes et de fruits à chair blanche. La bouche est fraîche, avec une bonne présence de sucre résiduel, contrebalancée par une agréable acidité révélant des saveurs de limette.

Acidité/corps : Demi-doux • Léger
Cépages : Muscat d'Alexandrie
Température : Entre 6 et 9 °C

Cuissons	Garniture	Type de plat	Arômes complémentaires
Mijoté Bouilli Cru	Aux fruits Nature Fumet de poisson	Soupe de crevettes à la thaï	Lime Coriandre Gingembre

Chenin Blanc, Robertson Winery

Producteur : Robertson Winery
Appellation : Vin d'Afrique du Sud
Pays : Afrique du Sud

Millésime dégusté : 2014
Code SAQ : 10754228
Prix SAQ : 10,60 $

Le chenin blanc est à l'Afrique du Sud ce que le sauvignon est à la Nouvelle-Zélande. Il y a trouvé une terre d'adoption où il s'exprime à sa façon. Ce blanc aux prétentions modestes saura trouver le chemin de votre table, surtout si votre repas est composé de poissons à chair blanche. D'apparence jaune paille, il déploie un bouquet exubérant, imprégné d'accents floraux, ainsi que des notes de zeste de citron accompagnées d'une touche minérale. La bouche est vive, mais sans excès. On retrouve les intonations perçues au nez, avec une dominance de saveurs de citron. Des notes de miel s'ajoutent en finale.

Acidité/corps : Vive • Moyennement corsé
Cépages : Chenin blanc
Température : Entre 6 et 10 °C

Cuissons	Garniture	Type de plat	Arômes complémentaires
Bouilli Cru Au four	Aux fruits Fumet de poisson Aux herbes	Filet de doré, sauce au vin blanc et zeste de citron vert	Lime Sauge Coriandre

Gazela

★

Producteur : Sogrape Vinhos SA
Appellation : Vinho Verde
Pays : Portugal
Millésime dégusté : Produit non millésimé
Code SAQ : 10667351
Prix SAQ : 10,90 $
Code LCBO : 141432
Prix LCBO : 8,95 $

Le Vinho Verde est un vin destiné à être bu jeune, pour son agréable côté fruité. Il est faible en alcool et très rafraîchissant. Son côté festif est son meilleur atout. Il affiche une teinte jaune-vert avec de légères bulles fines. Au nez, il dévoile un bouquet expressif d'où émanent des parfums de melon miel et d'agrumes. En filigrane, on perçoit également des nuances florales et muscatées. En bouche, la présence de sucre résiduel est aisément perceptible, mais l'acidité tranchante renverse la vapeur et lui confère un côté rafraîchissant. Cet aspect favorise l'expression de saveurs de fruits tropicaux.

Acidité/corps : Demi-doux • Léger
Cépages : Loureiro, pedernã
Température : Entre 6 et 8 °C

IMV: 62

Cuissons	Garniture	Type de plat	Arômes complémentaires
Bouilli Cru Vapeur	Aux fruits Fumet de poisson Nature	Fondue au fromage	Épices douces Coriandre Gingembre

Vale da Judia, Branco

★½

Producteur : Adega de Santo Isidro de Pegões
Appellation : Vinho Regional Peninsula de Setúbal
Pays : Portugal
Millésime dégusté : 2014
Code SAQ : 10513184
Prix SAQ : 11,30 $

À ne pas confondre avec les vins de l'appellation Moscatel de Setúbal issus du même cépage, car si cette appellation désigne des vins liquoreux, ce vin est bel et bien sec. Les amateurs qui sont habitués au muscat ne se sentiront pas dépaysés. Il s'agit d'un vin d'été, de terrasse et de soif. Ce vin à la robe jaune paille, assez claire, déploie un intense bouquet d'où émanent des notes bien appuyées aux accents muscatés, aux nuances florales, aux épices douces et aux fruits exotiques. La bouche est fraîche, dotée d'une agréable acidité qui met en relief son côté sapide. Les épices et les nuances florales dominent.

Acidité/corps : Fraîche • Léger
Cépages : Moscatel de Setúbal
Température : Entre 6 et 9 °C

Cuissons	Garniture	Type de plat	Arômes complémentaires
Bouilli Cru Mijoté	Fumet de poisson Aux agrumes Nature	Sushis	Coriandre Gingembre Agrumes

Pinot Bianco, Vivolo di Sasso

★★

Producteur : Casa Vinicola Botter Carlo & C. SPA
Appellation : I.G.T. Veneto
Pays : Italie

Millésime dégusté : 2013
Code SAQ : 464651
Prix SAQ : 11,95$

Rien de compliqué dans ce vin sobre et sans défaut. Il sera à son aise lors de l'apéritif et en accord avec des mets simples et pas trop relevés. Visuellement, il affiche une teinte jaune-vert. De délicates nuances de fruits à chair blanche paradent sous le nez et s'accompagnent d'accents de melon miel, sur une intrigante base florale. La bouche est très agréable, dotée d'une acidité rafraîchissante et empreinte de légèreté. Les saveurs de fruits à chair blanche et de melon s'étalent dans le palais sans jamais l'assaillir. Il s'est avéré meilleur lorsque la Température s'est retrouvée autour de 10 °C.

Acidité/corps : Rafraîchissante • Léger
Cépages : Pinot bianco
Température : Entre 8 et 11 °C

IMV: 62

Cuissons	Garniture	Type de plat	Arômes complémentaires
Mijoté Bouilli Au four	Aux fruits Au vin blanc Fumet de poisson	Croquette de morue	Coriandre Pomme Vanille

Les Vignes Retrouvées

★★

Producteur : Producteurs Plaimont
Appellation : Saint-Mont
Pays : France

Millésime dégusté : 2012
Code SAQ : 10667319
Prix SAQ : 12,85$

Ce blanc, élaboré à base de cépages locaux, est le genre de vins désaltérant qui se laisse boire en après-midi sur une terrasse au soleil ou à l'heure de l'apéritif avec des tapas. D'une teinte jaune-vert, il déploie un bouquet marqué par d'intenses notes de fruits tropicaux, accompagnées de nuances végétales. La bouche est vive, mais sans excès, juste assez pour étancher la soif. Le palais est revisité par les accents de fruits tropicaux, avec une dominance de saveurs d'agrumes. Certains y verront quelques similitudes organoleptiques avec les vins à base de sauvignon, manifestement à cause de son acidité.

Acidité/corps : Vive • Moyennement corsé
Cépages : Gros manseng, petit courbu, arufiac
Température : Entre 8 et 10 °C

Cuissons	Garniture	Type de plat	Arômes complémentaires
Bouilli Mijoté Cru	Aux fruits Fumet de poissons nature	Nage de fruits de mer, gastrique à l'orange	Miel Herbes de Provence Anis

Omarine, Les Pins de Camille

★★

Producteur: Vignobles Jeanjean SA
Appellation: Picpoul de Pinet
Pays: France
Millésime dégusté: 2014
Code SAQ: 266064
Prix SAQ: 13,95$

Autrefois vendu sous le nom de Omarine, Carte Noire, ce Picpoul de Pinet est toujours aussi jovial et sympathique qu'autrefois. Picpoul, un cépage ancien, veut dire « pique les lèvres » en langue d'oc. Il a été nommé ainsi en raison de son acidité tranchante. Cela dit, les Picpoul de Pinet sont à la fois vifs et rafraîchissants. Sous une robe claire d'une teinte jaune tirant sur le vert, il allonge de puissantes notes d'agrumes, suivies d'accents floraux, sur une base minérale. Les intonations perçues au nez se reflètent dans une bouche vive, mais sans excès, munie d'une texture fluide.

Acidité/corps: Vive • Léger
Cépages: Picpoul
Température: Entre 8 et 10 °C

Cuissons	Garniture	Type de plat	Arômes complémentaires
Mijoté Bouilli Cru	Aux fruits Au vin blanc Fumet de poisson	Filet de doré arrosé d'un trait de citron	Agrumes Herbes de Provence Sauge

Riesling Relax

★

Producteur: Schmitt Söhne GMBH
Appellation: Mosel-Saar-Ruwer
Pays: Allemagne
Millésime dégusté: 2013
Code SAQ: 11254065
Prix SAQ: 14,70$
Code LCBO: 621888
Prix LCBO: 12,40$

Ce riesling typiquement germanique plaira aux amateurs de vins légers et fruités. Comme c'est le cas pour la plupart des vins allemands, son taux d'alcool est faible, avec seulement 9%, et il est demi-doux, ce qui fait de lui un excellent choix pour l'apéritif. Vêtu d'une robe jaune paille, assez claire, il étale avec verve un bouquet dominé par des accents de fruits tropicaux auxquels s'ajoutent des nuances de cantaloup et de pomme verte, sur un lit d'effluves floraux et de miel. Son acidité croquante fait contrepoids à la présence de sucre résiduel et favorise l'expression des saveurs d'agrumes et autres fruits tropicaux.

Acidité/corps: Demi-doux • Léger
Cépages: Riesling
Température: Entre 8 et 10 °C

Cuissons	Garniture	Type de plat	Arômes complémentaires
Mijoté Vapeur Cru	Aux fruits Au miel Fumet de poisson	Crevettes nordiques à la salsa de mangue et de coriandre	Romarin Coriandre Fruits tropicaux

Riesling / Muscat, 1794

★½

Producteur: Deinhard & Company
Appellation: Weinsberg
Pays: Allemagne

Millésime dégusté: Produit non millésimé
Code SAQ: 12382641
Prix SAQ: 14,95$

Voici un vin tout à fait intrigant, élaboré à parts égales de deux cépages aromatiques, par un géant de la viticulture germanique. Il en résulte un vin tout à fait charmant, à condition que vous aimiez ce style de vin très fruité et faible en alcool. D'une teinte jaune paille, avec des reflets verts, il déploie un bouquet très expressif où les odeurs normalement associées au riesling sont à l'avant-plan. Les effluves de citron, d'accents pétrolés, de romarin et de fleurs se succèdent. La bouche est à la fois croquante et sucrée. Les saveurs détectées au nez reviennent titiller les papilles. Elles s'accompagnent d'accents de pomme.

Acidité/corps: Demi-doux • Léger
Cépages: Riesling rhénan, muscat
Température: Entre 6 et 9 °C

Cuissons	Garniture	Type de plat	Arômes complémentaires
Mijoté Bouilli Au four	Aux fruits Au vin blanc Fumet de poisson	Mousse de poisson	Coriandre Pomme Citron

Viña Sol

★½

Producteur: Miguel Torres
Appellation: Catalunya
Pays: Espagne

Millésime dégusté: 2014
Code SAQ: 28035
Prix SAQ: 12,65$

Dans les petites comme dans les grandes cuvées, la maison Torres a le chic pour confectionner des vins à la personnalité unique. Ce vin de tous les jours est un bel exemple de la diversité du portfolio familial. Arborant une robe plutôt pâle, il étale au premier nez des nuances florales qui sont suivies de notes de fruits mûrs tels que la pêche, la poire et la pomme, ainsi que de fins effluves d'agrumes. Le tout, enrobé d'une touche minérale. La bouche est croquante, ce qui a pour effet de faire ressortir les saveurs d'agrumes, particulièrement les notes de zeste de citron.

Acidité/corps: Croquante • Léger
Cépages: Parellada, grenache blanc
Température: Entre 8 et 10 °C

Cuissons	Garniture	Type de plat	Arômes complémentaires
Cru Bouilli Poêlé	Aux agrumes Fumet de poisson Nature	Ceviche de pétoncles	Lime Coriandre Cari

Gros Manseng - Sauvignon, Brumont

Producteur : Alain Brumont
Appellation : I.G.P. Côtes de Gascogne
Pays : France
Millésime dégusté : 2014
Code SAQ : 548883
Prix SAQ : 13,80 $

Cette cuvée est destinée à une clientèle recherchant un vin rafraîchissant, pas compliqué et résolument sympathique. Il s'agit d'un vin parfait pour la terrasse, à l'heure de l'apéro par exemple, ou pour accompagner des mets à base de poissons. Sa robe révèle une teinte d'aspect jaune-vert. À l'olfaction, il dévoile un bouquet assez puissant dominé par des notes bien appuyées de pamplemousse et d'ananas, sur des nuances herbacées. La bouche est ample, vive et croquante. Les saveurs de fruits tropicaux dominent. Elles se collent littéralement au palais et y demeurent suspendues un bon moment. La finale révèle des flaveurs de zeste de citron.

Acidité/corps : Vive • Moyennement corsé
Cépages : Gros manseng, sauvignon blanc
Température : Entre 8 et 10 °C

Cuissons	Garniture	Type de plat	Arômes complémentaires
Bouilli Mijoté Cru	Aux fruits Aux herbes Fumet de poisson	Cocktail de crevettes	Citron Anis Sauge

Pinot Grigio, Lumina

Producteur : Ruffino SPA
Appellation : I.G.T. Delle Venezie
Pays : Italie
Millésime dégusté : 2013
Code SAQ : 12270471
Prix SAQ : 14,05 $
Code LCBO : 589101
Prix LCBO : 13,45 $

Le pinot grigio a la cote ces temps-ci, particulièrement à l'heure de l'apéro. On l'aime à cause de son côté résolument fruité, convivial, et son agréable fraîcheur. Celui-ci, souvent offert en rabais à la SAQ, est davantage destiné à être servi sur une terrasse par temps chaud qu'à la gastronomie. Il revêt une robe paille tirant sur le doré. Au nez, un bouquet assez aromatique déploie des notes de fruits à chair blanche côtoyant des nuances de fruits tropicaux, d'ananas surtout, ainsi que de subtils effluves floraux. Doté d'une agréable fraîcheur, il allonge les intonations perçues au nez avec une certaine retenue.

Acidité/corps : Fraîche • Léger +
Cépages : Pinot grigio
Température : Entre 8 et 11 °C

Cuissons	Garniture	Type de plat	Arômes complémentaires
Cru Poêlé Bouilli	Aux fruits Fond de volaille Fumet de poisson	Tartare de saumon à l'avocat	Poire Épices douces Fenouil

Verdejo, Peñascal

★½

Producteur : Hijos de Antonio Barcelo
Appellation : Vino de la Tierra de Castilla y León
Pays : Espagne

Millésime dégusté : 2013
Code SAQ : 12382587
Prix SAQ : 11,95 $

Ce vin m'a semblé davantage à son aise à l'heure de l'apéritif, en accompagnement de tapas aux fruits de mer ou de fromages à pâte molle, que lors d'un repas gastronomique. Cela dit, je ne le dénigre pas. Arborant une teinte jaune-vert, il déploie un bouquet nuancé d'où émanent des accents d'agrumes, s'accompagnant de notes de fruits à chair blanche, sur une base légèrement florale. En bouche, il se fait croquant et d'une amplitude moyenne. On revisite les intonations perçues au nez, particulièrement les saveurs de poire et de pamplemousse. La finale, tout en fruit, s'étire sur passablement de caudalies.

Acidité/corps : Vive • Léger +
Cépages : Verdejo
Température : Entre 8 et 10 °C

IMV: 63

Cuissons	Garniture	Type de plat	Arômes complémentaires
Mijoté Au four Cru	Aux agrumes Fumet de poisson Aux herbes	Tapas aux fruits de mer	Citron Sauge Cardamome

Lady - Lola

★½

Producteur : Enoitalia SPA
Appellation : I.G.T. Delle Venezie
Pays : Italie

Millésime dégusté : 2013
Code SAQ : 12386334
Prix SAQ : 14,75 $

D'emblée, il faut souligner l'esthétique de la bouteille dotée d'un bouchon refermable qui ne nécessite pas de tire-bouchon. On dirait une énorme bouteille de parfum. Ce vin transpire la féminité; pas étonnant qu'une femme agisse comme maître de chai. Sous une robe jaune paille aux reflets verts, il étale avec éclat des notes d'agrumes, de miel et de fleurs. La bouche s'avère assez goûteuse, sapide et fraîche. Une légère impression de sucre résiduel est contrebalancée par une vive acidité. On reconnaît l'empreinte du muscat, même s'il ne compte que pour 20 % de l'assemblage. Les saveurs de fruits occupent le palais sans aucune pudeur.

Acidité/corps : Vive • Léger +
Cépages : Pinot grigio, muscat
Température : Entre 8 et 10 °C

IMV: 63

Cuissons	Garniture	Type de plat	Arômes complémentaires
Cru Mijoté Bouilli	Aux fruits Nature Au jus	Sushis	Agrumes Anis Miel

Vive la vie, Blanc

★½

Producteur: J.P. Chenet
Appellation: Vin de France
Pays: France

Millésime dégusté: 2014
Code SAQ: 12525251
Prix SAQ: 10,95$

J. P. Chenet est le roi des vins à prix doux à la SAQ. Le plus cher de ses vins est vendu 16,25$, sur une douzaine de produits offerts à la société d'État. On ne parle pas de grands crus, ni de piquette. Celui-ci est situé dans le bas de la gamme, mais il en donne davantage que ce dont on est en droit de s'attendre. Ce blanc à la robe claire dévoile un bouquet expressif, marqué par des notes de pamplemousse rose agrémentées par une base florale. Miroir du nez, la bouche est rafraîchissante et tout en fruits.

Acidité/corps: Fraîche • Moyennement corsé
Cépages: Colombard, gros manseng
Température: Entre 8 et 10 °C

IMV: 64

Cuissons	Garniture	Type de plat	Arômes complémentaires
Grillé Poêlé Au four	Fumet de poisson Aux fruits Au vin blanc	Filet de sole à la meunière	Agrumes Herbes de Provence Anis

Revolution White

★

Producteur: New School Wine
Appellation: California
Pays: États-Unis

Millésime dégusté: Produit non millésimé
Code SAQ: 12166809
Prix SAQ: 11,00$

Une révolution dans le monde du vin? Sans doute pas, mais ce blanc résolument charmant possède la grande qualité d'égayer les papilles pour presque rien. À l'œil, il affiche une teinte jaune paille. Il surprend par son expression. On perçoit des notes bien appuyées d'agrumes, de fruits tropicaux tels que l'ananas et la mangue, ainsi que des nuances florales. En bouche, il en met plein les papilles. On cède pour son côté croustillant, pour cette sensation qu'il nous laisse comme si on croquait dans un fruit frais. Direct et franc, il occupe beaucoup de volume. La finale révèle des arômes muscatés.

Acidité/corps: Croquante • Assez corsé
Cépages: Colombard, chardonnay
Température: Entre 8 et 10 °C

Cuissons	Garniture	Type de plat	Arômes complémentaires
Poêlé Au four Mijoté	Fumet de poisson Fond de volaille Aux fruits	Filet de sole, salsa à la mangue	Safran Coriandre Agrumes

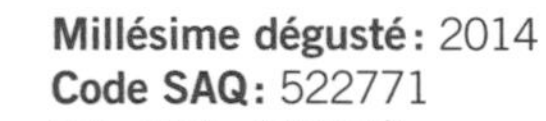

Chardonnay, Carmen, Reserva ★★

Producteur: Viña Carmen
Appellation: Valle de Casablanca
Pays: Chili
Millésime dégusté: 2014
Code SAQ: 522771
Prix SAQ: 13,95$

La région de Casablanca au Chili est réputée pour fournir des blancs de qualité exceptionnelle. Celui-ci ne joue peut-être pas dans la cour des grands, mais il gravite autour de celle-ci en tirant la langue à ceux qui y sont, tel un gamin en quête d'attention. Visuellement, il affiche une teinte jaune paille. Il déploie des effluves de fruits tropicaux, de mangue et d'abricot surtout, embellis par des nuances florales, avec en toile de fond, des intonations rappelant la craie. La bouche est à la fois croquante et enveloppante. On reconnaît ici le côté gras du chardonnay. Il nous laisse sur des flaveurs d'abricot.

Acidité/corps: Fraîche • Assez corsé
Cépages: Chardonnay
Température: Entre 8 et 10 °C

Cuissons	Garniture	Type de plat	Arômes complémentaires
Mijoté Au four Grillé	Aux fruits Au vin blanc Au beurre	Gambas poêlées, salsa à la mangue	Vanille Safran Mangue

Chardonnay, R.H. Phillips ★★

Producteur: The R.H. Phillips Vineyard
Appellation: California
Pays: États-Unis
Millésime dégusté: 2013
Code SAQ: 594457
Prix SAQ: 14,20$

À noter d'emblée, le choix judicieux de la capsule à vis, une meilleure alternative que les bouchons synthétiques. Dans le pur style Nouveau Monde, ce chardonnay séduit par son aplomb dès les premiers effluves. Il nous fait de l'œil en affichant une teinte jaune paille tirant sur le doré. Des arômes de fruits tropicaux, de vanille et d'ananas émanent de son bouquet alors que les intonations de bois neuf sont omniprésentes. La bouche est ample, texturée et dotée d'une agréable fraîcheur. Des saveurs de fruits tropicaux, tels que la mangue et la papaye gomment le palais et sont suivies d'intonations de chêne et de vanille.

Acidité/corps: Fraîche • Assez corsé
Cépages: Chardonnay
Température: Entre 8 et 10 °C

Cuissons	Garniture	Type de plat	Arômes complémentaires
Grillé Poêlé Mijoté	Fond de volaille Au beurre Fumet de poisson	Homard grillé au beurre d'agrumes	Safran Miel Agrumes

Chardonnay, Réserve Premier de Cuvée, J. P. Chenet

Producteur : J.P. Chenet
Appellation : I.G.P. Pays d'Oc
Pays : France
Millésime dégusté : 2012
Code SAQ : 626481
Prix SAQ : 14,25 $
Code LCBO : 255885
Prix LCBO : 12,95 $

J'aime bien faire déguster ce vin à l'anonyme et observer la réaction des gens lorsque je leur montre la bouteille. Ce chardonnay n'est peut-être pas d'un vin de méditation, mais il fournit son lot de plaisir. Il affiche une teinte jaune paille. Au nez, on reconnaît d'emblée le cépage grâce à ses notes bien appuyées de fruits tropicaux, de brioche à la vanille, sur un lit d'essence de bois neuf. La bouche, ample, fraîche et grasse est visitée par les mêmes arômes que ceux perçus au nez, avec une dominance de saveurs d'abricot et de fruits à chair blanche. Les intonations boisées et de vanille se pointent en clôture.

Acidité/corps : Fraîche • Moyennement corsé
Cépages : Chardonnay
Température : Entre 8 et 10 °C

Cuissons	Garniture	Type de plat	Arômes complémentaires
Mijoté Au four Bouilli	Au beurre Fumet de poisson Au vin blanc	Saumon fumé	Vanille Anis Agrumes

Adega de Pegões

Producteur : Cooperativa Agricola de Santo Isidro de Pegões
Appellation : Vinho Regional Terras do Sado
Pays : Portugal
Millésime dégusté : 2013
Code SAQ : 10838801
Prix SAQ : 14,60 $

Quand on tombe sur un vin au rapport qualité-prix-plaisir aussi avantageux, on ne peut faire autrement que de partager notre découverte. D'apparence jaune paille aux inflexions dorées, il étale des nuances typiques du chardonnay, à savoir des notes briochées, de vanille, de pêche et d'abricot, sur des accents de beurre et de bois qui complètent l'ensemble. Le moelleux du vin tranche avec l'acidité, servant de balancier afin de lui donner de la rondeur en bouche. Les accents de fruits exotiques s'imposent d'emblée. Ils tapissent le palais et l'enveloppent pour ensuite fondre en révélant des flaveurs épicées et presque sucrées.

Acidité/corps : Fraîche • Assez corsé
Cépages : Chardonnay, arinto, antão vaz
Température : Entre 8 et 10 °C

Cuissons	Garniture	Type de plat	Arômes complémentaires
Mijoté Au four Poêlé	Au beurre Fond de volaille Fumet de poisson	Crevettes poêlées au beurre d'agrumes	Safran Fruits tropicaux Épices douces

Pinot Grigio, Woodbridge

★★

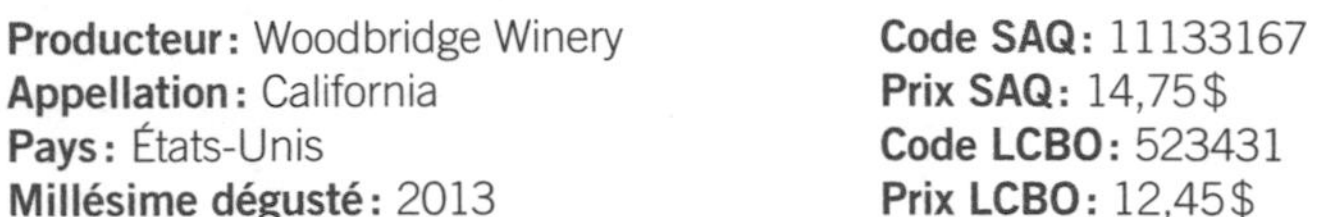

Producteur : Woodbridge Winery
Appellation : California
Pays : États-Unis
Millésime dégusté : 2013

Code SAQ : 11133167
Prix SAQ : 14,75 $
Code LCBO : 523431
Prix LCBO : 12,45 $

Avec la gamme Woodbridge, Robert Mondavi nous propose des vins faciles à boire, décontractés, et ce, sans nous ruiner. À noter que pour tous les vins de cette marque, la capsule à vis a remplacé le triste bouchon de plastique. Sa robe est jaune pâle, presque claire. Au nez, des accents de fruits tropicaux sont appuyés par des nuances de fruits à chair blanche, ainsi que des effluves floraux. La bouche est croquante à souhait. Des saveurs de mangue et d'agrumes se côtoient avec une dominance de notes citronnées qui demeurent en suspens avant de fondre lentement sur la langue.

Acidité/corps : Croquante • Moyennement corsé
Cépages : Pinot grigio
Température : Entre 8 et 11 °C

Cuissons	Garniture	Type de plat	Arômes complémentaires
Au four Poêlé Cru	Aux fruits Fumet de poisson Fond de volaille	Nage de fruits de mer, gastrique à l'orange	Citron Origan Basilic

Sauvignon Blanc, Woodbridge

★★

Producteur : Woodbridge Winery
Appellation : California
Pays : États-Unis
Millésime dégusté : 2012

Code SAQ : 40501
Prix SAQ : 14,95 $
Code LCBO : 40501
Prix LCBO : 12,45 $

Malgré des prétentions modestes, ce sauvignon ne saura pâlir devant bien des congénères vendus plus cher. Il revêt une robe jaune très pâle. Il possède un profil aromatique nuancé, marqué par des notes de pomme et de poire, cohabitant avec des intonations d'agrumes et d'ananas. Perçus en filigrane, des accents de fleurs blanches embellissent l'ensemble. En bouche, on note son agréable fraîcheur et sa texture enveloppante. Les saveurs de fruits tropicaux s'étalent dans le palais, sans jamais le prendre d'assaut. Elles sont suivies par des intonations de fruits à chair blanche, ainsi que des nuances d'agrumes. Celles-ci demeurent suspendues assez longtemps, puis s'étiolent lentement.

Acidité/corps : Fraîche • Moyennement corsé
Cépages : Sauvignon blanc
Température : Entre 8 et 10 °C

Cuissons	Garniture	Type de plat	Arômes complémentaires
Mijoté Poêlé Cru	Aux agrumes Fumet de poisson Nature	Filet de sole à la grenobloise	Agrumes Fenouil Anis

Chardonnay, Errazuriz, Estate Series

PProducteur: Viña Errazuriz SA
Appellation: Valle de Casablanca
Pays: Chili
Millésime dégusté: 2013
Code SAQ: 318741
Prix SAQ: 14,95$
Code LCBO: 318741
Prix LCBO: 12,95$

Voici un vin qui ne manque pas d'expression. Malgré son prix doux, il est bon de préciser que ce produit a bénéficié de soins dignes des meilleurs vins. Il provient d'une région favorable à l'élaboration de grands vins blancs. Sous une robe jaune dorée d'une belle intensité, il étale un riche bouquet dominé par des notes de pomme, sur des accents de vanille agrémentés d'effluves d'ananas. La bouche est croquante et très sapide. Les saveurs de fruits dominent et occupent le palais sans vergogne. Les goûts d'ananas et de pomme demeurent suspendus un long moment avant de s'étioler.

Acidité/corps: Fraîche • Moyennement corsé
Cépages: Chardonnay
Température: Entre 8 et 10 °C

Cuissons	Garniture	Type de plat	Arômes complémentaires
Poêlé Mijoté Au four	Aux fruits Au beurre Fumet de poisson	Filet de bar au beurre d'agrumes	Citron Vanille Coriandre

Pinot Grigio, Cavit, Collection

Producteur: Cavit SCARL
Appellation: I.G.T. Delle Venezie
Pays: Italie
Millésime dégusté: 2014
Code SAQ: 12382501
Prix SAQ: 12,95$

Depuis quelque temps, on dirait qu'il pleut des pinots grigio tellement ce cépage est populaire. Ce produit courant de la SAQ est l'un des meilleurs sur le marché provenant d'Italie. Visuellement, il affiche une teinte jaune paille tirant sur le doré. Au nez, on reconnaît le profil fruité du cépage avec une dominance de notes de fruits à chair blanche, de pomme poire surtout. S'ajoutent des nuances d'ananas ainsi que de légers accents floraux. La bouche n'est pas étrangère aux intonations perçues à l'olfaction. On craque pour sa fraîcheur et sa simplicité. Les saveurs de pomme-poire occupent la majorité du palais.

Acidité/corps: Fraîche • Moyennement corsé
Cépages: Pinot grigio
Température: Entre 7 et 10 °C

IMV:
65

Cuissons	Garniture	Type de plat	Arômes complémentaires
Grillé Poêlé Mijoté	Fumet de poisson Aux fruits Au beurre	Homard grillé au beurre d'agrumes	Agrumes Cardamome Amandes

Chardonnay/Viognier, Castel Sans-Façon ★★

Producteur: Castel Frères SAS
Appellation: Pays d'Oc
Pays: France
Millésime dégusté: 2013
Code SAQ: 11676137
Prix SAQ: 14,55$

Voici un vin auquel il est difficile de résister. D'abord pour son prix, mais surtout pour son expression. Il allie les qualités des deux cépages, ce qui lui donne un profil aromatique varié et intense. Ce blanc affiche une couleur jaune paille. Il étale avec verve des accents d'abricot, accompagnés de nuances de fruits tropicaux, sur des notes de fruits à chair blanche. Des effluves floraux se greffent en arrière-plan. On assiste à un copié-collé des intonations perçues à l'olfaction dans une bouche ample, grasse et onctueuse. À boire pour son fruit, bien frais, sans façon, l'été sur une terrasse en plein soleil.

Acidité/corps: Fraîche • Assez corsé
Cépages: Chardonnay, viognier
Température: Entre 7 et 9 °C

Cuissons	Garniture	Type de plat	Arômes complémentaires
Poêlé Grillé Au four	Fond de volaille Aux fruits Au cari	Filet de saumon, salsa à la mangue	Coriandre Cari Citron

Bordeaux Blanc, Lalande Bellevue ★★

Producteur: Les Vignerons de Tutiac
Appellation: Bordeaux
Pays: France
Millésime dégusté: 2013
Code SAQ: 12074710
Prix SAQ: 14,35$

Voilà un bel exemple de ce à quoi ressemble un vin à base de sauvignon blanc produit dans la région de Bordeaux. Moins exubérant que ceux de la Nouvelle-Zélande et moins complexe que ceux que l'on retrouve dans les grandes appellations de la Loire, mais tout en fruit et sans complexe. D'une couleur jaune paille, teintée de vert, ce blanc étale avec verve, mais sans trop forcer la note, des nuances d'agrumes, accompagnées d'accents de fruits tropicaux. En filigrane, on détecte des notes de calcaire. Ces intonations se reflètent dans une bouche à la fois vive et enveloppante. Il possède un agréable côté moelleux.

Acidité/corps: Vive • Assez corsé
Cépages: Sauvignon blanc
Température: Entre 8 et 10 °C

Cuissons	Garniture	Type de plat	Arômes complémentaires
Cru Mijoté Bouilli	Aux agrumes Aux herbes Fumet de poisson	Saumon fumé, câpres et citron	Citron Badiane Coriandre

Sauvignon Blanc, Porcupine Ridge

Producteur: Boekenhoutskloof
Appellation: Western Cape
Pays: Afrique du Sud
Millésime dégusté: 2014

Code SAQ: 592881
Prix SAQ: 14,90$
Code LCBO: 126797
Prix LCBO: 13,95$

Le croquant de ce vin en fera craquer plus d'un. Il est produit par l'une des maisons les plus sérieuses d'Afrique du Sud qui se démarque par la pureté de ses vins non trafiqués et au rapport qualité-prix-plaisir difficile à égaler. Celui-ci se présente sous un aspect jaune-vert. Au nez, on reconnaît le côté expressif du cépage originaire de la Loire, mais sans exubérance. De vibrants accents de pamplemousse rose côtoient des nuances d'ananas et de pêche, sur une base florale et végétale. La bouche est vive et très sapide. Les intonations perçues à l'olfaction se donnent rendez-vous dans le palais, mais sans l'envahir.

Acidité/corps: Vive • Assez corsé
Cépages: Sauvignon blanc
Température: Entre 8 et 10 °C

IMV: 65

Cuissons	Garniture	Type de plat	Arômes complémentaires
Mijoté Au four Poêlé	Fumet de poisson Aux herbes Aux fruits	Escargots à la provençale	Zeste de citron Sauge Anis

Fumé Blanc, Errazuriz, Estate Series

PProducteur: Viña Errazuriz
Appellation: Valle de Aconcagua
Pays: Chili
Millésime dégusté: 2014

Code SAQ: 541250
Prix SAQ: 14,95$
Code LCBO: 263574
Prix LCBO: 12,95$

Ce fumé blanc chilien au rapport qualité-prix fort intéressant, possède tous les ingrédients pour plaire aux amateurs de sauvignon à la fois expressif et nuancé. Il est bon de préciser que ce produit a bénéficié de soins dignes des plus grands, sans égards à son prix. La générosité du climat chilien n'est pas étrangère à la qualité de ce vin. Sous une robe jaune tirant sur le vert, il dévoile d'intenses notes de pamplemousse, de pomme verte et d'ananas ainsi que des nuances légèrement herbacées. La bouche est croquante et très sapide. Les saveurs de fruits tropicaux gomment le palais et l'inondent de goûts évoquant l'ananas et le pamplemousse.

Acidité/corps: Croquante • Assez corsé
Cépages: Sauvignon blanc
Température: Entre 8 et 11 °C

IMV: 65

Cuissons	Garniture	Type de plat	Arômes complémentaires
Poêlé Au four Mijoté	Aux herbes Aux agrumes Fumet de poisson	Filet de morue au miso	Sauge Anis Estragon

Les Jardins de Meyrac, Blanc ★★

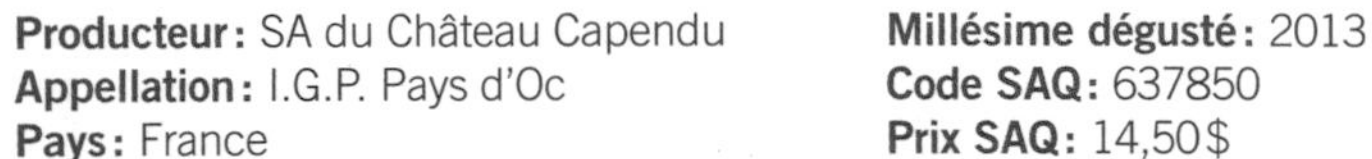

Producteur : SA du Château Capendu
Appellation : I.G.P. Pays d'Oc
Pays : France
Millésime dégusté : 2013
Code SAQ : 637850
Prix SAQ : 14,50 $

L'assemblage moitié chardonnay, moitié sauvignon donne à ce vin un irrésistible côté tutti frutti qui plaira aux amateurs de vins dominés par le fruit. À l'œil, il affiche une robe jaune paille. À l'examen olfactif, on perçoit un bouquet expressif, dominé par des accents de fruits tropicaux confits, d'ananas surtout, ainsi que de notes citronnées. En filigrane, on détecte des intonations de bourgeon de cassis et une légère touche minérale. Ces accents, ainsi que des saveurs de fruits à chair blanche se retrouvent dans une bouche fraîche, croquante et dotée d'une assez bonne allonge.

Acidité/corps : Fraîche • Moyennement corsé
Cépages : Sauvignon blanc, chardonnay
Température : Entre 8 et 11 °C

Cuissons	Garniture	Type de plat	Arômes complémentaires
Bouilli Au four Mijoté	Au citron Fumet de poisson Aux herbes	Bar rayé au yuzu	Agrumes Anis Fenouil

Sauvignon, Domaine du Tariquet ★★

Producteur : SCV Château du Tariquet
Appellation : Côtes de Gascogne
Pays : France
Millésime dégusté : 2013
Code SAQ : 484139
Prix SAQ : 14,95 $

La connexion entre ce produit bien ficelé et l'amoureux de vin que je suis s'est toujours faite de manière naturelle au fil des ans, comme si nous étions de vieux copains. Il faut dire que ce blanc a tout pour plaire à l'amateur de sauvignon. Arborant une couleur paille aux reflets verts, il propose un bouquet aromatique à souhait, imprégné de notes d'ananas et de pamplemousse, accompagnées de nuances végétales, sur un agréable fond minéral. Il est vif comme tout bon sauvignon se doit de l'être et offre une texture ample dotée de généreuses rondeurs. On savoure avec joie les accents d'agrumes et d'ananas perçus à l'olfaction.

Acidité/corps : Vive • Assez corsé
Cépages : Sauvignon blanc
Température : Entre 8 et 10 °C

IMV: 65

Cuissons	Garniture	Type de plat	Arômes complémentaires
Mijoté Au four Poêlé	Fumet de poisson Aux fruits Aux herbes	Filet de bar à la grenobloise	Sauge Coriandre Câpre

Sauvignon Blanc, Les Jamelles

★★

Producteur: Badet Clément et Cie SA
Appellation: Pays d'Oc
Pays: France

Millésime dégusté: 2013
Code SAQ: 642827
Prix SAQ: 13,95$

Agréable proposition que ce sauvignon à la personnalité directe et assumée, franche et sans complexe. Le verre miroite des nuances de jaune-vert d'une belle intensité. Un bouquet expressif dévoile des notes bien appuyées de pamplemousse, sur des accents de buis et autres intonations végétales. Le palais se laisse inonder par les saveurs de fruits tropicaux. On croque dans ceux-ci comme s'il s'agissait de fruits fraîchement tombés de l'arbre. Son acidité tranchante est contrebalancée par une mince impression de sucre résiduel apporté par les chauds rayons du soleil du Pays d'Oc. Un vin de tous les jours pour toutes les occasions.

Acidité/corps: Vive • Assez corsé
Cépages: Sauvignon blanc
Température: Entre 8 et 10 °C

Cuissons	Garniture	Type de plat	Arômes complémentaires
Tartare Au four Poêlé	Aux agrumes Fumet de poisson Aux herbes	Crevettes poêlées au beurre d'anis	Anis Sauge Laurier

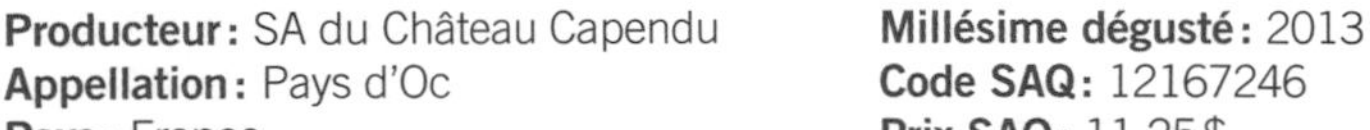

Les Jardins de Meyrac, rouge

Producteur: SA du Château Capendu
Appellation: Pays d'Oc
Pays: France

Millésime dégusté: 2013
Code SAQ: 12167246
Prix SAQ: 11,25$

Quand un vin est vendu autour de 11$ à la SAQ, on ne peut s'attendre à tomber sur une merveille. Cela dit, ce produit fort sympathique tire son épingle du jeu grâce à son côté joliment fruité et ses notes de garrigue bien évidentes. Sous une robe rubis moyennement profonde, des odeurs de baies des champs côtoient des notes de garrigue, sur une base florale. La bouche est souple, très sapide, nantie de tannins fins. Le palais est visité par les nuances de baies, avec une dominance de saveurs de framboise, accompagnées de flaveurs de cerise et de garrigue.

Tannins/corps: Souples • Léger +
Cépages: Merlot, cabernet sauvignon
Température: Entre 14 et 17 °C

IMV: 84

Cuissons	Garniture	Type de plat	Arômes complémentaires
Mijoté Au four Cru	Aux fruits Aux herbes Fond de veau	Thon grillé, jus de veau aux herbes	Baies des champs Herbes de Provence Épices douces

Cabernet Sauvignon, Douglas Green

Producteur: DGB (Pty) Ltd.
Appellation: Western Cape
Pays: Afrique du Sud

Millésime dégusté: 2013
Code SAQ: 12383248
Prix SAQ: 11,25$

Voici un vin direct et franc qui ne fait pas dans la dentelle, mais qui a du mérite. Il revêt une robe rubis un peu brouillée. De son bouquet très aromatique, se dégagent des notes de prunes et de mûres, ainsi que d'autres baies des champs, agrémentées de nuances de cerises. À cet ensemble dominé par le fruit s'ajoutent des accents de cacao sur une base légèrement torréfiée. La bouche est ample, très sapide, dotée d'une trame tannique un peu mince. Les saveurs de prune dominent l'ensemble et gomment le palais pendant plusieurs caudalies.

Tannins/corps: Souples • Moyennement corsé
Cépages: Cabernet sauvignon
Température: Entre 15 et 17 °C

Cuissons	Garniture	Type de plat	Arômes complémentaires
Mijoté Au four Poêlé	Aux fruits Au jus Au vin rouge	Côtes levées, sauce barbecue	Épices douces Baies des champs Herbes de Provence

Merlot, Vivolo di Sasso

★★

Producteur: Casa Vinicola Botter Carlo & C. SPA
Appellation: I.G.T. Veneto
Pays: Italie
Millésime dégusté: 2013
Code SAQ: 485565
Prix SAQ: 11,95$

Ce vin représente bien l'expression «un bon vin de semaine». Sa convivialité et son rapport qualité-prix-plaisir avantageux en font l'un des produits les plus intéressants sur le marché. Il affiche une couleur rubis moyennement profonde. Au nez, il ne manque pas d'expression. Des accents de baies rouges s'entourent d'intonations d'épices, ainsi que de notes végétales. La bouche est sapide, dotée d'une trame tannique souple, mais possédant tout de même une charpente ferme. Le palais est visité par les intonations détectées à l'olfaction, avec une dominance d'arômes de cerise. La finale, assez soutenue, révèle une certaine amertume.

Tannins/corps: Souples • Léger +
Cépages: Merlot
Température: Entre 15 et 17 °C

IMV: 87

Cuissons	Garniture	Type de plat	Arômes complémentaires
Mijoté Au four Poêlé	Aux poivrons Sauce tomate Fond de veau	Poivrons farcis	Poivron Épices italiennes Champignon

Syrah, R.H. Phillips

★★

Producteur: The R.H. Phillips Vineyard
Appellation: California
Pays: États-Unis
Millésime dégusté: 2013
Code SAQ: 576272
Prix SAQ: 14,20$

À noter que ce producteur a choisi le bouchon à vis pour ses vins faisant partie de cette gamme de prix, ce qui représente une meilleure alternative que les bouchons synthétiques. Cette syrah est un bon vin de semaine, mais libre à vous de le servir lors d'occasions plus fastes. Il affiche une teinte rubis aux reflets violacés. Son bouquet expressif dévoile des notes de baies des champs confites et de prunes, embellies par des nuances d'épices douces. En bouche, il est enrobé de passablement de chair, mais c'est son côté fruité qui est à l'avant-plan.

Tannins/corps: Souples • Moyennement corsé
Cépages: Syrah
Température: Entre 15 et 17 °C

IMV: 87

Cuissons	Garniture	Type de plat	Arômes complémentaires
Au four Mijoté Poêlé	Au jus Fond de veau Aux épices	Ailes de poulet barbecue	Épices douces Anis Champignon

Duque de Viseu, Carvalhais

★★

Producteur: Sogrape Vinhos SA
Appellation: Dão
Pays: Portugal
Millésime dégusté: 2012

Code SAQ: 546309
Prix SAQ: 14,95$
Code LCBO: 546309
Prix LCBO: 13,95$

La région du Dão représente avec le Douro, ce qui se fait de mieux en terme de viticulture au Portugal. Ce vin est très surprenant considérant son prix doux. Sous une robe foncée, il dévoile un bouquet expressif et nuancé d'où émanent des notes de cerise noire, de baies rouges et de chêne, sur une base évoquant les épices douces. La bouche est ample, munie de tannins fins, mais présents. Il expose son profil fruité dès la première lampée. Les accents de cerise noire s'accompagnent de nuances de prune et nous entraînent dans une finale soutenue marquée par des notes de bois de santal.

Tannins/corps: Souples • Moyennement corsé
Cépages: Touriga nacional, jaen, affrocheiro preto, tinta pinhiera
Température: Entre 15 et 17 °C

Cuissons	Garniture	Type de plat	Arômes complémentaires
Mijoté Au four Poêlé	Fond de veau Fond de gibier Aux prunes	Filet de porc aux prunes	Poivre Cannelle Fines herbes

Coup de ♥

Fantini, Farnese

★★

Producteur: Farnese Vini Srl
Appellation: Puglia
Pays: Italie

Millésime dégusté: 2014
Code SAQ: 12477501
Prix SAQ: 9,70$

À la vue de l'étiquette, fort jolie et de bon goût, je croyais avoir affaire à un vin chic, pour ne pas dire cher. J'ai humé, goûté, noté et ensuite j'ai regardé son prix. Ma perception était qu'il devait coûter autour de 15 ou 16$. Ma surprise fut de taille. Ce sangiovese affiche une teinte rubis moyennement profonde. Son bouquet est aromatique, avec une dominance d'arômes épicés, enrobés de nuances de chocolat noir, sans oublier des notes de baies rouges et noires confites. On détecte aussi des intonations rappelant le cola. La bouche est ample, avec des tannins présents, mais souples. Les épices est les baies dominent l'ensemble.

Tannins/corps: Souples • Moyennement corsé
Cépages: Sangiovese
Température: Entre 15 et 17 °C

Cuissons	Garniture	Type de plat	Arômes complémentaires
Mijoté Au four Grillé	Aux herbes Fond de veau Au vin rouge	Lasagne à la viande	Épices italiennes Estragon Tomate

Mas des Tourelles, Grande Cuvée

Producteur : GFA Forton
Appellation : Pays d'Oc
Pays : France
Millésime dégusté : 2012
Code SAQ : 11975233
Prix SAQ : 9,95$

D'emblée, il serait facile d'émettre comme constat qu'il s'agit d'un vin plutôt inoffensif, mais en y regardant de plus près, on réalise qu'il n'a pas véritablement de défaut. Pour à peine 10$, il s'agit d'une aubaine, considérant les prix du marché. Ce rouge affiche une teinte rubis peu profonde. Il s'ouvre sur des notes d'épices et de poivre, embellies par des nuances de baies rouges. En bouche, les intonations de baies rouges sont rejointes par des saveurs de cassis et de prune. La trame tannique est un peu tendue, mais affiche une certaine élasticité. La finale est marquée par une impression de sécheresse.

Tannins/corps : Souples • Moyennement corsé
Cépages : Merlot, syrah, petit verdot, marselan
Température : Entre 15 et 17 °C

Cuissons	Garniture	Type de plat	Arômes complémentaires
Mijoté Poêlé Au four	Au poivre Fond de veau Aux herbes	Brochette de bœuf, sauce au poivre vert	Poivre Prune Épices barbecue

Castillo de Monséran, Garnacha

Producteur : Bodegas San Valero S. Coop.
Appellation : Cariñena
Pays : Espagne
Millésime dégusté : 2012
Code SAQ : 624296
Prix SAQ : 10,15$
Code LCBO : 73395
Prix LCBO : 9,95$

Son prix bas n'est pas son seul atout. Il possède des qualités indéniables. Je ne lui trouve pas véritablement de défaut, si ce n'est sa simplicité. Il sera à son aise en semaine, en accord avec des mets de tous les jours. D'une teinte rubis moyennement profonde, il déploie avec une certaine retenue des arômes de baies rouges et noires, avec une dominance de cerise, déposée sur un lit d'épices douces. Ces saveurs reviennent agrémenter une bouche dominée par le fruit, dotée de tannins souples, mais suffisamment présents. Les intonations de cerise s'accompagnent de nuances de framboise et de fraise.

Tannins/corps : Souples • Moyennement corsé
Cépages : Grenache noir
Température : Entre 15 et 17 °C

IMV: 88

Cuissons	Garniture	Type de plat	Arômes complémentaires
Mijoté Au four Poêlé	Aux herbes Fond de veau Au vin rouge	Souvlaki	Laurier Champignon Anis

Revolution Red

★

Producteur: Rev Winery
Appellation: California
Pays: États-Unis
Millésime dégusté: Produit non millésimé

Code SAQ: 12166892
Prix SAQ: 11,00$
Code LCBO: 292037
Prix LCBO: 10,95$

Ce rouge pas cher a su me conquérir dès la première gorgée avec sa personnalité assumée et son caractère résolument charmeur. Il ne s'agit pas d'un grand cru, mais pour un vin offert à ce prix, c'est un exploit de taille. Vêtu d'une robe dense à la teinte rubis, il étale avec passablement de puissance des arômes de baies des champs confites, de prune, ainsi que des nuances de moka. En bouche, il surprend par sa structure et sa rondeur. La présence de sucre résiduel rappelle certains vins du Languedoc. On assiste à une duplication des intonations détectées au nez. Le moka clôture une finale soutenue.

Tannins/corps: Souples • Moyennement corsé
Cépages: Cabernet, carignan, syrah
Température: Entre 15 et 18 °C

Cuissons	Garniture	Type de plat	Arômes complémentaires
Au four Mijoté Grillé	Aux herbes Fond de veau Barbecue	Côtes levées, sauce barbecue	Cannelle Baies des champs Poivre

Quinta de Bons-Ventos

★½

Producteur: Casa Santos Lima-Companhia das Vinhas SA
Appellation: Vinho Regional Lisboa
Pays: Portugal
Millésime dégusté: 2013

Code SAQ: 10269388
Prix SAQ: 11,25$
Code LCBO: 385864
Prix LCBO: 13,95$

Voici l'un des rares produits à être vendus plus cher chez nos voisins ontariens, alors profitons-en, d'autant plus qu'il est difficile de rester de glace devant ce rouge aux accents typiques de ce coin du monde. Ce vin à la personnalité assumée affiche une robe rubis assez profonde. Il déploie un bouquet aromatique dominé par des nuances de baies rouges et noires, sur une base où se côtoient des effluves de bois, d'épices et de vanille. La bouche est dotée de tannins charnus, avec une agréable élasticité. Les saveurs de baies des champs occupent le haut du pavé et elles sont rejointes par des accents de cerise.

Tannins/corps: Souples • Moyennement corsé
Cépages: Castelão, camarate, tinta miuda, touriga nacional
Température: Entre 16 et 18 °C

Cuissons	Garniture	Type de plat	Arômes complémentaires
Au four Mijoté Poêlé	Fond de veau Aux champignons Aux tomates	Émincé de veau au poivre vert	Bouquet garni Poivre Poivron

Sangiovese di Puglia, Pasqua

★½

Producteur: Pasqua Vigneti e Cantine SPA
Appellation: I.G.T. Puglia
Pays: Italie
Millésime dégusté: 2013
Code SAQ: 545772
Prix SAQ: 11,45$
Code LCBO: 441428
Prix LCBO: 13,95$

Il est rare de tomber sur un vin aussi riche en expression et aussi savoureux vendu à ce prix. Toutes proportions gardées, ce vin réussit à en donner davantage que ce à quoi on s'attend au départ. Ce rouge à la robe rubis moyennement profonde, dévoile des accents de fraise confite, côtoyant des notes de fruits à noyau, enrobées de nuances d'épices douces. En bouche, une pointe d'acidité favorise l'expression des saveurs de baies et de cerise. Il est doté d'une trame tannique à l'ossature solide et souple à la fois. Les saveurs de baies demeurent suspendues assez longtemps pour satisfaire l'amateur de vin.

Tannins/corps: Souples • Moyennement corsé
Cépages: Sangiovese
Température: Entre 14 et 16 °C

IMV: 88

Cuissons	Garniture	Type de plat	Arômes complémentaires
Mijoté Au four Poêlé	Aux herbes Fond de veau Aux tomates	Tortellinis farcis au veau, sauce au tomate et basilic	Basilic Poivre Épices douces

Medoro

★½

Producteur: Azienda Vinicola Umani Ronchi SPA
Appellation: I.G.T. Marche
Pays: Italie
Millésime dégusté: 2013
Code SAQ: 565283
Prix SAQ: 12,70$

Ce produit m'a semblé avoir des prétentions moins modestes que son prix ne semble l'indiquer. Il possède une structure et une profondeur surprenantes pour son rang. Doté d'une robe rubis assez dense, il étale de jolis accents de cassis et de fruits rouges, sur des nuances d'épices et de fleurs, avec en arrière-plan des intonations évoquant la terre humide. La bouche est sapide, ample et dotée d'une acidité rafraîchissante. La trame repose sur des assises suffisamment solides pour supporter des viandes saignantes. Les saveurs de cassis et de baies rouges dominent l'ensemble du palais et confèrent au vin un profil fruité.

Tannins/corps: Charnus • Moyennement corsé
Cépages: Sangiovese
Température: Entre 15 et 17 °C

IMV: 88

Cuissons	Garniture	Type de plat	Arômes complémentaires
Poêlé Au four Mijoté	Aux tomates Fond de veau Au vin rouge	Manicottis aux trois fromages, sauce tomate et basilic	Basilic Thym Épices italiennes

Altano

★★

Producteur: Symington Family Estates Vinhos Lda
Appellation: Douro
Pays: Portugal
Millésime dégusté: 2012
Code SAQ: 579862
Prix SAQ: 12,95$

Le Portugal, et c'est encore plus vrai dans la région du Douro, regorge de vins à bon prix et celui-ci en est un bel exemple. Il s'agit d'un vin simple, fruité à souhait, idéal pour les jours de semaine et en accord avec des mets pas trop relevés. D'apparence rubis assez profond, il déploie un bouquet dynamique d'où émanent des accents de baies rouges, embellis par des nuances d'épices douces. La bouche est le miroir du nez, du point de vue organoleptique. Le tout est supporté par une trame tannique détenant suffisamment de chair pour ne pas recevoir le qualificatif de fluette. Les épices se font remarquer en finale.

Tannins/corps: Souples • Moyennement corsé
Cépages: Touriga franca, tinta roriz, tinta barroca
Température: Entre 15 et 17 °C

IMV: 88

Cuissons	Garniture	Type de plat	Arômes complémentaires
Mijoté Poêlé Au four	Fond de veau Au jus Épices douces	Rôti de porc à l'ancienne	Poivre Épices douces Baies des champs

Sangre de Toro

★★

Producteur: Miguel Torres SA
Appellation: Catalunya
Pays: Espagne
Millésime dégusté: 2013
Code SAQ: 6585
Prix SAQ: 13,70$
Code LCBO: 6585
Prix LCBO: 12,95$

Ce produit fait partie du décor depuis si longtemps qu'on a tendance à l'oublier. Pourtant, ce bon vin de semaine à la personnalité assurée sera à sa place, quelle que soit la noblesse de la table. Sous une robe rubis moyennement profonde, des notes de cerise et de mûre côtoient des accents d'épices douces sur un lit d'effluves boisés bien intégrés. La bouche s'avère sapide, munie de tannins sveltes. Son acidité naturelle favorise l'expression des saveurs fruitées. Aux intonations détectées au nez, s'ajoutent des nuances de prune et de cuir, ainsi que des notes de vanille.

Tannins/corps: Charnus • Moyennement corsé
Cépages: Grenache, carignan
Température: Entre 16 et 18 °C

IMV: 88

Cuissons	Garniture	Type de plat	Arômes complémentaires
Poêlé Grillé Au four	Fond de veau Au vin rouge Au poivre	Couscous au merguez	Poivre Prune Laurier

Château des Tourelles, Cuvée Classique

Producteur : GFA de Forton
Appellation : Costières de Nîmes
Pays : France

Millésime dégusté : 2012
Code SAQ : 387035
Prix SAQ : 13,95$

Voilà un produit passe-partout, bien ficelé, tout en fruit et au rapport qualité-prix-plaisir indéniable. Affichant une teinte pourpre assez foncée, il exprime avec une certaine verve des accents de baies rouges et noires, accompagnés de nuances légèrement épicées. La bouche est très sapide, marquée par des saveurs de mûre et de myrtille. Il est muni d'une agréable matière et possède une trame tannique assez souple, mais non dénuée de chair. Aux intonations perçues au nez, s'ajoutent des flaveurs de fruits à noyau, telles que la prune et la cerise noire.

Tannins/corps : Charnus • Moyennement corsé
Cépages : Syrah, mourvèdre, marselan, carignan
Température : Entre 15 et 17 °C

Cuissons	Garniture	Type de plat	Arômes complémentaires
Mijoté Poêlé Au four	Fond de veau Au vin rouge Aux fruits	Brochette de bœuf, sauce au poivre vert	Poivre vert Herbes de Provence Champignon

Laguna de la Nava, Reserva

Producteur : Bodegas Navarro López S. L.
Appellation : Valdepeñas
Pays : Espagne

Millésime dégusté : 2009
Code SAQ : 902973
Prix SAQ : 13,80$

Ce qui est intéressant avec ce produit et son grand frère, Gran Reserva, également décrit dans ce guide, c'est qu'il a évolué, ce qui est rare pour des vins offerts à ce prix. Il dévoile une teinte pourpre moyennement profonde. Au nez, un bouquet aromatique marqué par des notes légèrement épicées se greffe à des nuances de cerise bien caractéristiques, sur des notes de bois omniprésentes, mais qui ne prennent pas trop de place. La bouche est sapide, suave, un peu mince, mais cela n'est nullement un défaut. Les accents perçus à l'olfaction se retrouvent en bouche.

Tannins/corps : Charnus • Moyennement corsé
Cépages : Tempranillo
Température : Entre 16 et 18 °C

Cuissons	Garniture	Type de plat	Arômes complémentaires
Mijoté Au four Poêlé	Fond de veau Aux fruits Au vin rouge	Foie de veau à l'échalote	Champignon Poivron vert Cerise

Lavradores de Feitoria

★★

Producteur: Lavradores de Feitoria
Appellation: Douro
Pays: Portugal

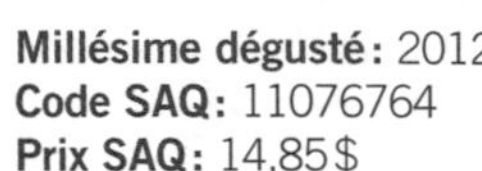
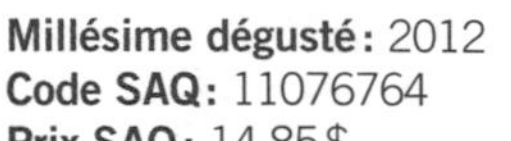

Millésime dégusté: 2012
Code SAQ: 11076764
Prix SAQ: 14,85$

Normalement, lorsqu'on a affaire à un vin offert à ce prix, il y a toujours un détail qui achoppe. Honnêtement, je n'ai rien trouvé à redire sur ce produit bien ficelé, axé sur le fruit et l'équilibre en bouche. Visuellement, il affiche une robe rubis assez foncée. Au nez, on perçoit des accents de baies des champs, suivies de nuances d'épices, sur un fond évoquant le sucre d'orge. La bouche est très sapide, pourvue de tannins possédant passablement de chair, mais avec un agréable côté soyeux. Rien ne choque ni ne s'entrechoque. Juste du bon fruit, bien dosé, sans surextraction. Idéal pour les amateurs de vins fruités avec de la matière.

Tannins/corps: Souples • Moyennement corsé
Cépages: Touriga franca, tinta roriz, touriga nacional, tinta barroca
Température: Entre 15 et 17 °C

IMV: 88

Cuissons	Garniture	Type de plat	Arômes complémentaires
Mijoté Poêlé Bouilli	Fond de veau Au jus Aux herbes	Poulet churrasco	Épices barbecue Anis Herbes de Provence

Laderas de el Segué

★★

Producteur: Bodegas y Venedos Artadi S.A.
Appellation: Alicante
Pays: Espagne

Millésime dégusté: 2013
Code SAQ: 10359201
Prix SAQ: 14,90$

Difficile d'imaginer que la vigne pousse dans cette région gorgée de soleil, très prisée par les touristes fervents de plages et de sports nautiques, et pourtant, il s'agit d'une région où la viticulture est très dynamique. Le vignoble bénéficie de la protection des montagnes pour rafraîchir la plaine. Alicante veut dire «ciel qui chante». Ce rouge affiche une teinte rubis moyennement profonde. Des notes de baies rouges et noires, de cassis surtout, paradent sous le nez et sont escortées par des nuances de terre et des effluves floraux. La bouche est le miroir du nez. Ce vin très fruité possède une trame tannique en chair et en courbes.

Tannins/corps: Souples • Moyennement corsé
Cépages: Monastrell, syrah
Température: Entre 15 et 17 °C

Cuissons	Garniture	Type de plat	Arômes complémentaires
Au four Poêlé Grillé	Fond de veau Au vin rouge Aux herbes	Bavette de bœuf à l'échalote	Champignon Herbes de Provence Poivre

Iove, Rosso

Producteur: Umberto Cesari
Appellation: Rubicone
Pays: Italie
Millésime dégusté: 2013
Code SAQ: 11766917
Prix SAQ: 14,95$

Il y a de ces vins pas compliqués, qu'on sert sans hésiter avec des préparations à l'italienne, comme un plat de pâtes ou un veau parmesan. Ce vin possède le fruité caractéristique du sangiovese et la souplesse du merlot. Il en résulte un vin à la robe pourpre assez profonde, qui dévoile un bouquet dominé par des accents de fraise et d'épices, enrobées de nuances végétales. En bouche, le fruit se révèle en avant-plan. Il est doté d'une trame tannique souple, mais non dénuée de structure. Les saveurs de fraise sont encore bien en évidence. Elles se collent au palais pendant plusieurs caudalies.

Tannins/corps: Souples • Moyennement corsé
Cépages: Sangiovese, merlot
Température: Entre 15 et 17 °C

Cuissons	Garniture	Type de plat	Arômes complémentaires
Mijoté Au four Poêlé	Fond de veau Aux herbes Aux fruits	Linguinis sauce pesto et tomates	Tomate Basilic Épices italiennes

Merlot, Woodbridge

Producteur: Woodbridge Winery
Appellation: California
Pays: États-Unis
Millésime dégusté: 2012
Code SAQ: 494492
Prix SAQ: 14,95$
Code LCBO: 494492
Prix LCBO: 12,95$

Même si ce vin est l'archétype du vin de semaine idéal, ne vous surprenez pas si un jour vous sortez l'argenterie et que ce vin se sente à l'aise. À l'œil, il affiche une couleur rubis avec des reflets violacés. C'est sans retenue qu'il étale des notes de baies rouges et noires agrémentées d'épices, sur une base légèrement boisée et vanillée. La bouche est tout en fruits et possède une trame tannique qui se tient tout en affichant l'élasticité légendaire du merlot. On retrouve sans surprise les nuances de baies rouges et aussi des saveurs de cassis. Les intonations d'épices douces couronnent une finale assez soutenue.

Tannins/corps: Charnus • Moyennement corsé
Cépages: Merlot (76%), petite sirah, syrah
Température: Entre 15 et 17 °C

Cuissons	Garniture	Type de plat	Arômes complémentaires
Poêlé Au four Mijoté	Au jus Fond de veau Au vin rouge	Rôti de veau, sauce au brie	Épices douces Bouquet garni Poivron

Zinfandel, Woodbridge

★★

Producteur: Woodbridge Winery
Appellation: California
Pays: États-Unis

Millésime dégusté: 2012
Code SAQ: 329110
Prix SAQ: 14,95$

La marque Woodbridge est l'entrée de gamme de Robert Mondavi, pionnier de la viticulture californienne de qualité. Axé davantage sur le fruit que sur la complexité, ce rouge est doté d'une personnalité bien à lui et il n'a aucun complexe face à des vins vendus plus cher. Visuellement, il affiche une robe rubis moyennement profonde. Son bouquet aromatique est composé de nuances de petites baies, de framboise surtout, agrémentées de prune et de cerise, ainsi que de notes d'épices. Une touche de bois enrobe le fruit, sans l'étouffer. En chair, mais surtout en fruit, la bouche ramène les accents de baies perçues à l'olfaction.

Tannins/corps: Charnus • Moyennement corsé
Cépages: Zinfandel (78%), petite sirah, tannat, alicante bouschet, carignan, barbera
Température: Entre 15 et 17 °C

Cuissons	Garniture	Type de plat	Arômes complémentaires
Au four Poêlé Mijoté	Aux fruits Au jus Au vin rouge	Blanquette de veau	Baies rouges Cacao Épices douces

Cabernet Sauvignon, Yali, White Swan

★½

Producteur: Viña Ventisquero Ltd.
Appellation: Valle Central
Pays: Chili

Millésime dégusté: 2013
Code SAQ: 12525437
Prix SAQ: 10,95$

Que dire de ce vin, sinon qu'il représente un rapport qualité-prix indéniable. Ce vin de semaine n'a rien d'un grand cru, mais il sera le compagnon idéal des repas simples, comme un steak pétillant accompagné de frites. Il affiche une teinte rubis assez foncée. Au nez, il propose un bouquet aromatique d'où émanent des notes de terre humide, de cassis et de végétaux. La bouche est ample et sapide, dotée de tannins fermes. On assiste à une duplication des accents perçus à l'olfaction. La finale nous laisse sur des nuances de cassis et de poivron.

Tannins/corps: Charnus • Assez corsé
Cépages: Cabernet sauvignon
Température: Entre 16 et 18 °C

Cuissons	Garniture	Type de plat	Arômes complémentaires
Poêlé Au four Grillé	Fond de veau Aux poivrons Au poivre	Steak pétillant et frites	Poivre Poivron Champignon

Cabernet Sauvignon, Santa Julia

Producteur: Familia Zuccardi
Appellation: Mendoza
Pays: Argentine
Millésime dégusté: 2013
Code SAQ: 12284346
Prix SAQ: 11,05$

Difficile d'égaler ce vin en terme de qualité-prix-plaisir. Dans sa gamme de prix, il est tout simplement un cran au-dessus des autres. Visuellement, il allonge une teinte rubis moyennement profonde. Au nez, des accents de prune côtoient des nuances de café, sur des intonations de violette, enrobées d'effluves boisés. Les saveurs perçues en bouche sont en tous points similaires aux inflexions perçues à l'olfaction, avec une dominance des notes de prune. Le tout est supporté par une trame tannique assez bien bâtie, mais qui affiche une bonne souplesse. Il offre une longueur surprenante pour un vin à ce prix.

Tannins/corps: Charnus • Moyennement corsé
Cépages: Cabernet sauvignon
Température: Entre 16 et 18 °C

Cuissons	Garniture	Type de plat	Arômes complémentaires
Au four Poêlé Grillé	Fond de veau Au vin rouge Au poivre	Saucisses de Toulouse grillées	Poivre Champignon Prune

Shiraz, Deakin Estate

Producteur: Deakin Estate
Appellation: Victoria
Pays: Australie
Millésime dégusté: 2014
Code SAQ: 560821
Prix SAQ: 12,50$
Code LCBO: 560821
Prix LCBO: 9,95$

N'hésitez pas à parer votre table d'une dentelle chic et de sortir l'argenterie avec ce «petit» vin, car il risque d'en confondre plus d'un. Doté d'une robe pourpre, dense et profonde, il étale un bouquet expressif dominé par des nuances de baies des champs, de prune, de poivre et de moka, juxtaposées à des notes de chêne et de vanille, sur des accents de feuilles mortes. Son côté sapide est sa plus grande qualité. Il est doté d'une trame tannique expansive et svelte. Les saveurs de baies gomment le palais et s'y collent un long moment avant de s'étioler.

Tannins/corps: Charnus • Moyennement corsé
Cépages: Shiraz
Température: Entre 15 et 17 °C

Cuissons	Garniture	Type de plat	Arômes complémentaires
Au four Poêlé Mijoté	Au vin rouge Fond de veau Demi glace	Macreuse de bœuf aux chanterelles	Poivre Baies noires Herbes de Provence

Hoya de Cadenas, Reserva Tempranillo

Producteur: Vicente Gandia Pla SA
Appellation: Uriel Requena
Pays: Espagne
Millésime dégusté: 2010
Code SAQ: 978387
Prix SAQ: 12,95$
Code LCBO: 620989
Prix LCBO: 11,15$

Ce vin est sans doute l'une des meilleures aubaines sur le marché. Tout y est pour plaire à l'amateur de vins le plus exigeant. Arborant une teinte rubis assez foncée, il étale un bouquet expressif à souhait, dominé par des notes bien appuyées d'épices et de boîte à tabac, sur des accents de baies rouges bien mûres. En bouche, on assiste à une domination du fruit. Les saveurs de baies s'épandent dans le palais et l'occupent un long moment avant de rompre les rangs et de céder le passage à des flaveurs de bois. Le tout est enrobé de tannins bien bâtis. 12,95$, vraiment?

Tannins/corps: Charnus • Moyennement corsé
Cépages: Tempranillo
Température: Entre 16 et 18 °C

Cuissons	Garniture	Type de plat	Arômes complémentaires
Grillé Poêlé Au four	Fond de veau Au vin rouge Aux épices	Rôti de veau aux champignons sauvages	Laurier Poivre Champignon

Grande Réserve des Challières

Producteur: Maison Thorin
Appellation: Ventoux
Pays: France
Millésime dégusté: 2013
Code SAQ: 331090
Prix SAQ: 12,95$

J'avais dégusté un millésime de ce vin très attirant considérant son prix. Un an de vieillissement a eu pour effet d'arrondir ses angles. Il s'agit d'un vin simple, mais d'une efficacité redoutable. Un bon passe-partout pour une multitude de mets. Arborant une teinte rubis assez foncée, il étale un bouquet moyennement aromatique, dominé par des accents de baies noires, sur des notes de poivre, agrémentées de nuances florales. En bouche, les saveurs de baies, de mûre surtout, prennent le haut du pavé alors que des intonations de garrigue suivent. Il est muni d'une trame tannique qui se tient bien droite. Assez long en bouche.

Tannins/corps: Charnus • Assez corsé
Cépages: Grenache, syrah, carignan
Température: Entre 15 et 17 °C

Cuissons	Garniture	Type de plat	Arômes complémentaires
Au four Mijoté Grillé	Aux herbes Fond de veau Au poivre	Carré d'agneau en croûte d'olives noires	Poivre Herbes de Provence Olive noire

Grande Réserve des Challières

Producteur: Maison Thorin
Appellation: Ventoux
Pays: France
Millésime dégusté: 2013
Code SAQ: 331090
Prix SAQ: 12,95$

Voilà un rouge pas piqué des vers. Pour moins de 13$, il en donne davantage que ce à quoi on peut s'attendre de lui. Arborant une robe rubis moyennement profonde, il ne prend aucun détour pour s'exprimer en étalant des notes bien appuyées de baies rouges et noires confites, agrémentées de nuances poivrées, ainsi que d'effluves floraux. En bouche, les saveurs de baies, avec une dominance de framboise, gomment le palais. Elles sont suivies d'intonations de garrigue. Le tout est appuyé par une trame tannique qui se tient assez droite, quoiqu'un peu acide.

Tannins/corps: Charnus • Moyennement corsé
Cépages: Grenache, syrah, carignan
Température: Entre 15 et 17 °C

Cuissons	Garniture	Type de plat	Arômes complémentaires
Au four Poêlé Mijoté	Aux herbes Fond de veau Au poivre	Bavette de bœuf à l'échalote	Poivre Herbes de Provence Cerise

Carmenère, Carmen, Reserva

Producteur: Viña Carmen
Appellation: Valle de Colchagua
Pays: Chili
Millésime dégusté: 2013
Code SAQ: 10967645
Prix SAQ: 13,95$
Code LCBO: 169052
Prix LCBO: 11,45$

Ce producteur chilien a le chic pour nous présenter des vins accessibles, possédant du caractère et au rapport qualité-prix-plaisir très avantageux. Celui-ci en est un bel exemple. Doté d'une robe très foncée, il étale avec aplomb une gerbe aromatique composée de notes de cassis, saupoudrées d'accents de café et de chocolat noir, sur un couvert forestier ainsi que des effluves boisés. La bouche est gourmande à souhait et presque sucrée. Elle est dotée d'une trame tannique assez solide, tout en affichant une agréable élasticité. Des intonations de pruneaux se greffent à l'ensemble de saveurs identifiées à l'olfaction. Bonne longueur en bouche.

Tannins/corps: Charnus • Moyennement corsé
Cépages: Carmenère
Température: Entre 15 et 17 °C

Cuissons	Garniture	Type de plat	Arômes complémentaires
Mijoté Au four Poêlé	Au poivre Fond de veau Aux fines herbes	Filet de bœuf, sauce au porto	Poivron Poivre Herbes fines

Malbec, Septima

roducteur: Bodega Septima
Appellation: Mendoza
Pays: Argentine

Millésime dégusté: 2013
Code SAQ: 12207252
Prix SAQ: 13,95$

Il est étonnant que ce vin ne soit pas vendu plus cher, mais ne le criez pas sur les toits, au cas où les décideurs de la SAQ vous entendraient. Ce malbec tout en fruit charme avec sa teinte pourpre, dense et profonde. Cependant, il m'a semblé un peu moins en verve que l'an dernier. Cela dit, il pousse des notes de fruits noirs et rouges, sur des effluves de violette et d'épices. La bouche est ample, dotée de tannins à l'ossature bien garnie de chair tout en affichant une agréable élasticité. Il possède un côté racé, élégant et joliment fruité.

Tannins/corps: Charnus • Assez corsé
Cépages: Malbec
Température: Entre 16 et 18 °C

IMV: 89

Cuissons	Garniture	Type de plat	Arômes complémentaires
Grillé Poêlé Au four	Fond de veau Au vin rouge Demi-glace	Entrecôte de bœuf grillée, sauce au poivre long	Baies des champs Poivre Anis

Cabernet Sauvignon, R.H. Phillips

Producteur: The R.H. Phillips Vineyard
Appellation: California
Pays: États-Unis

Millésime dégusté: 2013
Code SAQ: 10355358
Prix SAQ: 14,20$

Nouvelle étiquette, toujours aussi bon vin. Bien structuré, goûteux à souhait, voire gourmand, ce cabernet sauvignon destiné aux jours de semaine peut très bien se glisser sans rougir lors d'occasions spéciales. Il est doté d'une robe assez foncée. À l'olfaction, il étale avec aplomb des accents de framboise, de mûre et de prune, appuyés par nuances boisées qui jamais n'entravent le passage du fruit, ainsi que des effluves légèrement épicés. Il surprend par son amplitude et la richesse de ses tannins, sans être costaud. Il est davantage axé sur le fruit et ce côté charmeur est loin de déplaire. Assez long en bouche.

Tannins/corps: Charnus • Assez corsé
Cépages: Cabernet sauvignon
Température: Entre 16 et 18 °C

Cuissons	Garniture	Type de plat	Arômes complémentaires
Poêlé Au four Grillé	Fond de veau Au vin rouge Aux poivrons	Bavette de bœuf à l'échalote	Piment Poivre Épices douces

Tempranillo, Coronas ★★

Producteur: Miguel Torres SA
Appellation: Catalunya
Pays: Espagne
Millésime dégusté: 2011

Code SAQ: 29728
Prix SAQ: 14,40$
Code LCBO: 29728
Prix LCBO: 13,95$

Ce produit est la marque la plus ancienne de la famille Torres. En effet, il y a plus de cent ans (soit depuis 1907), que cette maison confectionne ce vin élaboré à base de tempranillo et d'un peu de cabernet sauvignon. Visuellement, il affiche une robe rubis assez dense. Son bouquet est imprégné d'accents de cerises confites et de prune, agrémentés de nuances de café sur un couvert d'épices et de bois. Il est doté d'une bouche ample et dominée par les intonations fruitées. Malgré une certaine tension dans les tannins, il possède une souplesse qui le rend très agréable à boire. Des saveurs d'épices et de cuir se greffent à l'ensemble fruité.

Tannins/corps: Charnus • Moyennement corsé
Cépages: Tempranillo, cabernet sauvignon
Température: Entre 16 et 18 °C

Cuissons	Garniture	Type de plat	Arômes complémentaires
Poêlé Au four Mijoté	Au vin rouge Aux épices Fond de veau	Bœuf braisé à la catalane	Poivre Champignon Poivron doux

Riparosso

Producteur: Azienda Agricola Dino Illuminati
Appellation: Montepulciano d'Abruzzo
Pays: Italie
Millésime dégusté: 2013

Code SAQ: 10669787
Prix SAQ: 14,60$
Code LCBO: 269985
Prix LCBO: 13,80$

Ce vin n'a pas son pareil pour égayer les papilles à petit prix. Parmi les vins vendus sous la barre de 15$, il est certainement un premier de classe. Visuellement, il affiche une robe rubis assez sombre. Dès les premiers effluves, on se laisse conquérir par ses odeurs de baies rouges et noires confites et ses nuances de réglisse embellies par une base où des inflexions d'épices douces et de café se côtoient. Ces intonations reviennent charmer le palais en le gommant d'une généreuse couche. Le tout est enveloppé par une trame tannique qui se tient bien droite et qui est pourvue d'un fondu des plus agréables.

Tannins/corps: Charnus • Moyennement corsé
Cépages: Montepulciano
Température: Entre 16 et 18 °C

Cuissons	Garniture	Type de plat	Arômes complémentaires
Au four Poêlé Grillé	Fond de veau Aux herbes Au vin rouge	Escalope de veau parmigiana	Laurier Poivre Basilic

La Vieille Église ★★

Producteur : Cave du Marmandais
Appellation : Côtes du Marmandais
Pays : France

Millésime dégusté : 2011
Code SAQ : 560748
Prix SAQ : 14,35$

D'année en année, je redécouvre avec plaisir ce rouge de tous les jours, qui possède une personnalité assumée. Il arbore une teinte rubis moyennement profonde. Son bouquet démonstratif dévoile des notes de baies rouges et noires, de prune également, enveloppées d'effluves boisés qui jamais n'étouffent le fruit. Des accents évoquant un couvert forestier se pointent en toile de fond. En bouche, on assiste à une domination du fruit, mais ceux-ci ne sont pas seuls. Ils s'accompagnent de saveurs végétales et d'un soupçon de vanille. Le tout est enrobé de tannins sveltes et doté d'une longueur très acceptable pour un vin offert à ce prix.

Tannins/corps : Fins • Moyennement corsé
Cépages : Merlot, cabernet franc, cabernet sauvignon, abouriou, cot
Température : Entre 15 et 17 °C

IMV: 89

Cuissons	Garniture	Type de plat	Arômes complémentaires
Mijoté Au four Poêlé	Aux fruits Fond de veau Au vin rouge	Faux-filet de bœuf, sauce aux champignons	Herbes de Provence Épices douces Champignon

Quinta das Setencostas ★★

Producteur : Casa Santos Lima-Companhia das Vinhas SA
Appellation : Alenquer
Pays : Portugal

Millésime dégusté : 2010
Code SAQ : 897512
Prix SAQ : 14,70$

Ce rouge élaboré à partir de cépages autochtones n'est pas piqué des vers. Il fera la barbe à plusieurs produits offerts dans la même gamme de prix et même davantage. Doté d'une robe rubis dense et profonde, il étale avec verve d'intenses effluves de myrtille, de cerise et de prune, côtoyant des accents de bois et d'épices, le tout, déposé sur une base évoquant un couvert forestier. La bouche est ample, sapide et goûteuse, développant une légère amertume en finale. Les saveurs de fruits se rassemblent pour former un vin fort sympathique et joyeusement fruité. Des relents de truffes couronnent l'ensemble.

Tannins/corps : Charnus • Assez corsé
Cépages : Castelão, camarate, tinta miuda, preto-martinho
Température : Entre 16 et 18 °C

Cuissons	Garniture	Type de plat	Arômes complémentaires
Au four Mijoté Poêlé	Aux tomates Aux fruits Au vin rouge	Entrecôte de bœuf aux champignons	Bouquet garni Poivre Truffe

Château de Pennautier

★★

PProducteur: Comte Nicolas de Lorgeril
Appellation: Cabardès
Pays: France

Millésime dégusté: 2013
Code SAQ: 560755
Prix SAQ: 14,80$

Ce rouge a le chic pour rehausser la qualité d'un repas de jour de semaine et il sait également faire son chemin lors d'occasions plus fastes. À l'œil, il exhibe une robe rouge cerise assez profonde. Des notes de petits fruits rouges confits paradent sous le nez avec aplomb. Elles cohabitent avec des intonations d'épices, additionnées d'accents de garrigue, ainsi que de parfums de chêne et de truffe en toile de fond. La bouche est sapide, dotée de tannins sveltes et bien bâtis. Les saveurs de cerise et de baies tapissent le palais pour ensuite céder la place à des flaveurs légèrement boisées.

Tannins/corps: Souples • Moyennement corsé
Cépages: Syrah, cabernet sauvignon, cot, merlot, grenache, cabernet franc
Température: Entre 15 et 17 °C

Cuissons	Garniture	Type de plat	Arômes complémentaires
Au four Mijoté Poêlé	Aux fruits Fond de veau Au jus	Filet de veau aux champignons	Herbes de Provence Poivre Cerise

Lapaccio

★★½

Producteur: Pasqua Vigneti e Cantine SPA
Appellation: I.G.T. Puglia
Pays: Italie

Millésime dégusté: 2014
Code SAQ: 610204
Prix SAQ: 14,95$

Dans cette fourchette de prix, ce rouge aux accents typiques du sud de l'Italie est difficile à égaler. D'entrée de jeu, il affiche une couleur rubis d'une bonne opacité. Des notes bien appuyées de fruits à noyau confits, tels que la cerise et la prune, cohabitent avec des effluves épicés, appuyés par des nuances de vanille et de bois torréfié. On craque ensuite pour son côté friand, sapide et sa trame tannique en chair qui affiche une agréable élasticité. Les saveurs de cerise et de prune gomment le palais et sont rejointes par les intonations de moka et d'épices. Joli et pas compliqué.

Tannins/corps: Charnus • Assez corsé
Cépages: Primitivo
Température: Entre 16 et 18 °C

Cuissons	Garniture	Type de plat	Arômes complémentaires
Au four Grillé Poêlé	Fond de veau Bolognaise Aux champignons	Bavette de bœuf à l'échalote	Clou de girofle Café Baies rouges et noires

Ares

★★

Producteur: Agricola Tommasi Viticoltori
Appellation: I.G.T. Puglia
Pays: Italie

Millésime dégusté: 2012
Code SAQ: 12283773
Prix SAQ: 14,95$

Le producteur vénitien Tommasi nous présente ici un vin au rapport qualité-prix difficile à égaler. Il est élaboré dans les Pouilles, qu'on appelle le talon de la botte. À l'œil, il affiche une teinte rouge cerise noire très profonde. Un bouquet expressif défile, présentant des notes bien appuyées de baies noires, de cerise et de réglisse, reposant sur un couvert forestier. La bouche est gourmande, très juteuse, dotée de tannins bien en chair. Son acidité naturelle favorise la perception des saveurs de baies, telles que la mûre et le cassis. Les saveurs de baies se collent aux parois des joues, avant de fondre lentement.

Tannins/corps: Charnus • Moyennement corsé
Cépages: Primitivo, negroamaro, cabernet sauvignon
Température: Entre 16 et 18 °C

Cuissons	Garniture	Type de plat	Arômes complémentaires
Poêlé Au four Mijoté	Aux tomates Au vin rouge Fond de veau	Faux-filet de bœuf grillé, sauce au vin rouge et à l'ail rôti	Badiane Tomate Thym

Coup de ♥

Il Brecciarolo

★★

Producteur: Velenosi srl
Appellation: Rosso Piceno Superiore
Pays: Italie
Millésime dégusté: 2012

Code SAQ: 10542647
Prix SAQ: 14,95$
Code LCBO: 732560
Prix LCBO: 13,95$

Parmi les vins rouges offerts à moins de 15$, celui-ci se situe dans le haut de la liste sur l'échelle qualité-prix-plaisir. Il provient d'une région côtière, Les Marches, longeant la mer Adriatique. Sous une robe rubis assez dense, on reconnaît les accents typiques des deux cépages qui se baladent sous le nez. Des notes d'épices, de fraise et de framboise, appuyées par des arômes de bois et de vanille, s'expriment avec force. La bouche est ample, sapide et très goûteuse. On assiste à une duplication des intonations perçues au nez, avec une dominance de saveurs de baies. Le tout est supporté par des tannins sveltes.

Tannins/corps: Charnus • Assez corsé
Cépages: Montepulciano, sangiovese
Température: Entre 15 et 17 °C

Cuissons	Garniture	Type de plat	Arômes complémentaires
Mijoté Poêlé Au four	Fond de veau Aux herbes Aux tomates	Pizza à l'européenne, au prosciutto et tomates séchées	Tomate Laurier Basilic

Los Cardos

★★

Producteur: Viña Doña Paula SA
Appellation: Mendoza
Pays: Argentine

Millésime dégusté: 2013
Code SAQ: 10893914
Prix SAQ: 14,80$

Voici un vin de tous les jours, incluant le week-end. Cet Argentin aux épaules larges, sans toutefois être robustes, possède bien des atouts pour gagner sur tous les fronts, dont sa versatilité, qui en fait un candidat pour une multitude de plats. Doté d'une robe très foncée, il étale avec verve des notes de baies noires, ainsi que des nuances de framboise. L'ensemble est enrobé d'accents de fines herbes et de fleurs. La bouche est très sapide, pourvue de tannins à la fois charnus et moelleux. Les saveurs de fruits occupent le haut du pavé. Aux intonations détectées au nez s'ajoutent en bouche des saveurs de prune et de café.

Tannins/corps: Charnus • Assez corsé
Cépages: Malbec
Température: Entre 16 et 18 °C

IMV: 90

Cuissons	Garniture	Type de plat	Arômes complémentaires
Poêlé Au four Grillé	Demi-glace Au vin rouge Au poivre	Confit de canard aux baies des champs	Poivre Herbes de Provence Réglisse

Cabernet sauvignon, Errazuriz, Estate Series

Producteur: Viña Errazuriz
Appellation: Valle de Aconcagua
Pays: Chili
Millésime dégusté: 2013

Code SAQ: 262717
Prix SAQ: 14,95$
Code LCBO: 262717
Prix LCBO: 13,95$

Les vins de la série Estate d'Errazuriz constituent une très belle initiation au portfolio très étendu de ce producteur chilien. À noter qu'ils sont tous munis d'une pratique capsule à vis. Doté d'une robe assez profonde, il étale avec aplomb un bouquet riche et expressif, imprégné d'odeurs de baies noires, s'appuyant sur une base composée d'effluves d'épices et de chêne. En bouche, ce vin aux tannins charnus en met plein les papilles. Les saveurs de baies noires se collent littéralement aux parois buccales et les occupent un long moment avant de laisser place à des notes animales et boisées.

Tannins/corps: Charnus • Corsé
Cépages: Cabernet sauvignon
Température: Entre 16 et 18 °C

Cuissons	Garniture	Type de plat	Arômes complémentaires
Poêlé Au four Grillé	Au porto Fond de veau Au vin rouge	Magret de canard, sauce au porto	Épices douces Fruits séchés Cacao

Cabernet Sauvignon, Woodbridge

Producteur: Woodbridge Winery
Appellation: California
Pays: États-Unis
Millésime dégusté: 2013

Code SAQ: 48611
Prix SAQ: 14,95$
Code LCBO: 48611
Prix LCBO: 12,95$

Nous assistons à un tournant technologique en ce millésime: une capsule à vis remplace le triste bouchon de plastique. Bravo pour ce judicieux changement. Même s'il n'a plus besoin de présentation, ce cabernet de bonne qualité à prix modique mérite qu'on s'y attarde encore. Vêtu d'une robe assez dense, il déploie un bouquet expressif dominé par le fruit, la mûre et le cassis surtout, ainsi que par des nuances d'épices et de violette. Le tout est enrobé d'accents de bois neuf. Doté de tannins en chair et en courbes, il étale en bouche ses saveurs de baies sauvages qui fondent doucement sur le palais.

Tannins/corps: Charnus • Assez corsé
Cépages: Cabernet sauvignon (76%), syrah, petite sirah, petit verdot, merlot
Température: Entre 16 et 18 °C

Cuissons	Garniture	Type de plat	Arômes complémentaires
Au four Poêlé Grillé	Fond de gibier Aux fruits Au vin rouge	Carré d'agneau à l'ail et au romarin	Épices douces Poivre Cassis

Les vins du vendredi (entre 15 et 20 $)

« Ce qui est bien avec le vin, c'est qu'on peut évoquer ses rondeurs sans risquer de le froisser. »

Lorsque la semaine se termine, il est temps de se gâter un peu. C'est dans la gamme des 15 à 20$ qu'on trouve les meilleures aubaines, question rapport qualité-prix. Les vins qui sont présentés dans cette section sont dignes des meilleures tables et parfois des mets les plus fins. Plusieurs de ces produits confondront les sceptiques qui se croiront en présence de vins haut de gamme. Les vins présentés dans cette section constituent l'entrée de gamme de certaines maisons viticoles, le milieu de gamme pour d'autres. C'est donc sans crainte de vous tromper que vous pourrez dénicher dans cette section le vin qui sera à la hauteur du début de votre week-end.

Muscadet-Sèvre-et-Maine sur lie, Chéreau Carré, Réserve Numérotée

Producteur: Chéreau Carré
Appellation: Muscadet-Sèvre et Maine sur lie
Pays: France
Millésime dégusté: 2013
Code SAQ: 365890
Prix SAQ: 15,20$

De tous les muscadets sur le marché, celui-ci me semble toujours un cran au-dessus des autres. C'est un vin léger, somme toute assez simple, légèrement perlant, au rapport qualité-prix avantageux. D'apparence jaune paille, il révèle des accents de pomme verte, accompagnés de nuances de calcaire. En bouche, il me semble l'avoir déjà vu plus pétillant, mais on perçoit tout de même une très légère effervescence. Il est vif, mais sans excès. Les saveurs de pomme verte s'expriment d'emblée et sont rejointes par des intonations minérales, ainsi qu'une légère touche iodée, ce qui en fait un candidat de choix pour les coquillages.

Acidité/corps: Vive • Léger
Cépages: Muscadet
Température: Entre 6 et 8 °C

Cuissons	Garniture	Type de plat	Arômes complémentaires
Mijoté Cru Bouilli	Fumet de poisson Aux agrumes Au vin blanc	Moules marinières	Pomme Amande Persil

Viña Esmeralda

Producteur: Miguel Torres
Appellation: Catalunya
Pays: Espagne
Millésime dégusté: 2013
Code SAQ: 10357329
Prix SAQ: 15,85$
Code LCBO: 377465
Prix LCBO: 13,95$

Assurément, ce vin possède le mot de passe pour ouvrir la voûte du bonheur. Pourvu que vous aimiez ce genre de vin demi-doux et très fruité. Visuellement, il affiche une robe paille avec des reflets verts. Le nez est expressif à souhait. On reconnaît les arômes typiques des cépages aromatiques dont il est composé, avec des notes bien appuyées de pêche et de litchi, rehaussées de nuances florales, sur un lit de miel et d'épices douces. La bouche est très sapide, dotée d'une agréable texture. L'impression de sucre résiduel est contrebalancée par une acidité rafraîchissante. Les intonations détectées au nez s'affichent avec éclat.

Acidité/corps: Fraîche • Léger
Cépages: Muscat d'Alexandrie, Gewurztraminer
Température: Entre 6 et 8 °C

Cuissons	Garniture	Type de plat	Arômes complémentaires
Cru Bouilli Poêlé	Aux fruits Au beurre Fumet de poisson	Nouilles de riz à la thaï	Coriandre Gingembre Cumin

Muscadet-Sèvre et Maine, sur lie, La Sablette

Producteur: Marcel Martin
Appellation: Muscadet-Sèvre et Maine
Pays: France

Millésime dégusté: 2013
Code SAQ: 134445
Prix SAQ: 16,25$

Encore une fois cette année, avec son produit phare, Marcel Martin remplit sa mission qui est de nous désaltérer sans vider notre portefeuille. Les habitués de ce vin qui n'a pas besoin de présentation seront ravis d'apprendre qu'il n'a pas changé. D'une teinte jaune-vert, il déploie un bouquet moyennement aromatique, dominé par des accents de pomme verte et de poire, embellis par des nuances de fruits tropicaux, d'agrumes entre autres, ainsi que des notes iodées caractéristiques. La bouche est fraîche, agrémentée d'un agréable côté perlant. Les saveurs de fruits à chair blanche dominent. Elles sont suivies en finale par des effluves minéraux.

Acidité/corps: Fraîche • Léger
Cépages: Muscadet
Température: Entre 6 et 8 °C

Cuissons	Garniture	Type de plat	Arômes complémentaires
Mijoté Bouilli Poêlé	Fumet de poisson Aux agrumes Au vin blanc	Moules marinières	Citron Persil Noix de pin

Bourgogne Aligoté, Prince Philippe

Producteur: Bouchard Aîné & Fils
Appellation: Bourgogne Aligoté
Pays: France

Millésime dégusté: 2014
Code SAQ: 143628
Prix SAQ: 16,75$

Avec ce vin, Bouchard Aîné & Fils rend hommage à Philippe III, dit Le Bon, prince de France et Duc de Bourgogne (1419-1467). D'apparence jaune paille, ce vin s'épanouit sous le nez en révélant des accents de pomme et de poire, agrémentés de nuances d'agrumes, saupoudrés d'intonations évoquant les fleurs blanches, embellies par des notes de badiane. Il est croquant comme tout bon aligoté. Son acidité naturelle favorise l'étalement des saveurs de pomme et d'agrumes. On y détecte aussi de subtils accents minéraux qui lui apportent une complexité aromatique. Cet aligoté est destiné pour la table et pas seulement pour le kir.

Acidité/corps: Vive • Léger
Cépages: Aligoté
Température: Entre 7 et 10 °C

Cuissons	Garniture	Type de plat	Arômes complémentaires
Cru Mijoté Au four	Aux agrumes Fumet de poisson Nature	Pattes de crabe au citron vert	Citron Fenouil Badiane

Masi, Masianco

★★

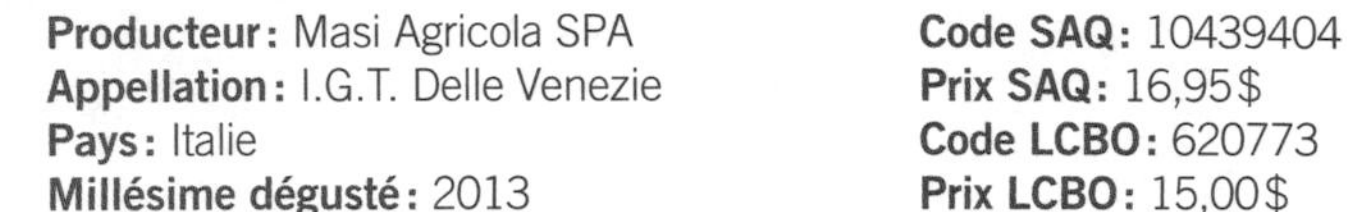

Producteur: Masi Agricola SPA
Appellation: I.G.T. Delle Venezie
Pays: Italie
Millésime dégusté: 2013

Code SAQ: 10439404
Prix SAQ: 16,95$
Code LCBO: 620773
Prix LCBO: 15,00$

J'avoue avoir un petit faible pour ce produit tout à fait craquant, qui dévoile sans aucune pudeur son côté fruité. À noter que le verduzzo (25% de l'assemblage) a bénéficié d'une période de séchage sur claies de bambou afin de concentrer ses arômes. Il en résulte un vin à l'aspect jaune paille. À l'olfaction, il étale avec puissance des notes de fruits tropicaux, d'ananas surtout, de pêche également, sur des accents de miel en toile de fond. La bouche est croquante. Les saveurs d'agrumes et de fruits tropicaux occupent l'ensemble du palais. Elles fondent sur la langue en laissant derrière elles des flaveurs minérales.

Acidité/corps: Croquante • Léger +
Cépages: Pinot grigio, verduzzo
Température: Entre 8 et 10 °C

Cuissons	Garniture	Type de plat	Arômes complémentaires
Cru Bouilli Mijoté	Aux fruits Fumet de poisson Au beurre	Salade de chèvre chaud	Agrumes Fenouil Coriandre

Pinot Blanc, Trimbach

★★

Producteur: F.E. Trimbach
Appellation: Alsace
Pays: France

Millésime dégusté: 2013
Code SAQ: 89292
Prix SAQ: 17,60$

Ce blanc possède des vertus désaltérantes indéniables. Il séduit les papilles sans forcer la note, tendrement, avec délicatesse, pour le plaisir du fruit surtout, et ce, sans surdose inutile. À l'œil, il dévoile une robe à la teinte jaune paille. Son bouquet est composé de nuances variées dont des odeurs de fruits à chair blanche et de fruits tropicaux, avec en toile de fond de subtiles intonations de champignons. La bouche est croustillante et bien sapide. Les saveurs de fruits tropicaux, tels que l'ananas, le citron et la mangue, tapissent en douce le palais.

Acidité/corps: Croustillante • Léger
Cépages: Pinot blanc
Température: Entre 8 et 11 °C

Cuissons	Garniture	Type de plat	Arômes complémentaires
Cru Bouilli Vapeur	Aux fruits Fumet de poisson Nature	Mousse de poisson	Anis Fruits tropicaux Coriandre

Calcari

★★

Producteur: Cavas Parés Baltà SA
Appellation: Penedès
Pays: Espagne

Millésime dégusté: 2013
Code SAQ: 11377225
Prix SAQ: 19,25$

Ne serait-ce que pour faire changement des éternels cépages blancs traditionnels, des sauvignons et des chardonnays, ce vin rafraîchissant à l'extrême égayera les papilles les plus difficiles à combler. Le xarel-lo est le cépage catalan employé normalement dans l'élaboration des Cavas. Offrant une robe jaune dorée, ce blanc diffuse des notes bien appuyées de citron reposant sur une base de miel, embellie par des accents floraux. La bouche est croquante à souhait. On replonge dans les intonations visitées au nez, avec une dominance de saveurs de miel. Il fera un malheur servi bien frais, sur une terrasse.

Acidité/corps: Croquante • Léger +
Cépages: Xarel-lo
Température: Entre 7 et 9 °C

Cuissons	Garniture	Type de plat	Arômes complémentaires
Poêlé Au four Grillé	Fond de volaille Au beurre Aux champignons	Filet de doré au citron	Beurre Miel Citron

Chardonnay, La Chevalière

★★

Producteur: Domaine Laroche
Appellation: Pays d'Oc IGP
Pays: France

Millésime dégusté: 2013
Code SAQ: 572636
Prix SAQ: 15,55$

Ce chardonnay est une belle représentation du type de vins qu'on produit à base de ce cépage dans ce coin de pays où l'on parle la langue d'oc. Élevé en cuve d'inox, sans apport de bois pour la pureté du fruit, ce blanc à la robe paille étale avec verve des accents de fruits à chair blanche, sur une base florale. Des effluves légèrement briochés se pointent en filigrane. La bouche est fraîche et pourvue d'une agréable acidité. Les saveurs de fruits à chair blanche s'affirment avec une certaine retenue, sans flafla, avec juste ce qu'il faut pour satisfaire l'amateur de chardonnay.

Acidité/corps: Fraîche • Léger
Cépages: Chardonnay
Température: Entre 8 et 11 °C

Cuissons	Garniture	Type de plat	Arômes complémentaires
Bouilli Poêlé Nature	Fumet de poisson Au beurre Fond de volaille	Mousse de crabe	Beurre Vanille Safran

Fritz's Riesling

★★

Producteur : Weingut Gunderloch
Appellation : Rheinhessen
Pays : Allemagne
Millésime dégusté : 2013
Code SAQ : 11389015
Prix SAQ : 15,65$
Code LCBO : 216366
Prix LCBO : 13,95$

Pas compliqué ni complexé, ce riesling respire la joie de vivre. Offert à un prix très intéressant, considérant son rapport qualité-prix-plaisir, il réjouira les palais les plus fins. Il mettra du piquant et du bonheur, en plein soleil ou les jours de pluie. Déjà, à l'œil, sa robe jaune or nous interpelle. Au nez, l'abricot et la pêche côtoient les inflexions d'agrumes, accompagnées de pommes, ainsi que des nuances minérales. La bouche est ample, sapide et dotée d'une agréable texture onctueuse. On perçoit aisément la présence de sucre, mais celle-ci est contrebalancée par une acidité tranchante. Des nuances de miel et d'hydrocarbures se greffent aux accents perçus à l'olfaction.

Acidité/corps : Rafraîchissante • Léger +
Cépages : Riesling
Température : Entre 8 et 10 °C

IMV: 63

Cuissons	Garniture	Type de plat	Arômes complémentaires
Cru Mijoté Poêlé	Au vin blanc Aux agrumes Fumet de poisson	Sushis	Lime Fruits tropicaux Cari

Bourgogne Aligoté, Louis Roche

★★

Producteur : Louis Roche
Appellation : Bourgogne Aligoté
Pays : France
Millésime dégusté : 2013
Code SAQ : 240382
Prix SAQ : 17,65$

Les techniques modernes permettent aujourd'hui d'atténuer l'acidité naturelle de ce cépage bourguignon, un trait de caractère qui lui a fait de l'ombre par le passé. Cette cuvée en bénéficie, car il offre une fraîcheur qui le place dans l'axe des meilleurs cépages blancs. Il affiche une teinte jaune paille. De délicats arômes de fleurs paradent sous le nez. Ils sont suivis d'effluves de pomme verte, rehaussés par des accents d'agrumes et d'épices douces. La bouche est croquante, mais pas trop vive. Les saveurs de fruits s'étalent dans le palais sans donner l'impression de l'assaillir, avec douceur et sans rudesse.

Acidité/corps : Fraîche • Léger +
Cépages : Aligoté
Température : Entre 8 et 10 °C

Cuissons	Garniture	Type de plat	Arômes complémentaires
Mijoté Bouilli Cru	Aux agrumes Fumet de poisson Au vin blanc	Escargots à la bourguignonne	Citron Persil Safran

Viognier, Cazal Viel

★★

Producteur: Laurent Miguel
Appellation: I.G.P. Pays d'OC
Pays: France
Millésime dégusté: 2013
Code SAQ: 895946
Prix SAQ: 17,75$

C'est toujours avec beaucoup de bonheur que je revisite ce viognier bien ficelé, qui irradie le visage par son côté décontracté et facile à boire. Il est désormais bouché avec une capsule à vis. Visuellement, il affiche une robe jaune paille d'une bonne intensité. Les premiers effluves que l'on perçoit sont des odeurs bien définies de pêche, suivies aussitôt par des accents de miel, agrémentés d'une touche florale et minérale. La bouche est dotée d'une agréable fraîcheur et d'un petit côté croquant. On retrouve avec bonheur les saveurs de la pêche. Elles sont suivies de nuances minérales. L'ensemble se savoure sur plusieurs caudalies.

Acidité/corps: Fraîche • Moyennement corsé
Cépages: Viognier
Température: Entre 8 et 10 °C

IMV: 63

Cuissons	Garniture	Type de plat	Arômes complémentaires
Mijoté Au four Poêlé	Au beurre Aux fruits Fumet de poisson	Brie en croûte, à la pêche	Pêche Miel Coriandre

Pinot blanc, Five Vineyards

★★

Producteur: Mission Hill Family Estate
Appellation: Okanagan Valley
Pays: Canada
Millésime dégusté: 2013
Code SAQ: 300301
Prix SAQ: 17,95$
Code LCBO: 145094
Prix LCBO: 15,95$

Mission Hill est un joyau de la viticulture canadienne. Il a été nommé par ses pairs comme la winery de l'année à plusieurs reprises lors des dernières années. Les raisins de cette cuvée proviennent de cinq parcelles du domaine. Ce vin affiche une robe jaune paille. Au nez, des accents de poire, d'ananas et de pomme Golden se succèdent. Celles-ci s'accompagnent de nuances d'agrumes. On craque pour son côté résolument fruité et pour son agréable acidité qui nous laisse croire qu'on croque dans un fruit frais. On revisite les intonations perçues à l'olfaction. Les saveurs de fruits se collent au palais. La finale nous laisse sur des flaveurs de lime.

Acidité/corps: Rafraîchissante • Léger
Cépages: Pinot blanc
Température: Entre 8 et 10 °C

IMV: 63

Cuissons	Garniture	Type de plat	Arômes complémentaires
Cru Bouilli Mijoté	Aux fruits Au vin blanc Nature	Flan aux fruits de mer	Poire Agrumes Fenouil

Everyday, The Dreaming Tree

★★

Producteur: The Dreaming Tree Wines
Appellation: Central Coast
Pays: États-Unis

Millésime dégusté: 2013
Code SAQ: 12270913
Prix SAQ: 18,00$

Le chanteur Dave Matthews et l'œnologue Steve Reeder, copropriétaires de cette vinerie californienne, se sont donné comme mission d'élaborer des vins à boire maintenant et non à faire vieillir dans un cellier. Ce vin de tous les jours, comme son nom le suggère, est à l'image de cet énoncé. Il s'affiche en jaune aux inflexions dorées. Au nez, il étale avec verve des nuances caractéristiques des cépages aromatiques que sont le riesling et le gewurztraminer. Les notes florales ainsi que les accents d'agrumes et de fruits tropicaux sont bien en avant-plan. La bouche est croquante à souhait. Aux inflexions déjà perçues au nez s'ajoutent des saveurs de fruits à chair blanche.

Acidité/corps: Croquante • Moyennement corsé
Cépages: Gewurztraminer, riesling, albarino, viognier
Température: Entre 8 et 10 °C

Cuissons	Garniture	Type de plat	Arômes complémentaires
Au four Poêlé Mijoté	Au vin blanc Aux agrumes Fumet de poisson	Sauté de fruits de mer et de coquillages aux agrumes	Coriandre Citron Safran

Anthìlia

★★

Producteur: Donnafugata S.R.L.
Appellation: Sicilia
Pays: Italie

Millésime dégusté: 2014
Code SAQ: 10542137
Prix SAQ: 18,45$

Cette maison sicilienne présente toujours des vins originaux et uniques. Celui-ci a toujours fait partie de mes vins préférés de cette maison. Il s'agit d'un vin pour tous les jours, même les week-ends. Sous une robe jaune pâle, il dévoile un bouquet assez aromatique dominé par des accents de pêche, de poire et d'épices douces, juxtaposés à des nuances minérales. Des intonations d'anis et des notes florales s'invitent également. La bouche est à la fois fraîche, croquante et dotée d'une texture ample. Les intonations perçues au nez reviennent caresser le palais. La finale nous laisse sur des flaveurs de pamplemousse.

Acidité/corps: Fraîche • Moyennement corsé
Cépages: Insolia, catarratto
Température: Entre 8 et 10 °C

Cuissons	Garniture	Type de plat	Arômes complémentaires
Cru Mijoté Au four	Aux agrumes Fumet de poisson Aux herbes	Ceviche de pétoncles	Fenouil Coriandre Gingembre

Riesling, Léon Beyer, Réserve

Producteur: Léon Beyer
Appellation: Alsace
Pays: France

Millésime dégusté: 2013
Code SAQ: 81471
Prix SAQ: 19,00$

Cette maison alsacienne est l'une des plus réputées de la région. Elle confectionne des produits destinés à la gastronomie et propose des vins bien secs, sans sucre résiduel, même si parfois on peut ressentir non loin derrière cette sensation de sucre typique aux vins d'Alsace. D'apparence jaune-vert, ce blanc dévoile un bouquet imprégné d'accents de citron et de lime, accompagnés d'intonations de gingembre, ainsi que de nuances de fines herbes. La bouche est ample, savoureuse, dotée d'une agréable acidité et d'une texture enveloppante. Aux intonations perçues au nez, s'ajoutent en bouche des accents de fruits à chair blanche. Bel équilibre entre l'acidité et le moelleux.

Acidité/corps: Vive • Moyennement corsé
Cépages: Riesling
Température: Entre 8 et 10 °C

Cuissons	Garniture	Type de plat	Arômes complémentaires
Mijote Au four Cru	Aux agrumes Fumet de poisson Aux herbes	Nage de fruits de mer à la lime	Lime Romarin Gingembre

Chardonnay, Domaine de Cibadiès

Producteur: Vignobles Bonfils
Appellation: Pays d'Oc
Pays: France

Millésime dégusté: 2014
Code SAQ: 12284741
Prix SAQ: 15,30$

Ce chardonnay qui ne fait pas dans la dentelle et qui est offert à prix doux, possède toutes les caractéristiques qu'on attend du cépage. Il plaira à l'amateur de chardonnay démonstratif et tout en fruit. Il affiche une teinte jaune paille avec des reflets dorés. Au nez, il est expressif à souhait. Il étale avec verve des accents de pomme, sur des nuances de fruits tropicaux, de melon surtout, appuyées par un boisé bien intégré. La bouche est ample, croustillante et fraîche. Les intonations perçues à l'olfaction s'affirment en bouche avec une dominance de fruits tropicaux. S'ajoutent des saveurs de beurre frais, d'amandes et de bois torréfié.

Acidité/corps: Fraîche • Moyennement corsé
Cépages: Chardonnay
Température: Entre 8 et 10 °C

Cuissons	Garniture	Type de plat	Arômes complémentaires
Grillé Fumé Au four	Aux agrumes Fumet de poisson Au beurre	Saumon fumé	Amande Agrumes Anis

Mouton Cadet, Blanc

★★

Producteur: Baron Philippe de Rothschild SA
Appellation: Bordeaux
Pays: France
Millésime dégusté: 2013

Code SAQ: 2527
Prix SAQ: 15,95$
Code LCBO: 2527
Prix LCBO: 14,05$

Le Baron Philippe de Rothschild, cadet de la famille, doit certainement être fier du succès et de la longévité de la marque Mouton Cadet qui a pris naissance dans les années 1930, en pleine crise financière. Le blanc a toutefois fait son apparition dans les années 1970. Bel exemple d'équilibre et de retenue que ce blanc pas coincé pour deux sous. Vêtu d'une robe jaune paille, il étale ses nuances de fruits exotiques et de fleurs avec aplomb. Des notes de buis se greffent à l'ensemble. Ces intonations reprennent vie dans le palais. Elles évoluent vers des saveurs de fruits à chair blanche dans une bouche croquante.

Acidité/corps: Fraîche • Moyennement corsé
Cépages: Sauvignon blanc, sémillon, muscadelle
Température: Entre 8 et 10 °C

Cuissons	Garniture	Type de plat	Arômes complémentaires
Mijoté Poêlé Au four	Fond de volaille Fumet de poisson Aux fruits	Beignets de poisson, sauce au safran	Safran Coriandre Citron

Domaine de la Baume, Les Mariés

Producteur: Domaine de la Baume
Appellation: I.G.P. Pays d'Oc
Pays: France

Millésime dégusté: 2013
Code SAQ: 477778
Prix SAQ: 16,95$

Ce sauvignon blanc au rapport qualité-prix-plaisir incomparable, est à mille lieues des bombes aromatiques que sont souvent les vins élaborés à base de ce cépage. Il se déguste à petite dose, lentement, histoire de l'apprécier davantage, mais aussi parce qu'il est plutôt en subtilité qu'en exubérance, surtout au nez. Sous une robe jaune paille aux reflets verts, il étale un bouquet nuancé, marqué par des notes d'ananas confit, sur des accents de pamplemousse rose, ainsi que des effluves légèrement herbacés. On retrouve ces intonations dans une bouche fraîche, équilibrée et très goûteuse. Aux accents perçus à l'olfaction, s'ajoutent des flaveurs de verveine.

Acidité/corps: Fraîche • Moyennement corsé
Cépages: Sauvignon blanc
Température: Entre 8 et 11 °C

Cuissons	Garniture	Type de plat	Arômes complémentaires
Mijoté Poêlé Au four	Au vin blanc Au beurre Fumet de poisson	Morue noire au miso	Safran Fines herbes Coriandre

Château Bonnet, Blanc

★★

Producteur: SCEA Les Vignobles André Lurton
Appellation: Entre-Deux-Mers
Pays: France
Millésime dégusté: 2013
Code SAQ: 83709
Prix SAQ: 17,75$

Lorsqu'on sait qu'André Lurton, l'un des personnages du Bordelais les plus importants, est derrière ce vin à la fois abordable et bien fait, on ne s'étonne pas de la qualité qu'on retrouve dans le verre. Muni d'une robe jaune paille, ce blanc étale un fort joli bouquet imprégné d'arômes de fruits tropicaux, sans exubérance et tout en nuances. Des accents de noix grillées se pointent ensuite, suivis d'effluves floraux. La bouche est fraîche et possède une acidité croquante. Bel équilibre entre l'acidité et le moelleux. On détecte aisément les saveurs de fruits tropicaux qui s'étalent dans le palais sans jamais l'assaillir.

Acidité/corps: Croquante • Moyennement corsé
Cépages: Sauvignon, sémillon, muscadelle
Température: Entre 7 et 10 °C

Cuissons	Garniture	Type de plat	Arômes complémentaires
Au four Poêlé Mijoté	Aux fruits Fumet de poisson Fond de volaille	Moules au safran	Anis Agrumes Safran

Gran Viña Sol

★★

Producteur: Soc. Vinicola Miguel Torres SA
Appellation: Penedès
Pays: Espagne
Millésime dégusté: 2013
Code SAQ: 64774
Prix SAQ: 17,95$
Code LCBO: 171660
Prix LCBO: 15,95$

L'incontournable producteur catalan Miguel Torres signe ici un autre produit de qualité issu de son vaste portfolio. Sous une robe jaune paille, on reconnaît aisément les intonations du chardonnay avec des nuances de pêche, des accents de vanille, de pain grillé et de caramel écossais, ainsi qu'une touche minérale et florale appuyée par un boisé bien intégré à l'ensemble. La bouche est fraîche, croquante à souhait, à la fois charnue, ample, ronde et sapide, et possède un agréable côté moelleux. Parmi les saveurs perçues au nez, la vanille, témoin d'un passage sous bois, se distingue et est rejointe par les accents de fruits à chair blanche.

Acidité/corps: Fraîche • Assez corsé
Cépages: Chardonnay (85%), parellada
Température: Entre 8 et 11 °C

Cuissons	Garniture	Type de plat	Arômes complémentaires
Grillé Poêlé Au four	Au beurre Aux fruits Fond de volaille	Saumon grillé, épices barbecue et zeste de lime	Vanille Safran Citron

Chardonnay, Clos du Bois

Producteur : Clos du Bois Winery
Appellation : North Coast
Pays : États-Unis
Millésime dégusté : 2012
Code SAQ : 11768568
Prix SAQ : 18,00$

Une valeur sûre que ce vin aux allures typiques des chardonnays qu'on retrouve dans ce coin du globe. Vêtu d'une robe jaune paille aux inflexions dorées, il déploie avec aplomb une gerbe aux intonations de mangue, coexistant avec des nuances de fruits à chair blanche, de notes de vanille, de bois, ainsi que des accents de beurre et de pain grillé. De subtils effluves d'amande se tissent en toile de fond. En bouche, il se fait enjôleur de par sa texture grasse. Il étale sur le palais les accents perçus à l'olfaction, qui se logent aux parois en y invitant d'autres nuances de fruits tels que la poire et le melon.

Acidité/corps : Fraîche • Moyennement corsé
Cépages : Chardonnay
Température : Entre 8 et 10 °C

Cuissons	Garniture	Type de plat	Arômes complémentaires
Mijoté Au four Poêlé	Au vin blanc Au beurre À la crème	Crabe des neiges au beurre d'agrumes	Fruits tropicaux Épices douces Coriandre

Chardonnay, Robert Mondavi, Private Selection

Coup de ♥

Producteur : Robert Mondavi Winery
Appellation : California
Pays : États-Unis
Millésime dégusté : 2013
Code SAQ : 379180
Prix SAQ : 19,00$
Code LCBO : 379180
Prix LCBO : 16,95$

Cette cuvée médiane de la gamme Mondavi est élaborée à base de raisins récoltés sur la côte centrale californienne. Le climat frais qui prévaut favorise une maturation lente des baies et imprime au vin une grande complexité et un bon équilibre. Son pouvoir d'attraction débute à l'examen visuel grâce à sa robe jaune paille aux inflexions dorées. Des notes de mangue et d'ananas paradent sous le nez. Elles s'accompagnent de nuances de chêne et de vanille, embellies d'accents de beurre et de bonbon anglais. La bouche est la confirmation de l'odorat. Les intonations décrites au nez envahissent le palais, sans le prendre d'assaut.

Acidité/corps : Fraîche • Assez corsé
Cépages : Chardonnay (97 %) + autres cépages blancs
Température : Entre 8 et 11 °C

IMV: 64

Cuissons	Garniture	Type de plat	Arômes complémentaires
Poêlé Au four Grillé	Au beurre Aux fruits Fond de volaille	Morue charbonnière, sauce vierge	Agrumes Safran Vanille

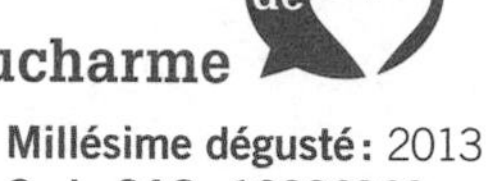

Bourgogne, Chardonnay, Beaucharme

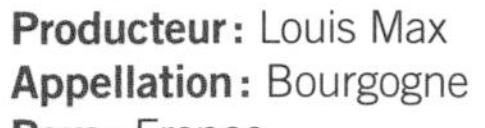

Producteur: Louis Max
Appellation: Bourgogne
Pays: France

Millésime dégusté: 2013
Code SAQ: 12206962
Prix SAQ: 18,90$

Fort jolie proposition que celle-là et difficile de ne pas l'accepter puisque ce chardonnay se dévoile en étalant beaucoup de sensualité, de grâce et de volupté. D'entrée de jeu, sa robe à la teinte jaune aux reflets dorés attise nos papilles. De son bouquet subtil et nuancé, se dégagent des accents de pomme Golden, suivis de nuances d'amandes sur un boisé délicat, accentuées par une minéralité évoquant son terroir d'origine. En bouche, il étale avec aplomb les intonations détectées à l'olfaction. S'ajoutent des notes de vanille et de beurre frais. Le tout dans un enrobage frais et une texture grasse à souhait.

Acidité/corps: Fraîche • Moyennement corsé
Cépages: Chardonnay
Température: Entre 8 et 11 °C

Cuissons	Garniture	Type de plat	Arômes complémentaires
Mijoté Bouilli Poêlé	Au beurre À la crème Au vin blanc	Feuilleté de champignons à la crème et à la badiane	Amande Badiane Safran

Le Blanc, Chartier Créateur d'Harmonies

Producteur: Sélection Chartier
Appellation: Pays d'Oc
Pays: France

Millésime dégusté: 2013
Code SAQ: 12068117
Prix SAQ: 19,00$

D'entrée de jeu, je dirais que son seul défaut est qu'il est sans doute un peu trop cher « pour son rang », un terme qu'aime utiliser notre célèbre sommelier. Cela dit, il possède des qualités indéniables. Ce blanc affiche une teinte jaune paille. Des arômes de pêche et de poire, jouxtés à des nuances de miel sur un fond légèrement floral, s'étalent avec verve. La bouche est harmonieuse, pourvue d'une acidité modérée et d'une agréable sensation onctueuse. Les intonations décrites au nez sont réfléchies et fondent lentement sur la langue. Rien ne s'entrechoque, mais j'aurais aimé un peu plus d'expression.

Acidité/corps: Fraîche • Léger +
Cépages: Chardonnay, grenache blanc, rolle
Température: Entre 8 et 11 °C

Cuissons	Garniture	Type de plat	Arômes complémentaires
Bouilli Au four Poêlé	Au vin blanc Au beurre Aux fruits	Crevettes sautées au beurre, crème, ail et cari	Poivre blanc Agrumes Cari

Bourgogne, Chardonnay, Louis Latour

Producteur : Louis Latour
Appellation : Bourgogne
Pays : France
Millésime dégusté : 2013

Code SAQ : 55533
Prix SAQ : 19,80$
Code LCBO : 55533
Prix LCBO : 19,95$

Cette cuvée, 100 % inox, est élaborée à partir de vignes de chardonnay provenant de Meursault, Puligny, Chassagne-Montrachet, ainsi que de certains vignobles de la Côte Chalonnaise. Il y a donc de la graine des grands dans ce bourgogne « générique ». Visuellement, il affiche une teinte jaune avec des reflets dorés. Il tend une gerbe assez aromatique imbibée d'intonations de melon, de pomme et de vanille, sur des accents floraux et de silex. On reconnaît aisément la rondeur et la fraîcheur du chardonnay, ainsi que ses nuances typiques de beurre et d'amande fraîche qui s'accompagnent des saveurs déjà perçues à l'olfaction. La bouche est croquante à souhait.

Acidité/corps : Fraîche • Moyennement corsé
Cépages : Chardonnay
Température : Entre 8 et 10 °C

Cuissons	Garniture	Type de plat	Arômes complémentaires
Poêlé Nature Bouilli	Au beurre Aux amandes Fond de volaille	Filet de sole à la meunière	Safran Agrumes Vanille

Chardonnay, Mission Hill, Reserve

Producteur : Mission Hill Family Estate
Appellation : Okanagan Valley
Pays : Canada
Millésime dégusté : 2012

Code SAQ : 11092078
Prix SAQ : 19,95$
Code LCBO : 545004
Prix LCBO : 21,95$

Ce digne représentant de la vallée de l'Okanagan, est une véritable carte postale organoleptique du genre de chardonnay qu'on retrouve dans ce coin de pays. Élevé dans des fûts américains, mais élaboré à la bourguignonne avec bâtonnages sur lies, il est tout sauf banal. Il révèle une robe jaune paille tirant sur le doré. Son bouquet exhale des accents de fruits tropicaux, de pêche et de fruits à chair blanche, sur un lit d'effluves boisés. En filigrane, on détecte des nuances florales. Ces intonations sont revisitées dans une bouche suave et croquante, dotée d'une agréable fraîcheur. Des flaveurs briochées se pointent en finale.

Acidité/corps : Fraîche • Moyennement corsé
Cépages : Chardonnay
Température : Entre 8 et 11 °C

Cuissons	Garniture	Type de plat	Arômes complémentaires
Poêlé Au four Mijoté	Au beurre Fumet de poisson Fond de volaille	Blanc de volaille à la mangue	Safran Vanille Épices douces

Château Suau, Blanc ★★

Producteur : SCA Château Suau
Appellation : Bordeaux
Pays : France

Millésime dégusté : 2014
Code SAQ : 11015793
Prix SAQ : 17,05$

Ce produit bio gorgé de fruits est toujours une agréable proposition, année après année. Toujours stable côté style, il livre la marchandise. Doté d'une robe jaune paille avec des reflets verts, ce blanc au bouquet très aromatique exprime avec aplomb des nuances de pamplemousse rose, juxtaposées à des accents de pomme verte, suivis de notes d'ananas et de noisette. En bouche, on remarque d'emblée son amplitude et l'équilibre entre l'acidité fournie par le sauvignon et le côté moelleux apporté par le sémillon. Les accents d'agrumes se mêlent aux saveurs de fruits à chair blanche pour créer un ensemble harmonieux.

Acidité/corps : Vive • Moyennement corsé
Cépages : Sauvignon, sémillon, muscadelle
Température : Entre 8 et 10 °C

Cuissons	Garniture	Type de plat	Arômes complémentaires
Poêlé Au four Mijoté	Aux agrumes Fumet de poisson Fond de volaille	Crevettes sautées au beurre d'agrumes	Fenouil Anis Cardamome

Domaine de Lévêque ★★

Producteur : Domaine de la Renne
Appellation : Touraine
Pays : France

Millésime dégusté : 2013
Code SAQ : 12207009
Prix SAQ : 17,20$

La notoriété de Touraine n'atteindra jamais la renommée des grandes appellations de la Loire viticole que sont les Pouilly-Fumé et Sancerre, entre autres, mais pour une fraction du prix, ce vin prouve qu'il est possible de s'en approcher en terme de complexité aromatique. Il revêt une robe jaune tirant sur le vert. Au nez, il étale avec aplomb des notes bien appuyées de fruits tropicaux, d'ananas et de pamplemousse. Celles-ci s'agrémentent de nuances florales, ainsi que d'accents de calcaire. La bouche est ample, sapide et croquante. Les intonations détectées au nez se collent au palais et l'occupent un bon moment avant de s'étioler.

Acidité/corps : Croquante • Assez corsé
Cépages : Sauvignon blanc, sauvignon gris
Température : Entre 9 et 11 °C

Cuissons	Garniture	Type de plat	Arômes complémentaires
Mijoté Au four Cru	Aux agrumes Aux herbes Au vin blanc	Nage de crevettes, gastrique à l'orange	Citron Anis Aneth

Pinot Gris, Pierre Sparr, Réserve

Producteur: Pierre Sparr et ses Fils
Appellation: Alsace
Pays: France
Millésime dégusté: 2013
Code SAQ: 11675679
Prix SAQ: 17,90$
Code LCBO: 983395
Prix LCBO: 16,95$

Il y a quelque chose d'irrésistible dans ce vin qui possède des qualités incomparables lorsque vient le temps de l'apporter à table. Il affiche une teinte jaune dorée d'une bonne intensité. Son bouquet, expressif et nuancé, dévoile des notes d'agrumes, suivies d'effluves de fruits tropicaux, de melon, de miel et de poire. À noter la précision des arômes. Il possède une bouche moelleuse, beaucoup de fruits. La présence d'un sucre résiduel est perceptible, sans être trop apparent. Le tout est bien dosé et offre un bel équilibre, une grande fraîcheur et une agréable acidité.

Acidité/corps: Fraîche • Moyennement corsé
Cépages: Pinot gris
Température: Entre 8 et 11 °C

IMV: 65

Cuissons	Garniture	Type de plat	Arômes complémentaires
Cru Poêlé Au four	Aux fruits Fumet de poisson Épices douces	Crevettes sautées au cari	Coriandre Cari Safran

Chardonnay, EXP

Producteur: The R.H. Phillips Vineyard
Appellation: California
Pays: États-Unis
Millésime dégusté: 2012
Code SAQ: 594341
Prix SAQ: 18,00$

Cet archétype d'un chardonnay californien a le chic pour se faire des amis. Il a bénéficié d'un traitement à la bourguignonne, avec des bâtonnages sur lies en barrique de chêne, ce qui lui confère complexité et rondeur. Il nous fait de l'œil avec sa robe jaune doré. Nos sens sont bercés par un intense bouquet garni de fragrances évoquant les fruits tropicaux, l'abricot surtout, fardées d'effluves de vanille, enrobés d'intonations de beurre frais, de pain grillé, saupoudrées de bois. Nos papilles cèdent sous le charme des inflexions d'épices, de mangue et des nuances détectées au nez. Sa texture ample et son côté enveloppant nous achèvent.

Acidité/corps: Fraîche • Assez corsé
Cépages: Chardonnay
Température: Entre 8 et 11 °C

IMV: 65

Cuissons	Garniture	Type de plat	Arômes complémentaires
Grillé Poêlé Mijoté	Fond de volaille Au beurre Aux fruits	Brie en croûte, à la mangue	Amande Vanille Safran

Côtes-du-Rhône, Guigal, blanc

Producteur: E. Guigal
Appellation: Côtes-du-Rhône
Pays: France
Millésime dégusté: 2013

Code SAQ: 290296
Prix SAQ: 19,50$
Code LCBO: 290296
Prix LCBO: 18,95$

Ce blanc est un modèle du genre, c'est pourquoi il est impossible de passer à côté de ce grand classique sans le sélectionner pour ce guide. Il étale une robe jaune paille assez intense. Au nez, il dévoile des accents de fruits tropicaux tels que la pêche, l'abricot et le melon, surplombés d'effluves floraux. La bouche est fraîche, croustillante et très sapide. Ce vin est très sec malgré la dominance des saveurs fruitées, et assez puissant. Les intonations de pêche et d'abricot gomment le palais et l'occupent pendant plusieurs caudalies avant de céder le passage à des nuances évoquant un champ de garrigue.

Acidité/corps: Fraîche • Assez corsé
Cépages: Viognier, roussane, clairette, marsanne, bourboulenc
Température: Entre 8 et 10 °C

Cuissons	Garniture	Type de plat	Arômes complémentaires
Mijoté Poêlé Au four	Fumet de poisson Aux fruits Au beurre	Fricassée de fruits de mer	Bouquet garni Fruits tropicaux Menthe

Chardonnay, Rodney Strong

Producteur: Rodney Strong Vineyards
Appellation: Sonoma
Pays: États-Unis
Millésime dégusté: 2013

Code SAQ: 10544714
Prix SAQ: 19,80$
Code LCBO: 226936
Prix LCBO: 22,95$

Ce blanc au caractère assumé, archétype de chardonnay californien, n'y va pas par quatre chemins pour séduire les plus fins palais. Il attire déjà l'attention avec sa robe jaune dorée. Paradent sous le nez, des accents d'abricot, sur des pommes Golden, agrémentées d'effluves briochés, le tout sur un lit d'intonations boisées bien intégrées. La bouche se fait racoleuse avec sa texture grasse et son agréable fraîcheur. Les saveurs de fruits font naufrage sur la langue, emportée par une vague où les inflexions de beurre frais s'allient aux nuances de brioche à la vanille. En rétro, on décèle des accents d'agrumes.

Acidité/corps: Fraîche • Assez corsé
Cépages: Chardonnay
Température: Entre 8 et 11 °C

Cuissons	Garniture	Type de plat	Arômes complémentaires
Poêlé Au four Mijoté	Au beurre Aux fruits Fond de volaille	Gambas sautées, salsa à la mangue	Fruits tropicaux Amande Safran

Pinot Grigio, Le Rosse

★★

Producteur : Agricola Tommasi Viticoltori
Appellation : I.G.T. Delle Venezie
Pays : Italie

Millésime dégusté : 2014
Code SAQ : 10230555
Prix SAQ : 17,40$

La popularité du pinot grigio ne se dément pas au Québec et celui-ci est certainement l'un des meilleurs. Il est synonyme de convivialité, de joie de vivre. C'est le genre de produit qu'on aime pour ce qu'il est, sans se poser trop de questions. Il arbore une teinte jaune or. Dès les premiers effluves, on se laisse conquérir par le charme de son bouquet expressif marqué par des intonations de fruits tropicaux, tels que l'ananas, le melon et la banane confite. La bouche est croquante et dotée d'une texture enveloppante. Les inflexions de fruits exotiques perçus à l'olfaction reviennent charmer le palais. Assez long en bouche.

Acidité/corps : Croquante • Moyennement corsé
Cépages : Pinot grigio
Température : Entre 8 et 11 °C

IMV: 66

Cuissons	Garniture	Type de plat	Arômes complémentaires
Grillé Au four Mijoté	Aux fruits Fumet de poisson Au beurre	Sushis	Ananas Badiane Coriandre

Pinot Noir, La Chevalière

★½

Producteur: Domaine Laroche
Appellation: Pays d'Oc
Pays: France
Millésime dégusté: 2013
Code SAQ: 10374997
Prix SAQ: 15,45$

Ce vin est sans doute l'un des pinots noirs dignes de ce nom parmi les moins chers sur le marché. La famille Laroche, originaire de Chablis et qui a étendu ses tentacules jusqu'au Chili et en Afrique du Sud, occupe depuis longtemps une place de choix dans le cœur des Québécois. Ce pinot de tous les jours, simple et délicat, saura plaire à une clientèle qui désire un vin au rapport qualité-prix intéressant. Visuellement, il étale une robe rubis assez soutenue. Paradent sous le nez, des accents de baies sauvages, suivies de nuances de terre humide. Les intonations perçues au nez se reflètent dans une bouche sapide, pourvue de tannins souples.

Tannins/corps: Souples • Léger
Cépages: Pinot noir
Température: Entre 14 et 17 °C

IMV: 83

Cuissons	Garniture	Type de plat	Arômes complémentaires
Mijoté Cru Au four	Fond de veau Au jus Nature	Thon grillé, jus de veau	Champignon Laurier Épices douces

Bourgogne Passe-Tout-Grains, Prince Philippe

★★

Producteur: Bouchard Aîné & Fils
Appellation: Bourgogne Passe-Tout-Grains
Pays: France
Millésime dégusté: 2013
Code SAQ: 32276
Prix SAQ: 16,95$

Les amateurs de rouges légers et fruités, mais qui recherchent un minimum de substance seront ravis par ce vin élaboré à base d'un tiers du cépage roi de la Bourgogne et de deux tiers de gamay. Il est élevé en cuve d'inox pour conserver la pureté de son fruit et l'on en redemande. D'apparence rubis clair avec des reflets violacés, il propose un bouquet composé d'arômes variés tels que la griotte et la fraise des bois, ainsi que des accents floraux. Il se fait tendre en bouche, alors que des saveurs de petites baies éclatent tels des fruits fraîchement cueillis. Ces saveurs perdurent jusqu'à la finale résolument fruitée.

Tannins/corps: Gouleyants • Léger
Cépages: Gamay, pinot noir
Température: Entre 15 et 17 °C

IMV: 83

Cuissons	Garniture	Type de plat	Arômes complémentaires
Mijoté Au four Bouilli	Fond de veau Nature Aux fruits	Lapin aux griottes	Cerise Épices douces Laurier

Pinot noir, Blackstone ★★

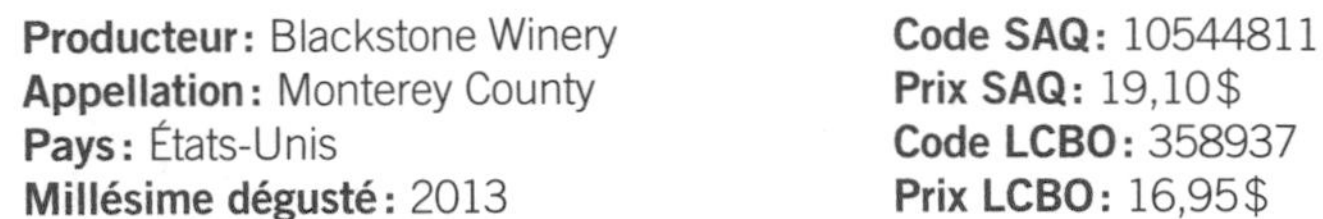

Producteur: Blackstone Winery
Appellation: Monterey County
Pays: États-Unis
Millésime dégusté: 2013

Code SAQ: 10544811
Prix SAQ: 19,10$
Code LCBO: 358937
Prix LCBO: 16,95$

Une tonne de fruits accompagnés d'effluves d'épices douces, de bois et de vanille, dinstingue ce rouge résolument Nouveau Monde, à mille lieues du style bourguignon. Ce vin a le chic pour en mettre plein les papilles. D'apparence rubis moyennement clair, il étale sans retenue un bouquet riche et expressif. Dès l'attaque, on se laisse prendre par ses goûts évoquant la boîte à épices, les fruits à noyau et les nuances de pâtisserie. On note l'élasticité de sa trame tannique et son agréable fraîcheur. Le qualificatif de «vin digeste» lui colle bien à la peau. À son aise autant en accompagnement d'une volaille que d'une viande rouge.

Tannins/corps: Souples • Léger +
Cépages: Pinot noir (89%), syrah, petite sirah
Température: Entre 15 et 17 °C

Cuissons	Garniture	Type de plat	Arômes complémentaires
Au four Mijoté Poêlé	Aux fruits Fond de veau Au vin rouge	Mignon de porc, sauce aux canneberges	Fruits à noyau Clou de girofle Muscade

Bourgogne, Vieilles Vignes de Pinot Noir, Albert Bichot ★★½

Producteur: Albert Bichot
Appellation: Bourgogne
Pays: France
Millésime dégusté: 2012

Code SAQ: 10667474
Prix SAQ: 19,50$
Code LCBO: 166959
Prix LCBO: 16,95$

Depuis six générations, la famille Bichot occupe une place de choix en Bourgogne. Elle possède ses propres vignobles en plus d'agir comme négociant avec plusieurs petits vignerons tout en prenant un soin jaloux de respecter les normes de la société. Ce vin est un bel exemple de rigueur, même s'il s'agit d'une entrée de gamme. Arborant une robe assez claire, il étale avec retenue des accents de petits fruits rouges, avec en toile de fond des nuances minérales et florales, sans le côté vert de certains de ses congénères. La bouche est gouleyante, très sapide et goûteuse. Un fin régal.

Tannins/corps: Gouleyants • Léger
Cépages: Pinot noir
Température: Entre 14 et 16 °C

Cuissons	Garniture	Type de plat	Arômes complémentaires
Mijoté Poêlé Au four	Au jus Aux fruits Aux champignons	Filet de veau, sauce veloutée au brie	Champignon Griotte Laurier

Beaujolais-Villages, Prince Philippe ★★

Producteur: Bouchard Aîné & Fils
Appellation: Beaujolais Villages
Pays: France

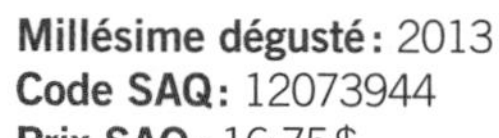

Millésime dégusté: 2013
Code SAQ: 12073944
Prix SAQ: 16,75$

Il se boit sans soif, pour le simple plaisir de croquer dans son fruit. Loin des bombes tanniques, ce rouge à la robe rubis claire, mais non dénuée de profondeur, distribue avec délicatesse des accents de petites baies rouges sauvages, agrémentés de nuances florales et végétales. C'est en bouche qu'il séduit grâce à sa trame tannique tout en dentelle, d'une tendreté remarquable, avec juste ce qu'il faut de mordant pour nous permettre d'apprécier sa structure. Son acidité naturelle favorise l'expression des saveurs fruitées. Celles-ci se blottissent et entourent les papilles, avant de fondre suite à un long séjour.

Tannins/corps: Gouleyants • Léger
Cépages: Gamay
Température: Entre 14 et 17 °C

Cuissons	Garniture	Type de plat	Arômes complémentaires
Mijoté Au four Cru	Aux fruits Fond de veau Aux herbes	Thon rouge, jus de veau aux herbes	Herbes de Provence Baies des champs Épices douces

Saumur, Rouge, Louis Roche ★★

Producteur: Louis Roche
Appellation: Saumur
Pays: France

Millésime dégusté: 2012
Code SAQ: 10689681
Prix SAQ: 16,85$

Dans cette région fraîche de la Loire viticole, le cabernet franc expose un profil fruité et léger et celui-ci se dresse en digne représentant de cette appellation. Rubis tirant sur le violet et assez limpide, il fixe ses arômes de baies des champs avec aplomb, mais sans trop pousser. Ceux-ci s'accompagnent d'une touche florale. L'opération charme prend davantage son sens en bouche alors que les accents de baies des champs coulent et ondulent sur la langue avec fraîcheur et délicatesse. Le fondu des tannins favorise l'éclatement des nuances fruitées qui se collent au palais et l'occupent sans jamais assaillir les papilles.

Tannins/corps: Souples • Léger +
Cépages: Cabernet franc
Température: Entre 14 et 16 °C

Cuissons	Garniture	Type de plat	Arômes complémentaires
Mijoté Au four Poêlé	Fond de veau Aux herbes Au vin rouge	Cuisseau de lapin aux griottes	Persil Poivron Cerise

Château de Montguéret

★★

Producteur: SCEA Château de Montguéret
Appellation: Anjou
Pays: France

Millésime dégusté: 2013
Code SAQ: 871996
Prix SAQ: 17,80$

Le cabernet franc révèle à Anjou un côté de sa personnalité qu'il déploie rarement plus au sud, comme à Bordeaux. Davantage sur le fruit, léger et convivial, ce rouge plaira à ceux qui recherchent des alternatives aux vins du Beaujolais, entre autres. Visuellement, il présente une robe rubis assez claire. Au nez, des accents de cerise et de réglisse s'accompagnent de nuances rappelant le poivron, mais sans que cette facette soit trop apparente. La bouche est franche, dotée de tannins sveltes et très sapides. Miroir du nez du point de vue organoleptique, ce vin offre une dominance des saveurs de cerise.

Tannins/corps: Souples • Léger +
Cépages: Cabernet franc
Température: Entre 14 et 17 °C

Cuissons	Garniture	Type de plat	Arômes complémentaires
Mijoté Au four Poêlé	Au vin rouge Aux champignons Aux poivrons	Thon grillé, jus de veau aux herbes	Bouquet garni Poivre Piment

Pinot Noir, Mark West

★★

Producteur: Mark West Winery
Appellation: California
Pays: États-Unis

Millésime dégusté: 2012
Code SAQ: 12270921
Prix SAQ: 18,00$

Cette vinerie californienne a fait du pinot noir sa spécialité puisque, mis à part un vin blanc à base de chardonnay, elle ne produit que des vins à base de ce cépage bourguignon. L'entrée de gamme de ce vignoble qui produit plusieurs vins de haute voltige, affiche une teinte rubis, moyennement profonde. Des notes bien appuyées de fruits à noyau se révèlent d'emblée, accentuées par des inflexions évoquant le magasin de confiseries, saupoudrées d'accents de muscade. En bouche, il démontre une agréable fraîcheur, une rondeur remarquable et une trame tannique qui se tient bien droite. Les saveurs de fruits dominent et sont suivies par les flaveurs végétales typiques du pinot.

Tannins/corps: Souples • Moyennement corsé
Cépages: Pinot noir
Température: Entre 15 et 17 °C

Cuissons	Garniture	Type de plat	Arômes complémentaires
Au four Poêlé Mijoté	Au vin rouge Fond de veau Aux herbes	Longe de porc à la moutarde au miel	Épices douces Cerise Sauge

Bourgogne Gamay, Louis Latour

Producteur: Louis Latour
Appellation: Bourgogne Gamay
Pays: France
Millésime dégusté: 2012
Code SAQ: 11979242
Prix SAQ: 18,80$
Code LCBO: 361014
Prix LCBO: 18,95$

Bourgogne Gamay est une nouvelle appellation régionale à partir du millésime 2011. Les raisins doivent provenir d'un ou de plusieurs des dix Crus du Beaujolais. On permet aussi une petite proportion de pinot noir. Celui-ci, élaboré par un géant de la viticulture bourguignonne, est un modèle à imiter. Doté d'une robe rouge cerise assez dense, il étale avec une certaine retenue des accents de fraise des bois, sur des nuances florales. La bouche est sapide, suave, gouleyante, avec des tannins tout en dentelle. On a vraiment l'impression qu'il pinote et l'addition de 15 % de pinot noir n'y est certainement pas étrangère. En bouche, il est fidèle à l'aspect olfactif.

Tannins/corps: Souples • Léger +
Cépages: Gamay, pinot noir
Température: Entre 14 et 16 °C

Cuissons	Garniture	Type de plat	Arômes complémentaires
Mijoté Au four Cru	Aux herbes Fond de veau Aux fruits	Râble de lapin aux griottes	Champignon Bouquet garni Griotte

Morgon, Les Charmes

Producteur: Les Vins Louis Tête
Appellation: Morgon
Pays: France
Millésime dégusté: 2013
Code SAQ: 961185
Prix SAQ: 18,80$

Ce producteur a le chic pour produire des vins qui réjouissent le palais autant par leur finesse que par leur aspect résolument jovial. Ce rouge qui se boit sans soif affiche une teinte rubis assez claire. Il répand des accents de petites baies des champs, de griotte aussi, agrémenté d'épices douces, saupoudrées d'inflexions florales. Il se fait léger sur la langue, avec une trame tannique souple qui affiche tout de même une certaine tension. Son acidité naturelle lui confère une dimension rafraîchissante et favorise l'étalement des saveurs fruitées dans le palais. Celles-ci mènent vers une finale marquée par des flaveurs d'herbe fraîchement coupée.

Tannins/corps: Souples • Léger +
Cépages: Gamay
Température: Entre 15 et 17 °C

Cuissons	Garniture	Type de plat	Arômes complémentaires
Au four Mijoté Poêlé	Fond de veau Aux herbes Aux fruits	Mousse de foie de volaille	Champignon Bouquet garni Griotte

Beaujolais, L'Ancien

★★

Producteur: Jean-Paul Brun
Appellation: Beaujolais
Pays: France

Millésime dégusté: 2013
Code SAQ: 10368221
Prix SAQ: 19,65$

Jean-Paul Brun, l'un des grands maîtres du Beaujolais, vinifie ses vins à la bourguignonne, sans macération carbonique. Grâce à des cuvées issues de vieilles vignes cinquantenaires, il redonne ses lettres de noblesse au gamay sans le dénaturer. Ce rouge affiche une teinte pourpre assez limpide. À l'olfaction, on détecte des nuances de petites baies rouges, de canneberge entre autres, sur une base évoquant le poivre blanc. La bouche est très sapide, gouleyante et sphérique. La première impression rappelle les fraises au poivre, ce qui est loin d'être désagréable. Les saveurs de fruits occupent tout l'espace et semblent défier le temps.

Tannins/corps: Souples • Léger
Cépages: Gamay
Température: Entre 14 et 17 °C

Cuissons	Garniture	Type de plat	Arômes complémentaires
Mijoté Au four Cru	Aux fruits Au poivre Fond de veau	Sandwich au jambon	Persil Poivre Canneberge

Coup de ♥

Coteaux Bourguignons, Antonin Rodet

★★½

Producteur: Antonin Rodet
Appellation: Coteaux Bourguignons
Pays: France

Millésime dégusté: 2012
Code SAQ: 11833622
Prix SAQ: 19,80$

Ce millésime 2012 m'est apparu aussi droit et savoureux que par le passé, si ce n'est davantage. Il porte la signature d'Antonin Rodet, l'une des maisons les plus respectées de la Bourgogne. À noter que le vin a été vinifié en cuve d'inox et qu'on a utilisé des copeaux de bois. Sacrilège? Le résultat est net, bien dosé; l'alchimiste a bien travaillé. Sous une robe rubis assez claire, il déploie avec verve des accents de baies rouges, sur des nuances de griotte, parsemées d'effluves de pain d'épices, agrémentées par des notes légèrement boisées. Miroir du nez, la bouche est gouleyante, suave et très goûteuse.

Tannins/corps: Souples • Léger +
Cépages: Pinot noir
Température: Entre 15 et 16 °C

Cuissons	Garniture	Type de plat	Arômes complémentaires
Mijoté Au four Poêlé	Aux fruits Au jus Aux herbes	Cuisseau de lapin aux griottes	Griotte Laurier Épices douces

Pinot Noir, Max Reserva

★★

Producteur: Viña Errazuriz SA
Appellation: Aconcagua Costa
Pays: Chili

Millésime dégusté: 2012
Code SAQ: 11192095
Prix SAQ: 19,95$

Les pinots noirs chiliens ont un style qui s'apparente un peu à celui qu'on trouve un peu partout dans le Nouveau Monde, mais souvent en plus végétal. Celui-ci est un bel exemple de ce qu'on produit dans ce coin de pays. Il revêt une robe rubis pâle et légèrement tuilée. Au nez, des inflexions rappelant la terre humide, les champignons et les feuilles mortes occupent l'avant-plan, mais sans voiler les nuances de cerise. Le tout est enveloppé d'effluves boisés. En bouche, il s'avère très sapide, avec une trame tannique qui se tient, ainsi qu'une belle rondeur. On déguste les mêmes arômes perçus à l'olfacion.

Tannins/corps: Souples • Léger +
Cépages: Pinot noir
Température: Entre 15 et 17 °C

IMV: 84

Cuissons	Garniture	Type de plat	Arômes complémentaires
Mijoté Cru Au four	Aux champignons Fond de volaille Fond de veau	Risotto au porc et aux champignons sauvages	Champignon Feuille de thé Épices douces

Pinot Noir, Cono Sur, Reserva Especial

★½

Producteur: Vina Cono Sur SA
Appellation: Valle de Casablanca
Pays: Chili

Millésime dégusté: 2014
Code SAQ: 874891
Prix SAQ: 16,40$

Les amateurs de pinot noir provenant du Nouveau Monde aimeront ce vin. Ceux qui préfèrent les vins élaborés à base de ce cépage provenant plutôt de la Bourgogne devront passer leur tour. Ce vin présente une robe rubis moyennement profonde. À l'olfaction, il s'avère aromatique, marqué par des notes de baies rouges, de fraise surtout, accompagnées d'accents de bois torréfié et de vanille, sur une base légèrement florale et de moka. En bouche, on revisite les intonations perçues à l'olfaction. Il possède une trame tannique souple, mais avec suffisamment d'ampleur. Les notes de fumée sont omniprésentes.

Tannins/corps: Souples • Léger +
Cépages: Pinot noir
Température: Entre 14 et 16 °C

IMV: 85

Cuissons	Garniture	Type de plat	Arômes complémentaires
Mijoté Cru Au four	Fond de gibier Aux herbes Au vin rouge	Hamburger au fromage suisse et champignons grillés	Laurier Baies rouges et noires Réglisse

Pinot Noir, Robert Mondavi, Private Selection

Producteur: Robert Mondavi Winery
Appellation: California
Pays: États-Unis
Millésime dégusté: 2013
Code SAQ: 465435
Prix SAQ: 19,45$
Code LCBO: 465435
Prix LCBO: 17,95$

Il est toujours l'un des meilleurs pinots à moins de 20$. Un peu de syrah et de petite sirah contribuent à fabriquer sa personnalité unique. Visuellement, il affiche une teinte typique du pinot, à savoir rubis clair. Des nuances fruitées, de baies des champs, de cerise et de prune, paradent sous le nez et s'accompagnent d'inflexions d'épices douces. On perçoit également en toile de fond, des effluves de bois sur un couvert forestier. En bouche, les saveurs de fruits à noyau dominent et sont rejointes par des accents de baies des champs. L'ensemble est supporté par une trame tannique tout en courbes.

Tannins/corps: Souples • Léger
Cépages: Pinot noir (80%), syrah, petite sirah
Température: Entre 15 et 17 °C

IMV: 86

Cuissons	Garniture	Type de plat	Arômes complémentaires
Mijoté Poêlé Au four	Fond de veau Aux fruits Au vin rouge	Longe de porc à la moutarde au miel	Épices douces Baies Bouquet garni

Château de Fesles, « La Chapelle », Vieilles Vignes

Producteur: Château de Fesles SA
Appellation: Anjou
Pays: France
Millésime dégusté: 2013
Code SAQ: 710442
Prix SAQ: 19,65$

Les vins à base de cabernet franc en provenance de la Loire représentent un excellent choix quand on a en tête un vin léger et fruité, mais qui possède un minimum de caractère. Celui-ci est l'un des meilleurs sur le marché. Il affiche une teinte rouge, violacée et peu profonde. Au nez, l'expression est au rendez-vous, avec des accents de petites baies des champs, accompagnés des nuances végétales typiques du cépage. Ces arômes se transportent en bouche alors que les accents végétaux, tels que le poivron vert, se marient avec les intonations fruitées. Doté de tannins souples, il laisse percevoir une légère pointe d'amertume en fin de bouche.

Tannins/corps: Souples • Léger +
Cépages: Cabernet franc
Température: Entre 15 et 17 °C

IMV: 86

Cuissons	Garniture	Type de plat	Arômes complémentaires
Au four Poêlé Mijoté	Aux fruits Fond de veau Aux poivrons	Poivrons verts farcis	Poivron Laurier Poivre

Pâtisserie du Vin

★★½

Producteur: Badet Clément et Cie SA
Appellation: I.G.P. Pays d'Oc
Pays: France

Millésime dégusté: 2012
Code SAQ: 12383256
Prix SAQ: 16,75$

Cette maison languedocienne a adopté une philosophie qui consiste à produire des vins de qualité accessibles, faciles à boire et résolument fruités. Ce rouge dévoile une robe rubis assez profonde. Une parade composée de baies des champs bien mûres défile sous le nez, escortées par des nuances de vanille et d'épices douces. La bouche est ample, très sapide et ronde. Les saveurs de baies sont aisément détectables et l'on s'en délecte, d'autant plus qu'on a une nette impression de la présence d'un sucre résiduel sur la langue. Ces saveurs de fruits s'accompagnent d'accents de cacao. L'ensemble est supporté par une trame tannique tout en courbes.

Tannins/corps: Souples • Moyennement corsé
Cépages: Grenache, syrah, merlot
Température: Entre 14 et 16 °C

IMV: 87

Cuissons	Garniture	Type de plat	Arômes complémentaires
Mijoté Au four Cru	Aux fruits Fond de veau Au jus	Filet de veau au beurre de cacao	Cacao Cerise Épices douces

Valpolicella, Ca'Rugate, Rio Albo

★½

Producteur: Valpolicella
Appellation: Azienda Agricola Ca' Rugate
Pays: Italie

Millésime dégusté: 2013
Code SAQ: 10706736
Prix SAQ: 17,10$

Ce vin gravite dans la sphère des valpolicellas plutôt légers et fruités. Cela dit, il n'est pas totalement dénué de structure. Visuellement, il affiche une teinte rubis assez profonde. Au nez, il offre un bouquet expressif dominé par des odeurs de fraise, ainsi que des nuances de cerise confite et de confiserie. Des accents végétaux s'ajoutent à l'ensemble. La bouche est très sapide, dotée de tannins souples, mais présents. On assiste à une duplication des intonations perçues à l'olfaction. Aux saveurs de fruits, s'ajoutent des notes d'épices douces. Son acidité naturelle en fait un candidat idéal pour accompagner des mets à base de tomate.

Tannins/corps: Souples • Moyennement corsé
Cépages: Corvina, rondinella, corvinone
Température: Entre 15 et 17 °C

Cuissons	Garniture	Type de plat	Arômes complémentaires
Au four Poêlé Grillé	Fond de veau Aux tomates Au vin rouge	Linguinis à la Gigi	Baies confites Épices douces Basilic

Le Bighe

Producteur: Casa Vinicola Botter Carlo & C. SPA
Appellation: I.G.T. Isola dei Nuraghi Rosso
Pays: Italie
Millésime dégusté: 2011
Code SAQ: 11097362
Prix SAQ: 15,50$

Ce vin provient de la Sardaigne, une île située au sud de la Corse, en pleine Méditerranée. Il s'agit donc d'un vin gorgé de soleil, au fruité assumé. À l'œil, il étale une robe rubis légèrement tuilée. De son bouquet aromatique, se déploient des nuances de petite cerise, sur des notes de garrigue et une légère touche d'épices. La bouche est tout en fruit, dotée de tannins sveltes, avec suffisamment de chair et une bonne chaleur. Son acidité naturelle rehausse la perception des saveurs de fruits. Une légère pointe d'amertume précède une finale imprégnée de saveurs de cerise macérées dans l'alcool.

Tannins/corps: Charnus • Moyennement corsé
Cépages: Cannonau, bovale sardo, carignan
Température: Entre 15 et 17 °C

IMV: 88

Cuissons	Garniture	Type de plat	Arômes complémentaires
Poêlé Mijoté Au four	Aux tomates Fond de veau Aux herbes	Raviolis farcis au veau, sauce tomate et basilic	Basilic Cerise Épices italiennes

Laguna de la Nava, Gran Reserva

Producteur: Navaro López SL
Appellation: Valdepeñas
Pays: Espagne
Millésime dégusté: 2008
Code SAQ: 902965
Prix SAQ: 15,70$

Ce vin ne m'a jamais semblé aussi réussi qu'en ce millésime. Par le passé, il manifestait des signes d'essoufflement, ce qui n'est pas le cas ici. Visuellement, il affiche une robe rubis moyennement profonde. Il est doté d'un bouquet expressif et nuancé, avec des accents bien appuyés de fruits confits et de confiserie qui évoquent la boîte à épices de la pâtisserie. Le tout est appuyé par un boisé discret. Des notes de terroir se pointent à l'aération. La bouche est très sapide et ronde, pourvue de tannins présents. Les saveurs de mûre et de prune demeurent en suspension pendant plusieurs caudalies.

Tannins/corps: Souples • Léger +
Cépages: Tempranillo
Température: Entre 14 et 16 °C

IMV: 88

Cuissons	Garniture	Type de plat	Arômes complémentaires
Au four Grillé Poêlé	Aux herbes Fond de veau Au vin rouge	Côte de veau aux champignons sauvages	Champignon Herbes de Provence Olive noire

Château la Mothe du Barry

★★

PProducteur: Château la Mothe du Barry
Appellation: Bordeaux Supérieur
Pays: France

Millésime dégusté: 2013
Code SAQ: 10865307
Prix SAQ: 14,80$

D'emblée, il faut dire que les bons bordeaux à moins de 20$ sont rares, alors imaginez lorsqu'on s'approche de 15$. Ce rouge issu de l'agriculture biologique, élaboré à 100% de merlot, possède tout pour épater la galerie. À noter qu'il n'a bénéficié d'aucun apport de bois. La robe typique du cépage est pourpre avec des reflets violets. Le premier nez permet d'identifier aisément des accents de prune et de cassis. Suivent des nuances de terre humide. En bouche, il déploie avec verve ses saveurs de fruits. La souplesse légendaire du merlot s'accompagne d'une légère amertume en fin de bouche, mais pour 15$, qui s'en plaindra?

Tannins/corps: Souples • Moyennement corsé
Cépages: Merlot
Température: Entre 16 et 18 °C

IMV: 88

Cuissons	Garniture	Type de plat	Arômes complémentaires
Au four Poêlé Mijoté	Fond de veau Au vin rouge Aux herbes	Ragoût de bœuf à l'ancienne	Thé Herbes de Provence Tomate

Lolita

★★

Producteur: Pedere Castorani SRL
Appellation: Colline Pescaresi
Pays: Italie

Millésime dégusté: 2010
Code SAQ: 10859599
Prix SAQ: 16,25$

À ne pas confondre avec les cocktails vendus à l'épicerie et dans les dépanneurs. Il s'agit d'une autre très belle surprise de l'ancien coureur de F1, Jarno Trulli. Ce rouge issu de l'agriculture biologique arbore une robe à la teinte rubis assez profonde. Son nez aromatique à souhait dévoile des accents de prune, agrémentés de nuances de baies rouges, sur un fond vanillé. La bouche est ample, pourvue de tannins en chair et en courbes. Le fruit domine. Aux intonations de baies rouges et de prune s'ajoutent des saveurs très agréables de cassis et de mûre, ce qui lui donne un côté gourmand pas piqué des vers.

Tannins/corps: Charnus • Assez corsé
Cépages: Montepulciano, sangiovese, merlot
Température: Entre 15 et 17 °C

Cuissons	Garniture	Type de plat	Arômes complémentaires
Au four Mijoté Poêlé	Fond de veau Au vin rouge Aux champignons	Manicottis de veau farci à la ricotta, sauce tomate et basilic	Poivre Champignon Épices italiennes

Mourvèdre, Les Jamelles

★★½

Producteur: Les Jamelles
Appellation: Pays d'Oc
Pays: France

Millésime dégusté: 2012
Code SAQ: 12284725
Prix SAQ: 16,25$

De tous les vins de ce producteur qu'il m'ait été donné de déguster, c'est celui-ci qui m'a semblé le plus intéressant, même si je dois admettre qu'il est quelque peu racoleur. À l'œil, il affiche une robe rubis presque opaque. Au nez, il est aromatique. On y perçoit des intonations de fruits rouges et noirs compotés, presque cuits. Les odeurs de bois sont omniprésentes, mais elles s'intègrent bien à l'ensemble. Les dégustateurs aguérris distingueront aisément les nuances typiques de cette région où la garrigue est reine. En bouche, il en met plein les papilles. Sa trame tannique est bien bâtie et souple à la fois.

Tannins/corps: Souples • Moyennement corsé
Cépages: Mourvèdre
Température: Entre 15 et 17 °C

Cuissons	Garniture	Type de plat	Arômes complémentaires
Mijoté Au four Poêlé	Fond de veau Aux herbes Au vin rouge	Bœuf braisé	Champignon Bouquet garni Poivre

Barbera d'Asti, Le Orme

★★

Producteur: Michele Chiarlo
Appellation: Barbera d'Asti
Pays: Italie

Millésime dégusté: 2011
Code SAQ: 356105
Prix SAQ: 16,45$

Ce vin est très représentatif du cépage et du style de produits offerts dans ce coin de pays. Élaboré par l'un des meilleurs producteurs italiens, ce rouge dévoile une robe à la teinte rubis moyennement profonde. Il s'ouvre sur des accents de petites baies rouges et de cerise, enrichis par des effluves floraux, ainsi que des nuances d'épices douces. La bouche est sapide, pourvue de tannins fins, mais non dénués de chair. Les intonations de baies rouges sont nettement en évidence. L'acidité naturelle du cépage et sa fluidité favorisent l'expression du fruit. Ces notes demeurent suspendues un bon moment avant de s'étioler.

Tannins/corps: Souples • Moyennement corsé
Cépages: Barbera
Température: Entre 15 et 17 °C

Cuissons	Garniture	Type de plat	Arômes complémentaires
Au four Mijoté Poêlé	Fond de veau Aux fruits Aux tomates	Linguinis sauce putanesca	Tomate Mûre Herbes italiennes

Modellissimo

Producteur: Masi Agricola
Appellation: I.G.T. Rosso del Veneto
Pays: Italie

Millésime dégusté: 2011
Code SAQ: 11254604
Prix SAQ: 16,45$

Le rapport qualité-prix-plaisir de ce vin est l'un des plus élevés qu'il m'ait été donné de constater cette année. Ce vin est issu d'une double fermentation, une technique appelée appaximento et développée par Masi. Elle consiste en une première fermentation avec des raisins frais et une seconde avec des raisins semi-séchés pendant cinq semaines. Le résultat mène à un vin tout à fait savoureux. Arborant une teinte rubis assez dense, il déploie des arômes de baies rouges et noires confites, embellis par des notes de champignon, sur des épices douces et des effluves de réglisse. Miroir du nez, la bouche est ample, sapide et ronde.

Tannins/corps: Souples • Moyennement corsé
Cépages: Refosco, corvina, merlot
Température: Entre 15 et 17 °C

Cuissons	Garniture	Type de plat	Arômes complémentaires
Au four Mijoté Poêlé	Fond de veau Aux fruits Aux champignons	Escalope de veau, sauce au vin rouge, ail et champignons sauvages	Mûre Poivre Champignon

Syrah, Domaine de la Baume, la jeunesse

Producteur: Domaine de la Baume
Appellation: Pays d'Oc
Pays: France

Millésime dégusté: 2013
Code SAQ: 535112
Prix SAQ: 16,50$

Agréable alternative pour les amateurs qui recherchent des vins légers et tout en fruit, mais qui n'ont pas d'affinités avec les beaujolais ou certains vins à base de cabernet franc de la Loire, ce rouge arbore une teinte rubis assez foncée. Au nez, des accents de myrtille, de cassis et de cerise côtoient des nuances de garrigue et de poivre. En toile de fond, on détecte des notes florales. La bouche est particulièrement souple, voire gouleyante. Les saveurs de fruits, telles que décrites au nez, occupent tout l'espace. Elles demeurent suspendues un bon moment avant de fondre sur les papilles. Charmant.

Tannins/corps: Souples • Moyennement corsé
Cépages: Syrah
Température: Entre 14 et 17 °C

Cuissons	Garniture	Type de plat	Arômes complémentaires
Mijoté Au four Poêlé	Fond de veau Au poivre Aux herbes	Ragoût de bœuf aux herbes de Provence	Poivre Olive noire Herbes de Provence

Chianti, Ruffino ★★

Producteur: Ruffino SPA
Appellation: Chianti
Pays: Italie
Millésime dégusté: 2013

Code SAQ: 1743
Prix SAQ: 16,75$
Code LCBO: 1743
Prix LCBO: 14,95$

Ce grand classique à prix intéressant est l'archétype du chianti de base, destiné aux repas simples, particulièrement les plats de pâtes à l'italienne. Vêtu d'une robe pourpre assez opaque, il étale avec aplomb des odeurs de cerise au marasquin accompagnées par des effluves de prune sur une base légèrement épicée. Des nuances florales s'ajoutent à l'ensemble. La bouche s'avère assez souple, mais elle dotée de tannins enrobés de suffisamment de chair pour ne pas recevoir le qualificatif de léger. Aux accents perçus à l'olfaction, s'ajoutent des intonations végétales. Son acidité naturelle favorise les accords avec la tomate.

Tannins/corps: Souples • Moyennement corsé
Cépages: Sangiovese
Température: Entre 15 et 17 °C

Cuissons	Garniture	Type de plat	Arômes complémentaires
Au four Poêlé Mijoté	Fond de veau Aux herbes Aux tomates	Pizza garnie de prosciutto, olives noires et artichauts	Épices italiennes Tomate Poivre

El Coto, Crianza ★★

Producteur: El Coto de Rioja SA
Appellation: Rioja
Pays: Espagne

Millésime dégusté: 2010
Code SAQ: 11254188
Prix SAQ: 16,95$

J'aime bien ce Rioja au profil souple et davantage axé sur le fruit que la plupart des vins provenant de cette appellation. Cela dit, il ne faut pas le placer dans la catégorie des vins fruités et légers pour autant; il saura supporter des viandes rouges, pourvu que la sauce ne soit pas trop relevée. Visuellement, il affiche une teinte rubis moyennement profonde. Des notes assez expressives de baies rouges et noires confites paradent sous le nez. Des accents de poivre et d'épices suivent et s'accompagnent de nuances boisées. La bouche est imprégnée de saveurs de baies. Le tout est supporté par une trame tannique en chair et en courbes.

Tannins/corps: Souples • Moyennement corsé
Cépages: Tempranillo
Température: Entre 15 et 17 °C

Cuissons	Garniture	Type de plat	Arômes complémentaires
Mijoté Au four Poêlé	Fond de veau Aux herbes Au vin rouge	Pain de viande, sauce aux tomates	Poivre Laurier Piment

Sasyr

★★

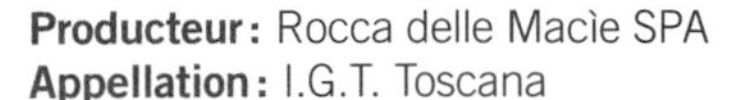

Producteur: Rocca delle Macìe SPA
Appellation: I.G.T. Toscana
Pays: Italie

Millésime dégusté: 2011
Code SAQ: 11072907
Prix SAQ: 16,95$

Sasyr est un acronyme pour sangiovese et syrah. Les raisins proviennent de Maremma, une région côtière du Chianti située en Toscane. Sa robe est pourpre, dense et profonde. Son bouquet aromatique est composé de notes de baies rouges, ainsi que de fruits à noyau, embellies par des intonations de poivre et de moka. En bouche, on a une copie du nez. Il est doté d'une trame tannique qui se tient et son acidité naturelle sert de véhicule au transport du fruit. Ces intonations de fruits occupent le palais un long moment avant de fondre lentement sur la langue. Favorisez les accords avec la tomate.

Tannins/corps: Souples • Moyennement corsé
Cépages: Sangiovese, syrah
Température: Entre 16 et 17 °C

IMV: 88

Cuissons	Garniture	Type de plat	Arômes complémentaires
Poêlé Au four Mijoté	Au poivre Aux herbes Fond de veau	Escalope de veau parmigiana	Basilic Tomate Poivre

Marquês de Marialva, Baga, Reserva

★★

Producteur: Adega Cooperativa de Cantanhede CRL
Appellation: Bairrada
Pays: Portugal

Millésime dégusté: 2010
Code SAQ: 10651755
Prix SAQ: 17,15$

De tous les cépages autochtones, le baga est sans doute l'un des plus intéressants. Il possède un profil aromatique étendu et expressif. Ce rouge aux épaules charnues dévoile une robe rubis assez foncée et profonde. Au nez, un bouquet expressif s'étale et déploie des accents de baies rouges et noires confites, ainsi que des nuances de réglisse, sur une base boisée et vanillée agrémentée d'épices. En bouche, on retrouve les arômes perçus à l'olfaction. Il est doté d'une trame tannique bien bâtie tout en affichant une certaine élasticité. De plus, il possède une longueur en bouche qui en étonnera plusieurs.

Tannins/corps: Charnus • Moyennement corsé
Cépages: Baga
Température: Entre 16 et 18 °C

Cuissons	Garniture	Type de plat	Arômes complémentaires
Poêlé Au four Mijoté	Fond de veau Au vin rouge Aux herbes	Carré de porc au thym et au romarin	Herbes de Provence Mûre Poivre

Liaison ★★

Producteur: The R.H. Phillips Vineyard
Appellation: California
Pays: États-Unis

Millésime dégusté: 2012
Code SAQ: 11674764
Prix SAQ: 17,20$

Ce rouge issu de la liaison de trois cépages réputés offrir beaucoup de fruit et de sensualité, a été conçu pour plaire, et force est d'admettre qu'il réussit à merveille sa mission. Visuellement, il étale une teinte rubis d'une bonne densité. Son bouquet déborde de nuances de baies des champs confites, saupoudrées de notes d'épices sur un fond boisé bien intégré. On cède sans opposer de résistance à son côté charmeur qui en met plein les papilles. Le palais se couvre d'une bonne dose de saveurs fruitées, supportées par une trame tannique à l'armature solide qui affiche une agréable élasticité.

Tannins/corps: Charnus • Moyennement corsé
Cépages: Merlot, zinfandel, syrah
Température: Entre 16 et 18 °C

Cuissons	Garniture	Type de plat	Arômes complémentaires
Poêlé Grillé Au four	Fond de veau Au vin rouge Aux fruits	Brochette de bœuf au poivre vert	Épices douces Poivre Vanille

Moma, Rosso ★★

Producteur: Umberto Cesari
Appellation: I.G.T. Rubicone
Pays: Italie

Millésime dégusté: 2012
Code SAQ: 10544781
Prix SAQ: 17,55$

Nous avons l'habitude des produits d'Umberto Cesari, qui nous offre des vins toujours bien faits. Celui-ci ne fait pas exception. Il affiche une teinte rubis moyennement profonde. On assiste à une jolie parade de baies rouges et noires reposant sur des accents de chêne bien dosés, agrémentés de nuances d'épices et de chocolat. En bouche, les intonations de cerise et de chocolat se font plus persistantes et s'enrobent d'épices douces. Le tout repose sur une trame tannique possédant passablement de chair, mais sans lourdeur ni aspérité. Les saveurs de baies occupent le palais sans l'assaillir et y demeurent longtemps avant de s'étioler.

Tannins/corps: Charnus • Moyennement corsé
Cépages: Sangiovese, merlot, cabernet sauvignon
Température: Entre 15 et 17 °C

Cuissons	Garniture	Type de plat	Arômes complémentaires
Grillé Au four Mijoté	Fond de veau Aux tomates Au vin rouge	Ragoût de bœuf à la Toscane	Café Poivron Poivre

Dogajolo Rosso ★★

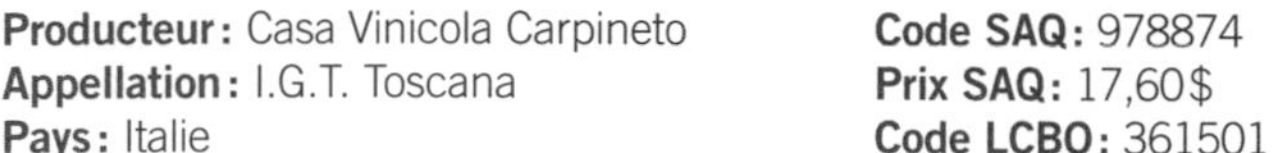

Producteur: Casa Vinicola Carpineto
Appellation: I.G.T. Toscana
Pays: Italie
Millésime dégusté: 2013

Code SAQ: 978874
Prix SAQ: 17,60$
Code LCBO: 361501
Prix LCBO: 13,55$

Je dois avouer que plusieurs années s'étaient écoulées avant que je déguste à nouveau ce vin de la maison Carpineto qu'on pourrait affectueusement qualifier de « Baby Super Toscan ». Pourtant, il ne mérite pas qu'on le délaisse trop longtemps. Sous une robe rubis moyennement profonde, il dévoile un bouquet assez aromatique dominé par des notes de baies sauvages bien mûres, sur une base composée de nuances d'épices, appuyées par un boisé délicat. La bouche est particulièrement sapide, avec des tannins souples et une agréable fraîcheur. Des saveurs de petits fruits rouges occupent la majeure partie du palais. Belle harmonie des saveurs.

Tannins/corps: Charnus • Moyennement corsé
Cépages: Sangiovese, cabernet sauvignon
Température: Entre 16 et 18 °C

Cuissons	Garniture	Type de plat	Arômes complémentaires
Mijoté Au four Poêlé	Aux tomates Au vin rouge Aux herbes	Escalope de veau parmigiana	Tomate Épices italiennes Mûre

Château La Grange Clinet ★★

Producteur: SCEA La Grange Clinet
Appellation: Côtes de Bordeaux
Pays: France

Millésime dégusté: 2012
Code SAQ: 10258937
Prix SAQ: 17,70$

Voici un bel exemple du genre de vins qu'on retrouve dans ce coin de pays où le merlot est roi. Il a bénéficié des mêmes traitements qu'on accorde aux plus grands vins. Visuellement, ce rouge propose une teinte rubis assez foncée. Il étale un bouquet riche et nuancé, aromatique à souhait, d'où émanent des accents de cassis, de mûre et de vanille, sur une base épicée et florale. La bouche est ample, dotée d'une trame tannique souple, mais possédant suffisamment de chair pour ne pas recevoir le qualificatif de fluette. Les saveurs de cassis et de mûre occupent la majorité du palais.

Tannins/corps: Souples • Moyennement corsé
Cépages: Merlot, cabernet sauvignon, cabernet franc
Température: Entre 16 et 18 °C

Cuissons	Garniture	Type de plat	Arômes complémentaires
Mijoté Au four Poêlé	Fond de veau Aux herbes Au vin rouge	Carré de porc aux herbes	Herbes de Provence Poivron Mûre

Finca Constancia, Selección

★★

Producteur: Gonzalez Byass SA
Appellation: Vino de la Tierra de Castilla
Pays: Espagne
Millésime dégusté: 2012
Code SAQ: 12258981
Prix SAQ: 17,90$
Code LCBO: 376384
Prix LCBO: 18,95$

Ce rouge possède un pouvoir d'attraction indéniable qui lui vient de son côté fruité et jovial. Gorgé de soleil, il a tout ce qu'il faut pour plaire à l'amateur le plus exigeant. Arborant une robe rubis assez foncée, il déploie un bouquet d'où émanent des effluves floraux, accompagnés de nuances de baies rouges et noires, sur des accents d'épices et de bois. La bouche est dotée de tannins en chair et très sapides. Les saveurs de cassis et de mûre envahissent le palais et l'occupent un bon moment avant de révéler des intonations boisées. Un peu d'amertume en fin de bouche révèle des inflexions de cuir.

Tannins/corps: Charnus • Moyennement corsé
Cépages: Tempranillo, syrah, cabernet franc, cabernet sauvignon, graciano, petit verdot
Température: Entre 15 et 18 °C

Cuissons	Garniture	Type de plat	Arômes complémentaires
Mijoté Poêlé Au four	Au vin rouge Aux fruits Fond de veau	Magret de canard aux mûres sauvages	Mûre Réglisse Épices douces

La coulée Automnale

★★

Producteur: Couly-Dutheil
Appellation: Chinon
Pays: France
Millésime dégusté: 2013
Code SAQ: 606343
Prix SAQ: 17,95$

Les vins de cette appellation, élaborés à base de cabernet franc, ont la réputation de dévoiler de fortes odeurs de poivron vert qui déplaisent à une majorité de gens. Mais ce n'est pas le cas de celui-ci qui est davantage sur le fruit que sur les arômes végétaux. Arborant une robe rubis assez dense, il étale des accents de baies rouges, appuyés par des nuances florales, ainsi que des effluves légèrement épicés. En filigrane, on détecte des intonations évoquant les feuilles d'automne. La bouche est ample, sapide, avec une pointe d'acidité rafraîchissante. Les saveurs de baies rouges et de cerise éclatent littéralement. Joli.

Tannins/corps: Charnus • Moyennement corsé
Cépages: Cabernet franc
Température: Entre 15 et 17 °C

Cuissons	Garniture	Type de plat	Arômes complémentaires
Grillé Au four Mijoté	Fond de veau Au jus Aux herbes	Blanquette de veau à l'ancienne	Fines herbes Cerise Épices douces

Palanca Rosso

★★

Producteur: Tomassi Viticoltori
Appellation: I.G.T. Delle Venezie
Pays: Italie

Millésime dégusté: 2012
Code SAQ: 11770756
Prix SAQ: 17,95$

Ce producteur de la Vénétie possède un portfolio varié et chacun de ses produits est intéressant dans son genre. Celui-ci possède un profil joyeusement fruité, très proche du style qu'on retrouve dans la région de la Valpolicella. Il étale une robe rubis moyennement profonde. Au nez, un bouquet expressif s'offre à nous. Il est composé de nuances de baies des champs confites, saupoudrées de notes d'épices italiennes, sur une base légèrement champignonnée. Les saveurs de baies des champs s'emparent du palais et fondent sur la langue en laissant une agréable sensation de fraîcheur. J'aurais aimé une trame tannique plus imposante, mais certains y trouveront là une qualité.

Tannins/corps: Charnus • Moyennement corsé
Cépages: Corvina, rondinella, merlot
Température: Entre 15 et 17 °C

Cuissons	Garniture	Type de plat	Arômes complémentaires
Mijoté Poêlé Au four	Aux fruits Fond de veau Aux tomates	Pizza à l'européenne au prosciutto	Épices italiennes Prune Basilic

Château Ollieux Romanis

★★

Producteur: Jacqueline Bories - GFA du Domaine
Appellation: Corbières
Pays: France

Millésime dégusté: 2013
Code SAQ: 10507163
Prix SAQ: 18,55$

Voici un Corbières élaboré de façon traditionnelle, c'est-à-dire qui a recours à la technique de macération carbonique pour le carignan, une technique qui a pour but de révéler davantage de fraîcheur et de fruits. Le résultat est très intéressant. Visuellement, il affiche une teinte rubis moyennement profonde. À l'olfaction, il étale avec aplomb des notes de noix grillées et de moka, suivies de nuances de garrigue, sans oublier les accents de framboise sauvages et de cassis. La bouche est très sapide, dotée de tannins sveltes et bien bâtis. Aux nuances perçues à l'olfaction, s'ajoutent des saveurs de pruneaux. Les notes de moka et de baies rouges dominent.

Tannins/corps: Charnus • Moyennement corsé
Cépages: Carignan, syrah, grenache
Température: Entre 14 et 16 °C

Cuissons	Garniture	Type de plat	Arômes complémentaires
Mijoté Au four Poêlé	Fond de veau Au jus Aux herbes	Cassoulet	Herbes de Provence Prune Poivre

Sedàra

★★

Producteur: Donnafugata
Appellation: Sicilia
Pays: Italie

Millésime dégusté: 2012
Code SAQ: 10276457
Prix SAQ: 18,75$

L'assemblage de ce vin a été maintes fois modifié au fil des ans. Jadis élaboré entièrement à partir de nero d'avola, on y a greffé de la syrah, puis du merlot et du cabernet sauvignon. Cette mouture me semble la plus réussie d'entre toutes. Affichant une teinte rubis moyennement profonde, il étale avec verve des accents de baies rouges et noires, escortés par des nuances de cerise, ainsi que des effluves floraux. La bouche est très sapide, ample, dotée de tannins accueillants. Les saveurs de cerise et de cassis occupent la majeure partie du palais. Son acidité naturelle favorise l'expression du fruit.

Tannins/corps: Charnus • Moyennement corsé
Cépages: Nero d'avola, merlot, cabernet sauvignon, syrah
Température: Entre 15 et 17 °C

Cuissons	Garniture	Type de plat	Arômes complémentaires
Au four Poêlé Grillé	Aux tomates Fond de veau Aux herbes	Pizza à l'européenne, au prosciutto et aux olives noires	Olive noire Basilic Tomate

Curious Beasts, Vin Rouge Sang

★★

Producteur: Evocative Wrapped Wines
Appellation: California
Pays: États-Unis

Millésime dégusté: 2013
Code SAQ: 12109986
Prix SAQ: 19,00$

La première fois que j'ai dégusté ce vin, il m'avait étonné par son emballage gothique. Cela dit, c'est davantage par ses qualités gustatives que par son habillage qu'il m'a séduit. D'une teinte rubis assez dense, il étale un intense bouquet d'où émanent des accents de cassis, de cerise noire, de mûre et de framboise confite, sur une base d'épices douces. La bouche est sapide et dotée de tannins fins non dénués de structure. Les saveurs de baies des champs gomment le palais et se laissent fondre doucement sur la langue. La framboise et la mûre sont omniprésentes. La finale révèle des accents de tabac.

Tannins/corps: Souples • Moyennement corsé
Cépages: Merlot, petite sirah, syrah, zinfandel
Température: Entre 15 et 17 °C

Cuissons	Garniture	Type de plat	Arômes complémentaires
Au four Poêlé Grillé	Au poivre Au vin rouge Fond de veau	Côtes levées, sauce aigre-douce	Épices douces Poivre Laurier

The Dreaming Tree, Crush

Producteur: The Dreaming Tree Wines
Appellation: North Coast
Pays: États-Unis
Millésime dégusté: 2012
Code SAQ: 11975102
Prix SAQ: 19,00$
Code LCBO: 310391
Prix LCBO: 17,95$

Le chanteur Dave Matthews et l'œnologue Steve Reeder, copropriétaires de cette vinerie californienne, se sont donné comme mission d'élaborer des vins à boire maintenant et non à faire vieillir dans un cellier. Force est d'admettre qu'ils ont réussi leur mission avec ce rouge tout à fait digeste et au fruité assumé. Il revêt une robe cerise moyennement profonde. À l'olfaction, il déploie d'intenses notes de baies rouges et noires s'accompagnant de nuances d'épices sur une base légèrement boisée. En bouche, les accents perçus au nez, les saveurs de fruits en avant-plan, s'étalent et gomment le palais et s'enrobent de tannins en chair et en courbes.

Tannins/corps: Charnus • Moyennement corsé
Cépages: Merlot, zinfandel
Température: Entre 16 et 18 °C

Cuissons	Garniture	Type de plat	Arômes complémentaires
Mijoté Au four Poêlé	Au vin rouge Au jus Aux fruits	Magret de canard aux mûres	Moka Épices douces Baies des champs

Artazuri

Producteur: Bodegas y Viñedos Artazu SA
Appellation: Navarra
Pays: Espagne
Millésime dégusté: 2013
Code SAQ: 10902841
Prix SAQ: 15,45$

Ce rouge est confectionné à base de vieilles vignes de grenache. Il est fruité et possède une personnalité assumée, en plus d'être vendu à un prix plus qu'acceptable. Il arbore une robe rubis très foncée. Son bouquet dynamique pousse des notes bien appuyées de framboise et de mûre, sur des nuances de prune, avec en surcouche des accents de pain d'épices, ainsi que des intonations de vanille et de bois. L'attaque est franche et presque sucrée. Les impressions olfactives reviennent charmer une bouche nantie de tannins souples, mais avec suffisamment de chair autour de l'ossature.

Tannins/corps: Souples • Assez corsé
Cépages: Grenache
Température: Entre 15 et 17 °C

Cuissons	Garniture	Type de plat	Arômes complémentaires
Poêlé Au four Mijoté	Fond de veau Au poivre Épices barbecue	Côtes levées, sauce barbecue	Badiane Bouquet garni Poivre

Les Rocailles

★★

Producteur: Les Rocailles - Pierre Boniface
Appellation: Vin de Savoie
Pays: France
Millésime dégusté: 2012
Code SAQ: 11194357
Prix SAQ: 15,70$

Le pouvoir de séduction de ce rouge provenant d'une région peu représentée à la SAQ passe d'abord par son côté résolument fruité. Cela dit, il possède passablement de caractère. Selon les ampélographes, la mondeuse aurait un lien de parenté avec la syrah. Il dévoile une robe rubis assez claire. Le nez aromatique est dominé par des accents de cerise confite, embellis par des nuances d'épices. La bouche est ample, dotée de tannins bien en chair et très goûteuse. On retrouve les intonations perçues au nez. De plus, ce vin est doté d'une longueur plus qu'acceptable pour un produit à ce prix.

Tannins/corps: Charnus • Assez corsé
Cépages: Mondeuse
Température: Entre 16 et 18 °C

IMV: 89

Cuissons	Garniture	Type de plat	Arômes complémentaires
Au four Poêlé Mijoté	Fond de veau Aux fruits Au poivre	Longe d'agneau aux herbes	Poivre Badiane Herbes de Provence

Santa Cristina

★★

Producteur: Marchesi Antinori SRL
Appellation: I.G.T. Toscana
Pays: Italie
Millésime dégusté: 2012
Code SAQ: 76521
Prix SAQ: 15,80$
Code LCBO: 76521
Prix LCBO: 12,90$

Le vignoble de Santa Cristina se trouve aux abords de Cortona, une ville historique très photogénique où l'on ne se promène qu'à pied. Je n'ai aucune difficulté à imaginer ce vin convivial être servi rafraîchi, par une journée ensoleillée, campé à une table déposée directement sur la pierre, avec un plat de tagliatelles. D'un rouge profond, il déploie un riche bouquet imprégné d'accents de fruits rouges et noirs, agrémentés de nuances de café et de réglisse. Il est nanti d'une bouche ample, pleine de saveurs de fruits rouges confits, avec des tannins en chair et en courbes. La finale nous laisse sur des accents de fruits à noyau.

Tannins/corps: Charnus • Moyennement corsé
Cépages: Sangiovese, cabernet sauvignon, merlot, syrah
Température: Entre 16 et 18 °C

IMV: 89

Cuissons	Garniture	Type de plat	Arômes complémentaires
Grillé Au four Poêlé	Aux fruits Fond de gibier Au vin rouge	Tagliatelles, sauce bolognaise	Laurier Épices italiennes Tomate

Cabernet/Malbec, Zuccardi, Serie A

Producteur: Familia Zuccardi
Appellation: Mendoza
Pays: Argentine
Millésime dégusté: 2013
Code SAQ: 11676161
Prix SAQ: 16,45$

Le charme de ce rouge opère dès les premiers effluves et le plaisir demeure jusqu'à la finale. À elle seule, la robe dense et profonde est une proposition à y plonger le nez. Celui-ci est marqué par un bouquet expressif et nuancé, dominé par des effluves de fruits rouges et noirs matures, suivis d'accents d'épices, de poivre surtout, sur un boisé pas trop présent. En bouche, on a affaire à un vin structuré, très sapide, possédant un agréable côté fondu. Les intonations de baies perçues au nez revisitent le palais et l'occupent assez longtemps et fondent sur la langue en révélant des flaveurs de poivre en finale.

Tannins/corps: Charnus • Assez corsé
Cépages: Cabernet sauvignon, malbec
Température: Entre 16 et 18 °C

Cuissons	Garniture	Type de plat	Arômes complémentaires
Poêlé Grillé Au four	Au vin rouge Fond de veau Au poivre	Entrecôte de bœuf au poivre long	Épices barbecue Poivre Baies des champs

Altos de la Hoya

Producteur: Bodegas Olivares SL
Appellation: Jumilla
Pays: Espagne
Millésime dégusté: 2012
Code SAQ: 10858035
Prix SAQ: 16,55$
Code LCBO: 163154
Prix LCBO: 13,95$

Ce séduisant produit à base de monastrell (90%), est une jolie carte postale provenant d'une région imbibée de soleil. Plus bavard en bouche qu'au nez, ce rouge à la robe assez foncée dévoile des accents de mûre et de myrtille, ainsi que des nuances minérales. La bouche est gorgée de saveurs de fruits. Les baies rouges et noires, et la prune se lient à des intonations d'épices et forment un ensemble très goûteux et fort agréable. Le tout est supporté par une trame tannique bien en chair, mais sans lourdeur. Un passage en carafe lui a donné davantage de verve, particulièrement au nez.

Tannins/corps: Charnus • Assez corsé
Cépages: Monastrell, grenache
Température: Entre 16 et 18 °C

Cuissons	Garniture	Type de plat	Arômes complémentaires
Grillé Au four Poêlé	Demi-glace Fond de gibier Au vin rouge	Filet de bœuf au bleu	Truffe Poivre Herbes fines

Montepulciano d'Abruzzo, Masciarelli

Producteur: Azienda Agricola Masciarelli
Appellation: Montepulciano d'Abruzzo
Pays: Italie

Millésime dégusté: 2012
Code SAQ: 10863774
Prix SAQ: 16,35$

Question rapport qualité-prix-plaisir, ce montepulciano ne donne pas sa place. Il réjouira les papilles de tout amateur de vins italiens, même le plus exigeant. Doté d'une robe à la teinte rubis assez dense, il exhale avec passablement de puissance des notes caractéristiques du cépage, à savoir des nuances de mûre, de baies rouges et de prune, sur une trame constituée d'effluves boisés et vanillés. En bouche, il a de la matière et possède des tannins charnus et sans raideur. Aux intonations déjà identifiées à l'olfaction se greffent des saveurs évoquant le cuir et les épices. De plus, sa longueur en bouche est considérable.

Tannins/corps: Charnus • Assez corsé
Cépages: Montepulciano
Température: Entre 16 et 18 °C

Cuissons	Garniture	Type de plat	Arômes complémentaires
Grillé Poêlé Au four	Aux tomates Au vin rouge Demi-glace	PCarré d'agneau à la tombée de tomate et basilic	Champignon Poivre Romarin

Réserve de Louis Eschenauer

Producteur: Louis Eschenauer SA
Appellation: Bordeaux
Pays: France

Millésime dégusté: 2013
Code SAQ: 517722
Prix SAQ: 16,55$

L'étiquette « bordeaux abordable » lui colle à la peau. Les vignes de ce vin proviennent de l'aire d'appellation Entre-deux-mers. Seuls les vins blancs ont droit à cette appellation. Il présente une teinte rubis de profondeur moyenne. Des accents de cassis et de mûre paradent sous le nez et s'accompagnent de nuances de chêne, ainsi que de notes végétales rappelant le poivron. On reconnaît la souplesse des tannins du merlot en bouche, mais ceux-ci reposent sur des assises assez solides. On retrouve les intonations perçues au nez, avec une dominance des saveurs de cassis et de mûre, suivies de flaveurs de prune.

Tannins/corps: Charnus • Moyennement corsé
Cépages: Merlot, cabernet franc, cabernet sauvignon
Température: Entre 16 et 18 °C

Cuissons	Garniture	Type de plat	Arômes complémentaires
Grillé Poêlé Au four	Fond de veau Au vin rouge Aux champignons	Bavette de bœuf à l'échalote	Bouquet garni Champignon Poivron

Ballad

★★

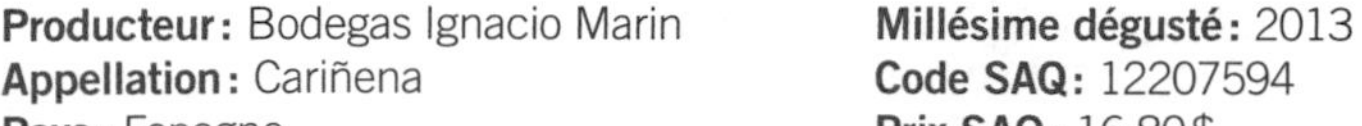

Producteur: Bodegas Ignacio Marin
Appellation: Cariñena
Pays: Espagne

Millésime dégusté: 2013
Code SAQ: 12207594
Prix SAQ: 16,80$

Ce rouge n'y va pas par quatre chemins pour séduire. C'est d'abord par le fruit qu'il nous attire dans ses filets et l'on y demeure pour savourer les autres qualités dont il est pourvu. Visuellement, sa robe couleur cerise noire nous interpelle. Dès la plongée du nez dans le verre, il révèle des parfums de baies confites, embellis par des nuances de confiserie, sur une base où les épices, la vanille et les effluves boisés se côtoient. La bouche est charnue, mais dotée d'un agréable côté fondu. Elle s'imprègne de saveurs de baies qui tapissent littéralement le palais et conduisent vers des flaveurs de bois.

Tannins/corps: Charnus • Moyennement corsé
Cépages: Grenache
Température: Entre 15 et 17 °C

Cuissons	Garniture	Type de plat	Arômes complémentaires
Grillé Poêlé Au four	Fond de veau Au poivre Aux fruits	Longe de cerf aux baies des champs	Poivre Mûre Réglisse

Intensita

★★

Producteur: Mazzaro
Appellation: I.G.T. Terre Siciliane
Pays: Italie

Millésime dégusté: 2012
Code SAQ: 12207754
Prix SAQ: 16,80$

Intéressant que ce vin élaboré à base de cépages locaux et bordelais, embouteillé au Québec. Il s'agit d'un vin pas trop tape-à-l'œil et bien fait. Arborant une teinte rubis dense et profonde, il allonge un joli bouquet nuancé d'où émanent des accents de cassis et de fraise confite, embellis par des nuances florales, avec en toile de fond de jolies notes d'épices. En bouche, des saveurs de fruits à noyau font leur apparition, aussitôt suivies par des intonations de fraise. On remarque une sécheresse dans les tannins, un trait de caractère qui peut en rebuter quelques-uns, mais un coup de carafe lui permettra d'arrondir ses angles.

Tannins/corps: Charnus • Assez corsé
Cépages: Nero d'Avola, nerello mascalese, cabernet sauvignon, merlot
Température: Entre 16 et 18 °C

Cuissons	Garniture	Type de plat	Arômes complémentaires
Au four Poêlé Grillé	Aux poivrons Fond de veau Aux tomates	Brochette de bœuf grillé	Poivron Poivre Laurier

The Wolftrap, Rouge

★★

Producteur: Boekenhoutskloof
Appellation: Western Cape
Pays: Afrique du Sud

Millésime dégusté: 2013
Code SAQ: 10678464
Prix SAQ: 16,80$

Cette maison qui élabore aussi le superbe Chocolate Block et le Porcupine Ridge, produit ici un vin plus modeste, mais qui a le mérite de représenter un excellent rapport qualité-prix. À l'œil, la robe dévoile une teinte rubis avec des reflets se situant à mi-chemin entre l'ambre et le violacé. Aromatique, il étale des nuances de fumée sur des accents de poivre et de bois, enrobés d'odeurs de myrtille et de fraise. Belle définition des arômes. La bouche est presque identique au nez. Des saveurs de moka se greffent à l'ensemble assez goûteux. Le tout repose sur une trame tannique en chair et en courbes.

Tannins/corps: Charnus • Assez corsé
Cépages: Syrah, mourvèdre, viognier
Température: Entre 15 et 17 °C

Cuissons	Garniture	Type de plat	Arômes complémentaires
Grillé Poêlé Au four	Fond de gibier Au poivre Au vin rouge	Côtelettes d'agneau au thym et au romarin	Poivre Cayenne Épices barbecue

Vitiano

★★

Producteur: Falesco
Appellation: I.G.T. Umbria
Pays: Italie

Millésime dégusté: 2012
Code SAQ: 466029
Prix SAQ: 16,80$

Ce vin possède un pouvoir d'attraction indéniable et c'est pourquoi, année après année, on l'accueille sur nos tables avec plaisir. Il a des airs de toscan, mais il provient de la région située au sud de celle-ci. Sous une robe rubis assez dense, il étale un bouquet expressif imbibé d'accents de baies rouges confites, de cerise et de prune, assortis à des nuances d'épices et de réglisse, avec comme toile de fond des accents évoquant un couvert forestier. En bouche, on craque pour son côté sapide, bien juteux et une matière tannique dotée d'une bonne élasticité. Le fruit domine et se colle au palais avant de fondre sur la langue.

Tannins/corps: Charnus • Moyennement corsé
Cépages: Sangiovese, merlot, cabernet sauvignon
Température: Entre 16 et 18 °C

Cuissons	Garniture	Type de plat	Arômes complémentaires
Au four Grillé Poêlé	Tomates et pesto Fond de veau Aux champignons	Rôti de bœuf aux champignons	Épices italiennes Poivre Basilic

Massaya, Classic

★★

Producteur : Tanaïl
Appellation : Vallée de la Békaa
Pays : Liban

Millésime dégusté : 2012
Code SAQ : 10700764
Prix SAQ : 16,85$

D'emblée, il faut louer le courage des hommes et des femmes qui œuvrent pour maintenir ce vignoble en vie malgré le contexte géopolitique tendu de cette région du globe. Ce rouge affiche une robe rubis assez profonde. De son bouquet aromatique se dégagent des notes bien appuyées de poivre sur des accents de baies rouges confites. Le tout est enrobé de nuances d'épices moyen-orientales. La bouche est sapide, pourvue de tannins en chair et en courbes. La bouche reprend les intonations perçues à l'olfaction et est dotée d'une bonne longueur. Parfait avec les mets arabes.

Tannins/corps : Souples • Moyennement corsé
Cépages : Cinsault, cabernet sauvignon, syrah
Température : Entre 15 et 17 °C

Cuissons	Garniture	Type de plat	Arômes complémentaires
Mijoté Poêlé Au four	Fond de veau Sauce aux tomates Aux herbes	Tajine à l'agneau	Cumin Fenouil Anis

Mouton Cadet, Rouge

★★

Producteur : Baron Philippe de Rothschild
Appellation : Bordeaux
Pays : France
Millésime dégusté : 2011

Code SAQ : 943
Prix SAQ : 16,95$
Code LCBO : 943
Prix LCBO : 15,05$

Créée dans les années trente sur fond de crise économique par le Baron Philippe de Rothschild, cadet de la famille, la marque Mouton Cadet était destinée à une clientèle qui n'avait pas les moyens de se payer le grand Mouton Rothschild. Résultat : un succès qui est encore palpable aujourd'hui. Sous une robe d'apparence rubis moyennement profonde, il étale un bouquet aromatique et nuancé qui exhale des parfums de baies rouges et noires jonchant des accents de prune, sur des notes végétales et accompagnées d'accents floraux. Des saveurs de cassis rejoignent l'ensemble d'arômes détectés au nez, dans une bouche à la fois ample et ronde.

Tannins/corps : Souples • Moyennement corsé
Cépages : Merlot, cabernet sauvignon, cabernet franc
Température : Entre 16 et 18 °C

Cuissons	Garniture	Type de plat	Arômes complémentaires
Au four Mijoté Grillé	Fond de veau Au vin rouge Aux poivrons	Brochette de bœuf, sauce au poivre vert	Poivron Poivre Laurier

Monasterio de Las Viñas, Reserva ★★

Producteur : Grandes Viños y Viñedos S.A.
Appellation : Cariñena
Pays : Espagne
Millésime dégusté : 2006

Code SAQ : 854422
Prix SAQ : 15,55$
Code LCBO : 166579
Prix LCBO : 14,95$

Ce vin représente toujours l'un des meilleurs achats toutes catégories confondues. Question rapport qualité-prix-plaisir, il est difficile à battre. Visuellement, il étale une robe rubis profonde, avec des reflets légèrement tuilés. De son bouquet aromatique s'évadent des accents de cerise noire, agrémentés de nuances de cassis, enveloppées d'épices, de bois torréfié et de café. On assiste à une duplication de ces accents dans une bouche dotée d'une trame tannique solide, bien en chair, avec un agréable côté fondu. Les saveurs de baies, de bois et d'épices semblent défier le temps. Elles fondent sur la langue en révélant des flaveurs de cuir.

Tannins/corps : Charnus • Bien corsé
Cépages : Grenache, tempranillo, carignan, cabernet sauvignon
Température : Entre 16 et 18 °C

IMV: 89

Cuissons	Garniture	Type de plat	Arômes complémentaires
Grillé Poêlé Au four	Fond de gibier Au vin rouge Demi-glace	Entrecôte de bœuf au poivre long	Poivre Bouquet garni Anis

Pago de Cirsus ★★

Producteur : Bodegas Inaki Nunez SL
Appellation : Navarra
Pays : Espagne

Millésime dégusté : 2011
Code SAQ : 11222901
Prix SAQ : 17,25$

L'appellation espagnole Navarra est séparée de la France par les Pyrénées. Ce rouge est composé à parts presque égales de trois cépages qui représentent bien l'ensemble des régions qui l'entoure. Dévoilant une robe rubis assez profonde, il étale un bouquet assez expressif et marqué par des intonations de baies noires, de myrtille particulièrement et de cassis, accompagnées de nuances épicées, embellies par des notes de terre humide. La bouche est ample, dotée d'une trame tannique en chair, mais aussi en courbes et passablement fruitée. Des saveurs de prune se greffent aux nuances perçues à l'olfaction. De plus, il est doté d'une bonne longueur.

Tannins/corps : Charnus • Assez corsé
Cépages : Tempranillo, merlot, syrah
Température : Entre 15 et 18 °C

IMV: 89

Cuissons	Garniture	Type de plat	Arômes complémentaires
Grillé Au four Poêlé	Fond de veau Épices barbecue Au vin rouge	Carré d'agneau au thym et au romarin	Herbes de Provence Poivre Cacao

Viña Collada by Marqués de Riscal

Producteur: Marqués de Riscal
Appellation: Rioja
Pays: Espagne
Millésime dégusté: 2011
Code SAQ: 11469761
Prix SAQ: 17,10$

Voici un Rioja très fruité, somme toute assez léger et peu boisé, contrairement à la majorité des vins issus de cette appellation. Visuellement, il affiche une teinte rubis moyennement profonde. Sous le nez, il étale un bouquet aromatique, marqué par des accents de cerise confite, côtoyant des intonations de baies noires, embellies par des parfums de réglisse. En bouche, il déploie une bonne chaleur et l'on perçoit clairement la présence d'alcool. Les saveurs de fruits, tels que la cerise, s'accompagnent d'un boisé délicat culminant sur des flaveurs de torréfaction. Le tout est supporté par une trame tannique davantage en courbes qu'en chair.

Tannins/corps: Charnus • Moyennement corsé
Cépages: Tempranillo, graciano, mazuelo
Température: Entre 16 et 18 °C

Cuissons	Garniture	Type de plat	Arômes complémentaires
Poêlé Grillé Au four	Demi-glace Au vin rouge Au poivre	Entrecôte de bœuf grillée, sauce au poivre vert	Épices barbecue Réglisse Poivre

Château Suau, rouge

Producteur: SCA Château Suau
Appellation: Côtes de Bordeaux
Pays: France
Millésime dégusté: 2010
Code SAQ: 10395149
Prix SAQ: 17,35$

Les amateurs de merlot reconnaîtront les caractères normalement associés à ce cépage dans ce rouge typique de ce coin de la Gironde. D'une teinte rubis réfléchissant des nuances violacées, il déploie avec une certaine verve des accents de baies rouges et de violette coexistants avec des notes de poivron vert, sur un couvert forestier. Ces intonations se réfléchissent dans une bouche nantie de tannins svelles pourvus d'une agréable élasticité. Les saveurs de baies et de prune tapissent le palais et se font enveloppantes. Elles fondent sur la langue en laissant derrière elles des goûts qui rappellent le poivron et l'herbe fraîchement coupée.

Tannins/corps: Charnus • Assez corsé
Cépages: Merlot, cabernet sauvignon, cabernet franc
Température: Entre 16 et 18 °C

Cuissons	Garniture	Type de plat	Arômes complémentaires
Grillé Au four Poêlé	Fond de veau Au vin rouge Aux champignons	Bavette de bœuf à l'échalote	Poivron Champignon Poivre vert

Merlot, Christian Moueix

★★

Producteur: Ets. Jean-Pierre Moueix
Appellation: Bordeaux
Pays: France
Millésime dégusté: 2010
Code SAQ: 369405
Prix SAQ: 17,40$
Code LCBO: 961227
Prix LCBO: 14,65$

Ce bordeaux générique typique porte l'empreinte de Jean-Pierre Moueix, l'un des plus grands noms du Bordelais. On lui doit entre autres le fameux Pétrus. Loin du célèbre Pomerol, ce rouge à la robe rubis moyennement profonde est doté d'un nez aromatique marqué par des nuances de fruits à noyau, de baies rouges et noires bien mûres, et de violette, sur une base de bois bien intégrée. La bouche est ample, sapide, dotée de tannins affichant une certaine tension, mais avec juste ce qu'il faut d'élasticité. Les saveurs de fruits sont à l'avant-plan, avec une dominance de prune et de mûre.

Tannins/corps: Charnus • Moyennement corsé
Cépages: Merlot
Température: Entre 16 et 18 °C

IMV: 89

Cuissons	Garniture	Type de plat	Arômes complémentaires
Poêlé Au four Mijoté	Fond de veau Aux champignons Au vin rouge	Rôti de bœuf au jus	Poivron Champignon Laurier

Château Lamartine

★★

Producteur: Château Lamartine
Appellation: Castillon - Côtes de Bordeaux
Pays: France
Millésime dégusté: 2012
Code SAQ: 11374358
Prix SAQ: 17,10$

Force est d'admettre que ce vin composé majoritairement de merlot (85%) surprend par sa complexité. On est loin des bordeaux austères qu'il faut attendre une décennie avant de penser à y plonger les lèvres. Déjà prêt à boire, même si on peut lui donner quelques années encore, ce rouge à la robe rubis assez dense étale avec verve un bouquet composé d'effluves de cassis, de prune et de mûre, sur un couvert forestier exhalant des nuances de terre humide et de champignons. La bouche est dotée de tannins souples, mais non dénués de structure. On revisite les arômes perçus à l'examen olfactif.

Tannins/corps: Souples • Moyennement corsé
Cépages: Merlot, cabernet sauvignon, cabernet franc
Température: Entre 16 et 18 °C

Cuissons	Garniture	Type de plat	Arômes complémentaires
Grillé Au four Poêlé	Fond de veau Au poivre Au vin rouge	Longe de cerf, sauce aux champignons sauvages	Poivre Prune Champignon

Mas Collet, barrica

★★

Producteur: Celliers de Capçanes
Appellation: Montsant
Pays: Espagne

Millésime dégusté: 2012
Code SAQ: 642538
Prix SAQ: 17,55$

Il y avait longtemps que je ne l'avais pas goûté. Pourtant, il s'agit d'un vin pour lequel j'ai toujours eu un petit faible. Il provient de l'aire d'appellation montsant, une d.o. espagnole qui entoure littéralement le priorat, d'où sont issus des vins parmi les plus fins du pays. Ce rouge à la robe cerise noire dévoile au nez des accents de pruneaux et de cerise, côtoyant des accents de cassis, sur des nuances de café torréfié et de bois. La bouche est ample, dotée de tannins bien en chair. Les saveurs de fruits gorment le palais et l'occupent pendant plusieurs caudalies.

Tannins/corps: Charnus • Assez corsé
Cépages: Grenache, tempranillo, cabernet sauvignon
Température: Entre 16 et 18 °C

Cuissons	Garniture	Type de plat	Arômes complémentaires
Au four Grillé Poêlé	Fond de veau Au jus Au vin rouge	Navarin d'agneau	Poivre Champignon Anis

Altano, Quinta do Ataíde

★★

Producteur: Symington Family Estates Vinhos Lda
Appellation: Douro
Pays: Portugal

Millésime dégusté: 2012
Code SAQ: 11157097
Prix SAQ: 17,75$

Ce rouge issu de l'agriculture biologique est un bel exemple de la qualité des vins qu'on produit dans cette région qui porte le nom de Douro lorsqu'il s'agit de vins secs, mais qu'on connaît aussi pour le fameux porto. Ce vin étale une robe assez foncée. À l'olfaction, il affiche beaucoup de caractère. On détecte aisément des accents de chocolat, ainsi que des nuances de baies noires, sur des effluves d'épices et de poivre. En bouche, on retrouve avec bonheur les intonations perçues au nez, particulièrement les saveurs chocolatées. L'expression du fruit est bien en évidence. Le tout est supporté par une trame tannique qui se tient bien droite.

Tannins/corps: Charnus • Moyennement corsé
Cépages: Touriga franca, touriga nacional, tinta roriz, tinta barroca
Température: Entre 16 et 18 °C

Cuissons	Garniture	Type de plat	Arômes complémentaires
Mijoté Poêlé Au four	Fond de veau Au jus Épices douces	Rôti de bœuf au jus	Poivre Épices douces Baies des champs

Langhe Rosso, Beni di Batasiolo

★★

Producteur: Beni di Batasiolo
Appellation: Langhe
Pays: Italie
Millésime dégusté: 2012

Code SAQ: 611251
Prix SAQ: 17,75$
Code LCBO: 981019
Prix LCBO: 16,95$

Ce producteur a le chic pour nous offrir des vins au rapport qualité-prix-plaisir des plus intéressants. Élaboré à partir des cépages les plus plantés de la région, il surprend par sa structure, son expression et sa complexité. Muni d'une robe grenat, il présente un bouquet d'où émanent d'intenses notes de cerise, de baies rouges et d'épices, embellies par des effluves floraux. Des notes de fumée apparaissent en toile de fond. Le plaisir se poursuit alors qu'en bouche, il se fait à la fois tendre et sapide. Il a assez de mordant pour supporter des viandes saignantes. Les saveurs de fruits dominent et fondent doucement sur la langue.

Tannins/corps: Charnus • Moyennement corsé
Cépages: Barbera, nebbiolo, dolchetto
Température: Entre 15 et 17 °C

Cuissons	Garniture	Type de plat	Arômes complémentaires
Mijoté Au four Poêlé	Fond de veau Aux fruits Aux herbes	Risotto au canard et aux champignons sauvages	Champignon Baies des champs Poivre

Antiche Tenute Burchino

★★

roducteur: Castellani SPA
Appellation: Chianti Superiore
Pays: Italie

Millésime dégusté: 2012
Code SAQ: 741272
Prix SAQ: 17,65$

Le vignoble centenaire est situé en dehors de la zone du chianti classico, non loin de Pise, une région qui fournit des vins de qualités variables. Mais ici nous avons affaire à un produit étoffé, issu de l'agriculture biologique. Vêtu d'une robe rubis foncée, il déploie un bouquet aromatique d'où émanent des accents de cassis et de cerise, sur des notes de réglisse et de moka, agrémentées de nuances florales, le tout recouvert d'effluves de cèdre. On pourrait s'attendre à un vin plus costaud, mais bien qu'il possède une certaine carrure, c'est davantage son côté séveux et souple qui domine. On retrouve en bouche les intonations perçues au nez.

Tannins/corps: Souples • Assez corsé
Cépages: Sangiovese, canaiolo, cilegiolo
Température: Entre 16 et 18 °C

Cuissons	Garniture	Type de plat	Arômes complémentaires
Au four Poêlé Mijoté	Fond de veau Aux tomates Aux herbes	Carré d'agneau et sa tombée de tomates et fines herbes	Tomate Basilic Champignon

Campolieti Ripasso

★★

Producteur: Luigi Righetti
Appellation: Valpolicella Classico Superiore
Pays: Italie
Millésime dégusté: 2012
Code SAQ: 964569
Prix SAQ: 17,95$

Ce ripasso est l'un des moins chers sur le marché. Pourtant, il représente une valeur sûre qui en fait l'un des achats sensés à prioriser, particulièrement pour accompagner les plats de pâtes à l'italienne. Il est doté d'une robe rubis dense et profonde. Sans surprise, il dévoile un intense bouquet composé d'odeurs de baies noires et rouges confites, et de fruits à noyau, ainsi que des nuances de moka, d'épices et de vanille, sur une base légèrement boisée. La bouche est ample, ronde, sapide, généreuse et charmeuse. Son acidité naturelle sert de véhicule au fruit et sa texture lui procure un côté apaisant.

Tannins/corps: Charnus • Assez corsé
Cépages: Corvina, rondinella, molinara
Température: Entre 16 et 18 °C

IMV: 89

Cuissons	Garniture	Type de plat	Arômes complémentaires
Poêlé Grillé Au four	Demi-glace Aux tomates Au vin rouge	Escalope de veau parmigiana	Poivre Champignon Anis

Syrah, EXP

★★½

Producteur: The R.H. Phillips Vineyard
Appellation: California
Pays: États-Unis
Millésime dégusté: 2013
Code SAQ: 864801
Prix SAQ: 18,00$

On a fait tout un plat l'hiver dernier du fait que certains vins arrivent au Québec en vrac et sont embouteillés ici. On a parlé de piquette. Surprise, ce très bon produit fait partie de la liste. On a oublié dans l'équation la longue expertise québécoise en la matière. Doté d'une teinte rubis assez dense, il étale avec verve des notes de baies rouges et noires, avec une dominance de framboise, ainsi que des nuances de prune. Les épices, le poivre et les effluves de bois neuf suivent. Les papilles cèdent devant l'avalanche de saveurs de baies, de réglisse, de poivre et d'épices, enrobées par des tannins en chair.

Tannins/corps: Charnus • Assez corsé
Cépages: Syrah
Température: Entre 16 et 18 °C

Cuissons	Garniture	Type de plat	Arômes complémentaires
Grillé Au four Mijoté	Aux fruits Fond de veau Au vin rouge	Côtes levées, sauce barbecue	Poivre Curcuma Baies des champs

Cadetto

★★

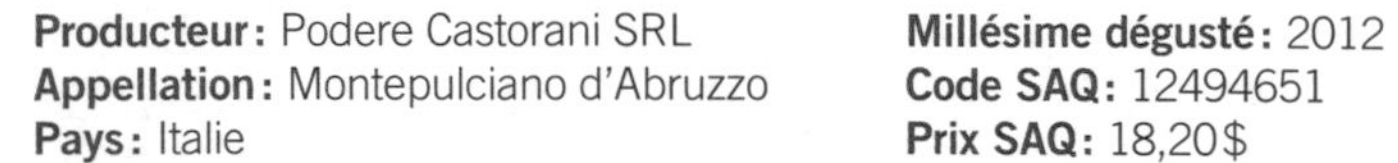

Producteur : Podere Castorani SRL
Appellation : Montepulciano d'Abruzzo
Pays : Italie

Millésime dégusté : 2012
Code SAQ : 12494651
Prix SAQ : 18,20$

Voilà une autre belle réussite de ce producteur qui se positionne comme l'un des chefs de file de cette appellation italienne. Déjà, à la vue de sa robe foncée, les papilles s'éveillent. De puissantes notes de baies rouges et noires paradent sous le nez et s'accompagnent de nuances boisées. En filigrane, on détecte des accents de vanille, ainsi que des effluves floraux. La bouche est gourmande, très sapide, et dotée de tannins bien bâtis. Des saveurs de chocolat et de cassis se collent littéralement au palais et y demeurent pendant plusieurs caudalies avant de fondre sur la langue. Belle expression des arômes.

Tannins/corps : Charnus • Corsé
Cépages : Montepulciano
Température : Entre 16 et 18 °C

Cuissons	Garniture	Type de plat	Arômes complémentaires
Grillé Au four Poêlé	Fond de veau Au vin rouge Aux tomates	Ragoût de bœuf à la Toscane	Épices italiennes Basilic Tomate

Las Rocas de San Alejandro

★★½

Producteur : Bodegas San Alejandro
Appellation : Calatayud
Pays : Espagne

Millésime dégusté : 2011
Code SAQ : 11905180
Prix SAQ : 18,35$

Destinée d'abord au marché américain, la gamme Las Roccas s'est étendue à une partie de l'Europe, ainsi que chez nous. Robert Parker a déjà mentionné à propos de cette marque qu'il s'agissait de sa plus grande découverte des 25 dernières années. Ce rouge arbore une teinte rubis assez profonde. Le nez est expressif, dominé par des notes de petits fruits rouges confits, de cerise et de framboise surtout. La bouche est sapide, sphérique, dotée d'une trame tannique solide. Les saveurs de cerise confite et de réglisse dominent un ensemble presque sucré et très charmeur. La finale s'étire sur plusieurs caudalies.

Tannins/corps : Charnus • Assez corsé
Cépages : Grenache
Température : Entre 16 et 18 °C

Cuissons	Garniture	Type de plat	Arômes complémentaires
Au four Grillé Poêlé	Fond de veau Au vin rouge Aux fruits	Mignon de cerf aux champignons sauvages	Anis Champignon Épices douces

Lan, Crianza

★★½

Producteur : Bodegas Lan SA
Appellation : Rioja
Pays : Espagne
Millésime dégusté : 2010

Code SAQ : 741108
Prix SAQ : 18,55$
Code LCBO : 166538
Prix LCBO : 15,95$

J'aime bien les produits de cette maison dont les vins m'ont été offerts en dégustation pour la première fois cette année. La maison réalise des vins droits, pas trop boisés, et qui font parler le terroir. Visuellement, ce rouge affiche une teinte rubis peu profonde. À l'olfaction, d'intenses notes de baies rouges et de cerise confites côtoient des accents de bois bien dosés, embellis par des nuances d'épices douces. La bouche est ample, sapide, avec ce qu'il faut de tannins pour satisfaire l'amateur de vins provenant de cette aire d'appellation. Les saveurs de baies couvrent le palais et ne le quittent qu'après plusieurs caudalies.

Tannins/corps : Charnus • Moyennement corsé
Cépages : Tempranillo
Température : Entre 16 et 18 °C

Cuissons	Garniture	Type de plat	Arômes complémentaires
Au four Poêlé Grillé	Au vin rouge Fond de veau Aux herbes	Risotto au chorizo	Tomate Laurier Épices barbecue

Château de Goëlane

★★

Producteur : Castel Frères SAS
Appellation : Bordeaux Supérieur
Pays : France

Millésime dégusté : 2011
Code SAQ : 11770220
Prix SAQ : 18,75$

Ce rouge aux accents typiques du merlot, allie finesse et puissance, sans surextraction, avec une certaine retenue et ce qu'il faut de complexité pour plaire à l'amateur de cette appellation. Visuellement, il affiche une teinte rubis assez foncée. Il se fait discret aux premiers effluves, mais s'ouvre graduellement. Des notes de prune et de baies, sur une base rappelant la terre humide, paradent sous le nez. Belle attaque franche dans une bouche sapide et ronde. Miroir du nez, elle est dotée d'une trame tannique bien bâtie et possédant passablement de matière. La finale nous laisse sur des nuances de fruits à noyau.

Tannins/corps : Charnus • Assez corsé
Cépages : Merlot, cabernet sauvignon, malbec
Température : Entre 16 et 18 °C

Cuissons	Garniture	Type de plat	Arômes complémentaires
Poêlé Au four Mijoté	Au vin rouge Fond de veau Aux champignons	Rôti de bœuf au jus	Champignon Poivre Prune

Zinfandel, Ravenswood, Vintners Blend ★★

Producteur: Ravenswood Winery
Appellation: California
Pays: États-Unis
Millésime dégusté: 2012

Code SAQ: 427021
Prix SAQ: 19,00$
Code LCBO: 359257
Prix LCBO: 17,95$

Vous connaissez le comfort food, cette nourriture simple qui réconforte? Eh bien ce rouge en est ni plus ni moins que l'équivalent vinique, qu'on pourrait qualifier de comfort wine. Visuellement, il affiche une teinte rubis moyennement profonde. Au nez, il étale avec assurance des nuances d'épices, jonchées d'effluves de baies rouges et de confiserie. Une base légèrement boisée et vanillée couronne le tout. Les saveurs de fruits, telles que la fraise et la framboise, tapissent le palais avec une aisance déconcertante, appuyées par des tannins sveltes et accueillants. Les nuances d'épices douces et de vanille enrobent le fruit.

Tannins/corps: Charnus • Assez corsé
Cépages: Zinfandel (76%), petite sirah, syrah
Température: Entre 16 et 18 °C

Cuissons	Garniture	Type de plat	Arômes complémentaires
Poêlé Au four Grillé	Aux fruits Fond de veau Aux épices	Côtes levées, sauce barbecue	Épices barbecue Poivre Baies des champs

Cabernet/merlot, Five Vineyards ★★

Producteur: Mission Hill Family Estate
Appellation: Okanagan Valley
Pays: Canada
Millésime dégusté: 2011

Code SAQ: 10544749
Prix SAQ: 19,25$
Code LCBO: 145102
Prix LCBO: 16,95$

Les grappes de ce vin proviennent de deux vignobles appartenant à Mission Hill, soit Black Sage Bench (71%) et Osoyoos (29%), tous deux situés dans le sud de l'Okanagan Valley, une région propice à l'élaboration de rouges de type bordelais de grande qualité. Sous une robe assez dense, ce vin déploie un intense bouquet dominé par des odeurs de baies des champs, de cassis et de cerise surtout. Des intonations de fines herbes se greffent à l'ensemble, suivies d'effluves boisés. On retrouve ces inflexions dans une bouche enrobée de tannins bien en chair, sapide et dotée d'une agréable élasticité. Des flaveurs de bois de santal se pointent en finale.

Tannins/corps: Charnus • Assez corsé
Cépages: Cabernet sauvignon, merlot, cabernet franc, petit verdot
Température: Entre 16 et 18 °C

Cuissons	Garniture	Type de plat	Arômes complémentaires
Grillé Poêlé Au four	Demi-glace Au vin rouge Aux champignons	Magret de canard aux baies sauvages	Épices barbecue Poivre Poivron

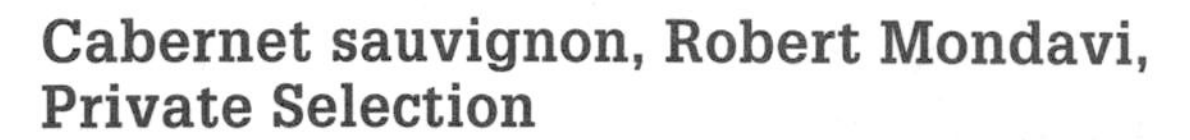

Cabernet sauvignon, Robert Mondavi, Private Selection

Producteur : Robert Mondavi Winery
Appellation : California
Pays : États Unis
Millésime dégusté : 2013

Code SAQ : 392225
Prix SAQ : 19,45$
Code LCBO : 392225
Prix LCBO : 17,95$

Private Selection est la gamme médiane de Mondavi, l'antichambre en quelque sorte de ses meilleurs produits et qui donne envie de visiter les meilleurs vins de la maison. L'aspect de la robe est rubis, assez profond. Un bouquet expressif dévoile des accents de baies rouges bien mûres, côtoyant des nuances de prune, sur une base légèrement épicée. La bouche est ample, sapide, dotée d'une trame tannique bien bâtie, tout en affichant une agréable élasticité. Comme c'est le cas de plusieurs vins californiens, on ressent une impression de sucre résiduel. Le palais est visité par les intonations perçues au nez.

Tannins/corps : Charnus • Assez corsé
Cépages : Cabernet sauvignon (80 %), syrah, merlot, petite sirah, cabernet franc, tannat, petit verdot
Température : Entre 16 et 18 °C

Cuissons	Garniture	Type de plat	Arômes complémentaires
Poêlé Grillé Au four	Fond de veau Aux fruits Au vin rouge	Bavette de bœuf à l'échalote	Champignon Cacao Épices barbecue

La Fleur Anne

Producteur : Union des Producteurs de Saint-Émilion
Appellation : Saint-Émilion
Pays : France

Millésime dégusté : 2011
Code SAQ : 236653
Prix SAQ : 19,45$

L'étiquette « Bordeaux abordable » lui sied bien. Pour moins de 20$, il s'agit d'une jolie carte de visite de ce coin de pays où le merlot est roi et maître. Visuellement, il affiche une teinte rubis assez foncée. Au nez, l'expression est au rendez-vous. On perçoit des accents de fruits noirs, tels que la mûre, la prune et le cassis. Un peu de poivre se greffe à l'ensemble, pour finir sur des nuances boisées. La bouche est ample, pourvue de tannins étoffés dotés d'une agréable souplesse. Le palais est visité par les intonations perçues au nez. On détecte aussi des accents de champignon.

Tannins/corps : Charnus • Assez corsé
Cépages : Merlot, cabernets
Température : Entre 15 et 17 °C

Cuissons	Garniture	Type de plat	Arômes complémentaires
Au four Grillé Poêlé	Au poivre Fond de gibier Au vin rouge	Bœuf Wellington	Poivre Laurier Champignon

Arele

★★½

Producteur: Agricola Tommasi Viticoltori
Appellation: I.G.T. Delle Venezie
Pays: Italie
Millésime dégusté: 2013
Code SAQ: 11770836
Prix SAQ: 19,95$

Ce vin est issu de la technique de vinification dite appasimento, qui consiste à faire sécher la récolte pendant un certain temps pour que le vin gagne en structure et en complexité. Il en résulte un vin riche, au fruité assumé. Visuellement, sa robe a une teinte rubis moyennement profonde. Son bouquet expressif est dominé par des notes de fruits rouges et noirs confits, imprégnées d'accents de réglisse, sur une base d'épices douces. La bouche est particulièrement sapide, dotée de tannins présents, avec un agréable côté velouté. Les saveurs de baies confites tapissent le palais. Des épices se pointent lors d'une finale sur des notes de fruits acidulés.

Tannins/corps: Souples • Moyennement corsé
Cépages: Corvina, oseleta
Température: Entre 16 et 18 °C

IMV: 89

Cuissons	Garniture	Type de plat	Arômes complémentaires
Au four Poêlé Grillé	Fond de veau Aux tomates Aux champignons	Escalope de veau parmigiana	Champignon Épices italiennes Bouquet garni

Côtes-du-Rhône, Guigal, rouge

★★½

Producteur: E. Guigal
Appellation: Côtes-du-Rhône
Pays: France
Millésime dégusté: 2011
Code SAQ: 259721
Prix SAQ: 19,95$
Code LCBO: 259721
Prix LCBO: 18,95$

Il faut préciser que dans le cas de ce vin, les raisins proviennent de la partie septentrionale de la vallée du Rhône, là où le climat est propice à des syrahs de haute qualité. Ce produit est élaboré avec 60% de syrah et 35% de grenache, alors que la loi exige 40% dans la partie sud. Il affiche une teinte cerise noire assez profonde. Des accents de mûre et de prune accompagnent des notes de réglisse, sur un tapis recouvert d'épices et de poivre. La bouche est à la fois tannique et souple, et retrouve les intonations perçues à l'olfaction, avec une dominance de saveurs de prune et d'épices.

Tannins/corps: Charnus • Assez corsé
Cépages: Syrah, grenache, mourvèdre
Température: Entre 16 et 18 °C

IMV: 89

Cuissons	Garniture	Type de plat	Arômes complémentaires
Poêlé Mijoté Au four	Aux fruits Fond de veau Au poivre	Magret de canard au cassis	Poivre Cassis Anis

Mompertone

Producteur: Prunoto SRL
Appellation: Monferrato
Pays: Italie
Millésime dégusté: 2011
Code SAQ: 11669148
Prix SAQ: 19,95$
Code LCBO: 388587
Prix LCBO: 18,95$

Cette cuvée a de quoi en étonner plus d'un. Véritable régal pour les sens, ce vin charme dès qu'on le verse grâce à sa teinte rubis d'une bonne densité. Paradent sous le nez, des parfums de cerise noire, de myrtille et de prune, marchant main dans la main avec des accents d'épices douces et de café. Les saveurs fruitées enveloppent le palais et semblent constituer une couche protectrice qui donne aux tannins une élégance et un agréable fondu. Les intonations fruitées, de myrtille et de prune surtout, se greffent à des saveurs d'épices douces, agrémentées d'une touche de tabac blond.

Tannins/corps: Souples • Assez corsé
Cépages: Barbera, syrah
Température: Entre 16 et 18 °C

Cuissons	Garniture	Type de plat	Arômes complémentaires
Au four Grillé Mijoté	Fond de veau Aux épices Aux tomates	Navarin d'agneau au thym et au romarin	Épices italiennes Tomate Figue

Cabernet Sauvignon, M.A.N Family Wines

★★

Producteur: Man Vintners
Appellation: Coastal Region
Pays: Afrique du Sud
Millésime dégusté: 2013
Code SAQ: 10802832
Prix SAQ: 15,45$

MAN est un l'acronyme de Marie, Anette et Nicky, le nom des épouses des trois fondateurs du vignoble. Leur but était de produire un vin de qualité à un prix raisonnable et force est d'admettre qu'ils ont réussi. Ce rouge arbore une teinte rubis moyennement profonde. Son bouquet dévoile sans retenue des accents de baies noires et de prune, imprégnés de nuances de bois torréfié et de poivron. En bouche, il manifeste passablement d'amplitude. Il est doté d'une trame tannique un peu tendue, à l'ossature solide, possédant assez de chair, et riche. Les saveurs de baies des champs et de prune gomment le palais d'une bonne couche.

Tannins/corps: Charnus • Corsé
Cépages: Cabernet sauvignon
Température: Entre 16 et 18 °C

Cuissons	Garniture	Type de plat	Arômes complémentaires
Grillé Poêlé Au four	Fond de gibier Demi-glace Au vin rouge	Contre-filet de bœuf grillé, sauce au poivre	Poivre Café Poivron

Jorio

★★

Producteur: Azienda Vinicola Umani Ronchi SPA
Appellation: Montepulciano d'Abruzzo
Pays: Italie

Millésime dégusté: 2012
Code SAQ: 862078
Prix SAQ: 15,60$

Ce produit bien ficelé a toujours su se tailler une place de choix dans le cœur des Québécois amateurs de vins. Visuellement, il affiche une teinte rubis assez sombre. Des notes bien appuyées de myrtille et de mûre paradent sous le nez et s'accompagnent d'accents floraux, sur une base d'épices. La bouche est sapide, dotée de tannins bien en chair, mais possédant une bonne dose d'élasticité. Les saveurs de myrtille occupent la majorité du palais. Elles se collent littéralement aux parois intérieures des joues et y demeurent un bon moment avant de fondre sur la langue en révélant des accents de prune.

Tannins/corps: Charnus • Assez corsé
Cépages: Montepulciano
Température: Entre 15 et 17 °C

Cuissons	Garniture	Type de plat	Arômes complémentaires
Grillé Au four Mijoté	Fond de veau Au vin rouge Aux tomates	Carré d'agneau à la tombée de tomates aux herbes italiennes	Tomate Romarin Épices barbecue

Viña Bujanda, Crianza

★★★

Producteur: Finca Valpiedra SL
Appellation: Rioja
Pays: Espagne

Millésime dégusté: 2011
Code SAQ: 11557509
Prix SAQ: 15,95$

Ne l'ébruitez pas trop, mais ce vin pourrait être vendu plus cher qu'on ne s'en plaindrait pas. Ou est-ce les autres vins, souvent moins bons, qui sont vendus trop cher? Le débat est lancé. Ce Rioja typique dévoile une teinte rubis dense et profonde. Au nez, il étale avec aplomb des notes bien appuyées de cerise, de mûre et de prune, embellies par des intonations d'épices, enrobées par des nuances boisées et vanillées «à l'espagnole». La bouche est ample, sapide, dotée d'une trame tannique aux assises solides. Aux accents perçus à l'olfaction s'ajoutent des intonations de chocolat. Que demander de plus pour moins de 16$?

Tannins/corps: Charnus • Corsé
Cépages: Tempranillo
Température: Entre 16 et 18 °C

IMV:
90

Cuissons	Garniture	Type de plat	Arômes complémentaires
Grillé Au four Poêlé	Fond de gibier Au porto Au poivre	Filet de cerf, sauce au bourbon et à la mélasse	Poivre Épices barbecue Piment

Madiran, Torus ★★

Producteur: Alain Brumont
Appellation: Madiran
Pays: France

Millésime dégusté: 2010
Code SAQ: 466656
Prix SAQ: 16,95$

Le producteur Alain Brumont, figure de proue des vins de cette appellation du Sud-Ouest, nous offre avec ce vin, un produit bien fait qui allie puissance et finesse. Affichant une teinte pourpre assez dense, il dévoile au nez, un bouquet aromatique d'où émanent des notes de baies des champs, de mûre surtout, côtoyant les épices et la réglisse, sur une trame de bois neuf. On retrouve les mêmes arômes dans une bouche où le fruit s'exprime d'emblée avant de céder le passage à des inflexions de poivre et d'épices. Le tout est enrobé d'une trame tannique reposant sur des assises solides.

Tannins/corps: Charnus • Corsé
Cépages: Tannat, cabernet sauvignon, cabernet franc
Température: Entre 16 et 18 °C

Cuissons	Garniture	Type de plat	Arômes complémentaires
Au four Poêlé Mijoté	Aux fruits Fond de gibier Au vin rouge	Longe d'agneau aux herbes de Provence	Poivre Bouquet garni Piment

Marqués de Concordia, Crianza ★★

Producteur: Haciendas Marqués de la Concordia SA
Appellation: Rioja
Pays: Espagne

Millésime dégusté: 2010
Code SAQ: 10967661
Prix SAQ: 17,05$

J'ai dégusté pour la première fois ce rouge expressif à la robe rubis assez opaque l'an dernier, et il m'a semblé encore plus intéressant en ce millésime. Dès les premiers effluves, on remarque les accents de fruits à noyau confits avec en arrière-plan des notes de terre humide sur une base de bois neuf. La bouche est ample, dotée d'une trame tannique qui se tient bien droite tout en affichant une certaine souplesse. Les saveurs de fruits s'expriment en premier. Elles sont escortées par des nuances d'épices et culminent sur des notes de prune et de cerise confite.

Tannins/corps: Charnus • Assez corsé
Cépages: Tempranillo
Température: Entre 16 et 18 °C

IMV: 90

Cuissons	Garniture	Type de plat	Arômes complémentaires
Au four Poêlé Grillé	Fond de veau Au porto Au poivre	Côte de cerf aux baies des champs	Herbes de Provence Poivre Quatre-épices

La Casa di Dante Alighieri

Producteur: Azienda Uggiano
Appellation: Chianti Colli Fiorentini
Pays: Italie
Millésime dégusté: 2010
Code SAQ: 554691
Prix SAQ: 17,20$

Cet hommage au grand poète florentin qu'on surnomme «le père de la langue italienne» est une belle réussite. Colli Fiorentini, l'une des dix aires géographiques protégées du Chianti, est située près de Florence. Visuellement, ce vin offre une robe rubis moyennement profonde. Il s'ouvre sur des accents de petites baies rouges, ainsi que de cerise et de prune, accompagnés d'intonations évoquant un couvert forestier, agrémentées d'effluves de café. La bouche est ample, nantie de tannins un peu tendus, mais sans nervosité. L'acidité naturelle du sangiovese favorise la perception des saveurs de baies. Doté d'une longueur en bouche plus qu'acceptable, il nous laisse sur des intonations de peau de cerise.

Tannins/corps: Charnus • Assez corsé
Cépages: Sangiovese, canaiolo
Température: Entre 16 et 18 °C

IMV: 90

Cuissons	Garniture	Type de plat	Arômes complémentaires
Au four Grillé Poêlé	Fond de veau Aux tomates Aux herbes	Ragoût de bœuf à la Toscane	Herbes italiennes Tomate Poivre

Syrah, Porcupine Ridge

Producteur: Boekenhoutskloof
Appellation: Swartland
Pays: Afrique du Sud
Millésime dégusté: 2014
Code SAQ: 10678510
Prix SAQ: 17,85$
Code LCBO: 595280
Prix LCBO: 14,95$

Les vins de ce producteur au nom imprononçable sont toujours bien ficelés. Ce chef de file d'une viticulture de qualité présente ici une syrah à la robe foncée, presque noire. À l'olfaction, ce rouge étale de vibrants arômes de réglisse, sur des fruits rouges et noirs, de mûre surtout, embellis par des accents de poivre, le tout déposé sur un tapis de nuances boisées bien intégrées. En bouche, on assiste à une duplication des intonations perçues à l'olfaction. Les saveurs de fruits bien mûrs gomment le palais d'une couche bien épaisse, mais sans surexposition. Sa trame tannique est solide, avec ce qu'il faut de souplesse.

Tannins/corps: Charnus • Assez corsé
Cépages: Syrah
Température: Entre 16 et 18 °C

IMV: 90

Cuissons	Garniture	Type de plat	Arômes complémentaires
Grillé Poêlé Au four	Au poivre Demi-glace Aux herbes	Brochette de bœuf, sauce au poivre long	Poivre Truffe Laurier

Cabernet sauvignon, Clos du Bois

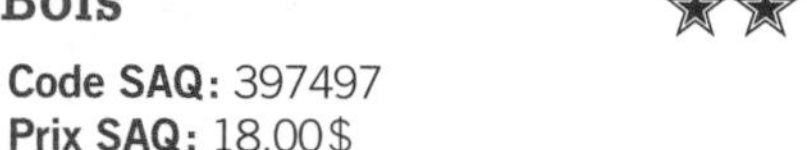

Producteur : Clos du Bois Winery
Appellation : North Coast
Pays : États-Unis
Millésime dégusté : 2012
Code SAQ : 397497
Prix SAQ : 18,00$
Code LCBO : 308304
Prix LCBO : 15,95$

Voici un cabernet sauvignon aux résonances californiennes qui nous fait de l'œil en douce et c'est sans opposer aucune résistance qu'on succombe à ses charmes. Il revêt une robe rubis assez foncée. Le caractère expressif et nuancé du cabernet sauvignon se fait sentir dès les premiers effluves. On y perçoit un bouquet imprégné d'accents de baies des champs bien mûres, entourés d'effluves de vanille, de bois et de réglisse, sur un fond subtilement floral. En bouche, on revisite les intonations perçues au nez. Son amplitude et son ossature solide, bien garnie de chair, mais non dénuée de souplesse, complètent l'opération charme.

Tannins/corps : Charnus • Assez corsé
Cépages : Cabernet sauvignon
Température : Entre 15 et 18 °C

Cuissons	Garniture	Type de plat	Arômes complémentaires
Poêlé Au four Grillé	Demi-glace Au vin rouge Aux champignons	Filet d'épaule de bœuf au poivre long	Poivre Poivron Épices barbecue

Tautavel, Gérard Bertrand, Grand Terroir

Producteur : Gérard Bertrand
Appellation : Côtes du Roussillon Villages Tautavel
Pays : France
Millésime dégusté : 2011
Code SAQ : 11676145
Prix SAQ : 18,45$

Ce rouge aux accents typiques du sud de la France a de quoi faire fléchir les genoux des amateurs les plus difficiles. Il affiche une teinte rubis très dense. Son bouquet expressif étale des arômes de baies noires confites sur des nuances de prune, menant à des accents d'épices, de poivre et de réglisse. À l'aération, on perçoit des nuances de garrigue. En bouche, le fruit domine. Les saveurs de baies confites gomment le palais et y demeurent un long moment en fondant sur la langue. Le tout est supporté par une trame tannique reposant sur des assises bien implantées.

Tannins/corps : Charnus • Assez corsé
Cépages : Grenache, syrah, carignan
Température : Entre 16 et 18 °C

Cuissons	Garniture	Type de plat	Arômes complémentaires
Grillé Au four Poêlé	Fond de veau Aux herbes Au vin rouge	Cassoulet toulousain	Herbes de Provence Poivre Réglisse

Raymond R Collection, Field Blend, Lot no 7

Producteur: Raymond Vineyard and Cellar
Appellation: California
Pays: États-Unis
Millésime dégusté: 2013
Code SAQ: 12073910
Prix SAQ: 18,85$
Code LCBO: 265959
Prix LCBO: 19,95$

Voici un vin direct et franc, qui n'y va pas par quatre chemins pour conquérir l'amateur de vins joufflus. Sous une couleur pourpre très foncée, il déploie avec verve un étalage de nuances fruitées, avec une dominance de notes de cassis et de framboise bien mûres, sur des accents de poivre et de bois. Il est doté d'une bouche ample, pourvue d'une trame tannique aux assises solidement implantées. Armé de saveurs de baies des champs, il s'empare du palais tout entier et l'occupe un long moment avant de se liquéfier sur la langue. La finale nous laisse sur des intonations de poivre.

Tannins/corps: Charnus • Bien corsé
Cépages: Cabernet sauvignon, merlot, syrah, zinfandel
Température: Entre 16 et 18 °C

Cuissons	Garniture	Type de plat	Arômes complémentaires
Grillé Au four Poêlé	Fond de gibier Au porto Au poivre	Aiguillettes de canard aux mûres	Poivre Herbes de Provence Baies

Syrah, Errazuriz, Max Reserva

Producteur: Viña Errazuriz SA
Appellation: Valle de Aconcagua
Pays: Chili
Millésime dégusté: 2012
Code SAQ: 864678
Prix SAQ: 18,95$

Dans la catégorie « plaisirs garantis », ce vin est certainement un chef de file. Difficile de faire fi de son immense potentiel de séduction qui opère dès que les premières larmes sont versées, révélant une robe dense et profonde, d'une teinte cerise noire. Ses effluves poivrés flattent les narines et s'accompagnent de nuances de prune et de fruits noirs confits, sur un tapis de bois neuf qui s'estompe à l'aération. Charpentée, ample et pulpeuse à souhait, la bouche révèle de beaux tannins riches et bien présents, ainsi qu'un agréable côté soyeux. Les accents de fruits gomment le palais tout entier et y demeurent un long moment avant de s'étioler.

Tannins/corps: Charnus • Assez corsé
Cépages: Syrah
Température: Entre 16 et 18 °C

Cuissons	Garniture	Type de plat	Arômes complémentaires
Poêlé Au four Grillé	Fond de veau Au poivre Aux fruits	Filet mignon aux truffes et au poivre	Olive noire Poivre Champignon

Château Saint-Roch

Producteur: Château Saint-Roch Brunel Frères
Appellation: Lirac
Pays: France
Millésime dégusté: 2011
Code SAQ: 574137
Prix SAQ: 19,05$

Plusieurs années ont séparé ma dernière dégustation de celle-ci. La reprise de contact fut des plus plaisantes. L'appellation Lirac est située juste à côté de Chateauneuf-du-Pape. Pas étonnant donc d'y voir quelque parenté, entre autres en ce qui concerne la chaleur en bouche. Ce vin à la robe rubis assez dense, s'ouvre sur de puissants accents de prune, de poivre et de baies noires, embellis par des nuances de chocolat et d'épices. En bouche, les saveurs de fruits éclatent et s'étalent sur le palais pour l'occuper totalement. La trame tannique est solide tout en affichant un agréable côté soyeux. Belle réussite à prix doux.

Tannins/corps: Charnus • Assez corsé
Cépages: Grenache noir, mourvèdre, syrah
Température: Entre 15 et 17 °C

Cuissons	Garniture	Type de plat	Arômes complémentaires
Au four Poêlé Mijoté	Fond de veau Au poivre Au vin rouge	Carré d'agneau en croute d'olives noires	Olive noire Poivre Müre

Montecorna, Ripasso

Producteur: Remo Farina
Appellation: Valpolicella Classico Superiore
Pays: Italie
Millésime dégusté: 2012
Code SAQ: 908269
Prix SAQ: 19,20$
Code LCBO: 56267
Prix LCBO: 19,95$

À mi-chemin entre un Valpolicella et un Amarone, ce ripasso à tout pour plaire à l'amateur de vins joufflus, gorgés de saveurs fruitées, nuancés, mais sans surcharge inutile. La Corvina domine cet assemblage traditionnel. Une robe à la teinte grenat de profondeur moyenne attise et met les sens en éveil. Le nez est marqué par une dominance de notes de baies des champs confites, agrémentées d'accents de figue, sur un fond d'épices douces et une touche minérale. Des tannins en chair, dotés d'une amertume qui rappelle l'Amarone, nous accueillent. Les saveurs détectées en bouche sont en tous points semblables à l'aspect olfactif.

Tannins/corps: Charnus • Corsé
Cépages: Corvina, rondinella, molinara
Température: Entre 16 et 18 °C

Cuissons	Garniture	Type de plat	Arômes complémentaires
Grillé Poêlé Au four	Au vin rouge Aux épices Aux tomates	Carré d'agneau aux tomates, à l'ail et au romarin	Réglisse Épices douces Poivre

Madiran, Tour Bouscassé ★★

Producteur: Alain Brumont
Appellation: Madiran
Pays: France

Millésime dégusté: 2010
Code SAQ: 12284303
Prix SAQ: 19,25$

Avec ce vin, Alain Brumont a voulu faire un vin moderne, prêt à boire dès sa mise en marché. Si la plupart des rouges de ce producteur sont élaborés entièrement à partir de tannat, ici il ne représente que 40% de l'assemblage. À noter que les vignes ont entre 20 à 100 ans d'âge. Ce vin est doté d'une robe foncée, presque noire. Il possède un nez subtil et nuancé, dévoilant des notes minérales et de terre humide, de baies noires, de prune et de cassis. En bouche, l'attaque est franche et fidèle aux accents perçus à l'olfaction. On décèle une légère amertume, mais c'est le côté sapide qui l'emporte sur la trame tannique serrée.

Tannins/corps: Charnus • Assez corsé
Cépages: Tannat, cabernet sauvignon, cabernet franc
Température: Entre 16 et 18 °C

Cuissons	Garniture	Type de plat	Arômes complémentaires
Grillé Au four Poêlé	Fond de veau Aux herbes Au vin rouge	Cassoulet toulousain	Laurier Poivre Basilic

Château Godard Bellevue ★★

Producteur: E.A.R.L. Arbo
Appellation: Bordeaux Côtes de Francs
Pays: France

Millésime dégusté: 2009
Code SAQ: 914317
Prix SAQ: 19,50$

Ce vin possède la puissance qu'il faut pour accompagner les viandes saignantes, et la finesse et l'élégance pour ravir les palais les plus fins. En plus, il ne nous ruine pas. Doté d'une robe rubis moyennement profonde, il étale un bouquet expressif et nuancé d'où émanent des notes de fruits rouges et noirs confits, saupoudrées d'accents de violette, agrémentés d'effluves de vanille et de chêne, sur un fond légèrement épicé. Les saveurs de baies se glissent sur la langue et l'enveloppent jusqu'à révéler des intonations de prune. Il est doté d'une trame tannique solide autour de laquelle tient une bonne dose de chair, et d'un agréable côté soyeux.

Tannins/corps: Charnus • Assez corsé
Cépages: Merlot, cabernet franc, cabernet sauvignon
Température: Entre 16 et 18 °C

Cuissons	Garniture	Type de plat	Arômes complémentaires
Poêlé Grillé Au four	Fond de veau Fond de gibier Au vin rouge	Magret de canard, sauce aux mûres	Épices barbecue Café Poivre

Alma Negra, M Blend

★★½

Producteur : A. Bartholomaus & E. Catena
Appellation : Mendoza
Pays : Argentine
Millésime dégusté : 2012

Code SAQ : 11156895
Prix SAQ : 19,95$
Code LCBO : 384297
Prix LCBO : 19,95$

Alma negra signifie «âme obscure». Ce vin est vinifié par Ernesto Catena, quatrième génération de vignerons de la famille Catena Zapata. Ce producteur possède un côté rebelle qu'il transpose dans ses vins issus de l'agriculture biologique. Sous une robe très foncée, on découvre un bouquet aromatique marqué par des notes empyreumatiques, embellies par des accents de fruits noirs et des intonations florales. La bouche est ample, dotée de tannins tissés serrés possédant passablement de chair autour d'une ossature solide. On y détecte beaucoup de fruits, comme la myrtille, la mûre et la prune. La finale révèle une pointe d'amertume, sans que ce soit désagréable.

Tannins/corps : Charnus • Assez corsé
Cépages : Malbec, bonarda
Température : Entre 16 et 18 °C

IMV: 90

Cuissons	Garniture	Type de plat	Arômes complémentaires
Grillé Poêlé Au four	Demi-glace Au vin rouge Aux épices	Carré d'agneau en croûte d'olives noires	Épices barbecue Poivre Prune

Château des Laurets

★★½

Producteur : SCE des Laurets Malengin
Appellation : Puisseguin Saint-Émilion
Pays : France

Millésime dégusté : 2011
Code SAQ : 371401
Prix SAQ : 19,95$

Ce vin est une belle représentation du genre produit qu'on fabrique sur la rive droite de la Gironde à Bordeaux. Visuellement, ce rouge dévoile une robe rubis très foncée. À l'olfaction, il étale sans retenue des accents de baies rouges et noires, de cassis et de mûre surtout, embellis par des effluves de violette, sur une base minérale évoquant la terre glaise. La bouche est ample, dotée d'une trame tannique bien en chair et pourvue d'une bonne acidité. Celle-ci favorise la perception des saveurs de baies rouges et noires sur la langue. Aux intonations perçues à l'olfaction s'ajoutent des flaveurs de cuir en finale.

Tannins/corps : Charnus • Assez corsé
Cépages : Merlot, cabernet franc
Température : Entre 16 et 18 °C

IMV: 90

Cuissons	Garniture	Type de plat	Arômes complémentaires
Grillé Au four Poêlé	Fond de gibier Au vin rouge Au bleu	Filet de bœuf au bleu	Herbes de Provence Poivron Poivre

Chianti-Classico, Piccini, Riserva

Producteur: Gestioni Piccini SRL
Appellation: Chianti Classico
Pays: Italie

Millésime dégusté: 2009
Code SAQ: 11768795
Prix SAQ: 19,95$

Voici un Chianti-Classico Riserva somme toute assez sobre, sans surextraction, qui étale un profil à la fois joyeusement fruité et suffisamment complexe pour plaire aux amateurs de Chianti ayant du coffre. À l'œil, il exhibe une robe rubis moyennement profonde. Son bouquet dégage de jolis accents de baies des champs, de fraise confite et de prune, sur une gerbe légèrement vanillée, supportée par des nuances de chêne, sur un fond d'épices douces. Le palais est envahi d'arômes fruités qui se collent littéralement aux parois. L'acidité sert de support aux intonations fruitées. La trame tannique est bien constituée et n'affiche aucune lourdeur.

Tannins/corps: Charnus • Assez corsé
Cépages: Sangiovese
Température: Entre 15 et 18 °C

IMV: 90

Cuissons	Garniture	Type de plat	Arômes complémentaires
Grillé Au four Poêlé	Demi-glace Aux tomates Fond de veau	Filet d'agneau, tombée de tomates et de basilic	Basilic Tomate Laurier

Monasterio de las Viñas, Gran Reserva

Producteur: Grandes Viños y Viñedos S.A.
Appellation: Cariñena
Pays: Espagne

Millésime dégusté: 2005
Code SAQ: 10359156
Prix SAQ: 19,65$

Ce vin est un incontournable, ne serait-ce que pour déguster un vin de 10 ans d'âge pour à peine 20$. Il n'y a que l'Espagne pour nous faire vivre un tel bonheur. Sous une robe foncée de couleur cerise noire, il déploie un intense bouquet d'où émanent des nuances de baies des champs et de cerise noire, enrobées de notes de bois de santal et d'épices. En toile de fond, on perçoit des intonations rappelant le tabac blond et le cuir. La bouche est ample, sapide, dotée de tannins enrobés. Des saveurs de poivre et de cuir s'ajoutent aux accents perçus à l'olfaction. Les saveurs semblent défier le temps.

Tannins/corps: Charnus • Corsé
Cépages: Grenache, tempranillo, carignan, cabernet sauvignon
Température: Entre 16 et 18 °C

Cuissons	Garniture	Type de plat	Arômes complémentaires
Grillé Poêlé Au four	Fond de gibier Au poivre Au vin rouge	Brochette de bœuf, sauce au poivre vert	Bouquet garni Poivre Moutarde

Sangiovese Superiore di Prugneto

Producteur: Poderi dal Nespoli
Appellation: Sangiovese di Romagna
Pays: Italie

Millésime dégusté: 2013
Code SAQ: 11298404
Prix SAQ: 19,95$

Jolie découverte que ce vin au fruité généreux, relativement complexe et savoureux. À l'œil, il dévoile une couleur rubis moyennement profonde. Au nez, il ne s'est montré bavard qu'après un séjour en carafe d'une quinzaine de minutes. Cela lui a permis de divulguer des accents de baies noires embellis par des effluves floraux associés à des nuances d'épices sur un léger boisé. En bouche, il a démontré davantage d'aplomb en révélant d'abord un profil résolument fruité, mais avec de la profondeur et une trame tannique solide. Aux accents perçus à l'olfaction, s'ajoutent des saveurs de prune et de cuir, particulièrement en finale.

Tannins/corps: Charnus • Assez corsé
Cépages: Sangiovese
Température: Entre 16 et 18 °C

IMV: 90

Cuissons	Garniture	Type de plat	Arômes complémentaires
Grillé Mijoté Au four	Fond de veau Épices italiennes Aux tomates	Raviolis farcis au veau, sauce aux tomates séchées et au romarin	Prune Épices italiennes Romarin

Château Eugénie, Tradition

Producteur: Jean et Claude Couture
Appellation: Cahors
Pays: France

Millésime dégusté: 2011
Code SAQ: 721282
Prix SAQ: 15,70$

Les amateurs de vins à base de malbec seront comblés par ce vin pas piqué des vers, offert à un prix qui défie la compétition. Arborant une robe foncée, presque noire, il étale avec verve des accents de cassis et d'épices, déposés sur une base de bois torréfié. La bouche est ample, charnue, dotée d'une trame tannique costaude, mais sans être lourde, un peu nerveuse toutefois. Les saveurs de cassis occupent la majorité du palais et sont rejointes par les flaveurs de bois. En finale, des nuances évoquant un couvert forestier se pointent pour donner au vin une dimension un peu plus complexe.

Tannins/corps: Charnus • Assez corsé
Cépages: Malbec, merlot
Température: Entre 16 et 18 °C

IMV: 91

Cuissons	Garniture	Type de plat	Arômes complémentaires
Au four Poêlé Grillé	Au porto Au bleu Fond de gibier	Cassoulet toulousain	Poivre Herbes de Provence Champignon

Cabernet sauvignon, Santa Rita, Reserva ★★

Producteur: Viña Santa Rita
Appellation: Valle del Maipo
Pays: Chili
Millésime dégusté: 2011

Code SAQ: 224881
Prix SAQ: 15,80$
Code LCBO: 253872
Prix LCBO: 13,95$

Il y a quelque chose dans ce vin qui nous fait y revenir. Toutes proportions gardées, il représente une bonne aubaine pour les gens qui recherchent sans se ruiner un vin ayant de la personnalité. Ce rouge, idéal pour les soupers au barbecue, affiche une robe foncée. D'emblée, des notes bien appuyées de cassis et de mûre s'accompagnent d'odeurs typiques de poivron vert, sur une base boisée bien en évidence. Doté de tannins bien en chair, il imprime sur la langue des accents de baies noires, suivies de saveurs boisées. Celles-ci demeurent suspendues pendant plusieurs caudalies.

Tannins/corps: Charnus • Corsé
Cépages: Cabernet sauvignon
Température: Entre 16 et 18 °C

IMV: 91

Cuissons	Garniture	Type de plat	Arômes complémentaires
Poêlé Au four Grillé	Fond de gibier Au poivre Au vin rouge	Rôti de côte de bœuf au poivre	Poivre Épices barbecue Poivron

Syrah, Finca Antigua ★★

Producteur: Finca Antigua SA
Appellation: La Mancha
Pays: Espagne

Millésime dégusté: 2011
Code SAQ: 10498121
Prix SAQ: 15,95$

Voici une syrah moderne, élevée en altitude dans une région chaude, ce qui permet à la vigne de recevoir un peu de fraîcheur lors des nuits d'été et ainsi profiter de conditions optimales. Il s'agit d'un vin musclé, à la personnalité assumée, un peu carré, mais résolument savoureux. À l'œil, il dévoile une robe rouge foncé. Des accents de poivre, de cassis, de mûre et de framboise se succèdent avant de céder la place à des notes bien appuyées de bois torréfié. La bouche est gorgée de fruits. Elle possède une trame tannique à l'ossature solide, nantie de passablement de chair.

Tannins/corps: Charnus • Bien corsé
Cépages: Syrah
Température: Entre 16 et 18 °C

Cuissons	Garniture	Type de plat	Arômes complémentaires
Poêlé Au four Grillé	Au poivre Au porto Fond de gibier	Magret de canard, sauce aux baies des champs	Champignon Poivre Olive noire

Cabernet Sauvignon, Manor House

Producteur: Nederburg Wines
Appellation: Western Cape
Pays: Afrique du Sud
Millésime dégusté: 2012
Code SAQ: 11676313
Prix SAQ: 16,95$

Ce vin fut l'une des belles surprises de cette dernière année de dégustation. Impossible de rester indifférent face à ce produit à la personnalité assurée et assumée. Visuellement, il étale une teinte rubis très foncée. Au nez, il déploie avec intensité des accents de fruits noirs et rouges confits s'appuyant sur une base boisée qui ne prend pas trop d'espace. La bouche est gourmande, très sapide, dotée d'une trame tannique costaude, mais sans être lourde. La présence de sucre résiduel donne à ce vin une dimension quelque peu racoleuse. Les saveurs de fruits occupent le palais sans aucune retenue. La finale est longue et savoureuse.

Tannins/corps: Charnus • Bien corsé
Cépages: Cabernet sauvignon
Température: Entre 16 et 18 °C

IMV: 91

Cuissons	Garniture	Type de plat	Arômes complémentaires
Grillé Poêlé Au four	Fond de gibier Au poivre Aux champignons	Côtelettes d'agneau à l'ail et au romarin	Poivre Réglisse Bouquet garni

Zolo

Producteur: Fincas Patagonicas S.A.
Appellation: Mendoza
Pays: Argentine
Millésime dégusté: 2013
Code SAQ: 11373232
Prix SAQ: 17,65$
Code LCBO: 54098
Prix LCBO: 17,95$

Ce rouge issu de l'agriculture biologique possède tous les atouts pour séduire l'amateur de vins dodus, sans être lourd. Il est doté d'une robe rubis foncée, presque noire. À l'olfaction, il déploie un intense bouquet dominé par des notes bien appuyées de cassis, suivies d'intonations de poivron, embellies d'effluves de café, eux-mêmes enveloppés d'épices et de bois. La bouche est costaude et possède beaucoup de matière. En bouche, on retrouve les accents perçus à l'olfaction avec une dominance des saveurs de cassis. Celles-ci sont rejointes par des flaveurs de mûre et de prune dans une finale assez soutenue.

Tannins/corps: Charnus • Bien corsé
Cépages: Cabernet sauvignon
Température: Entre 16 et 18 °C

Cuissons	Garniture	Type de plat	Arômes complémentaires
Grillé Poêlé Au four	Fond de gibier Demi-glace Au poivre	Côtelettes d'agneau au poivre	Poivre Piment Café

Cabernet Sauvignon, Max Reserva ★★

Producteur: Viña Errazuriz SA
Appellation: Valle de Aconcagua
Pays: Chili
Millésime dégusté: 2011

Code SAQ: 335174
Prix SAQ: 18,95$
Code LCBO: 335174
Prix LCBO: 18,95$

Tous les produits de la gamme Max Reserva, l'une des figures de proue de la viticulture chilienne Errazuriz, représentent de très bons achats, et ce, millésime après millésime. Ce rouge revêt une robe dense et profonde, presque noire. Il présente un nez expressif et complexe dominé par des accents de fruits noirs, de cassis, de mûre surtout, sur des notes bien définies de chocolat noir, agrémentées d'épices. La bouche est costaude, vibrante mais sans aucune agressivité, ample et chaleureuse. Elle est également dotée de tannins tendus et d'un agréable côté sapide qui projette des accents de fruits noirs s'accompagnant de cuir.

Tannins/corps: Charnus • Bien corsé
Cépages: Cabernet sauvignon
Température: Entre 16 et 18 °C

IMV: 91

Cuissons	Garniture	Type de plat	Arômes complémentaires
Grillé Poêlé Au four	Au bleu Aux champignons Fond de gibier	Carré d'agneau en croûte d'olives noires	Cacao Poivre Champignon

Cabernet sauvignon, Arboleda ★★½

Producteur: Viña Arboleda SA
Appellation: Valle de Aconcagua
Pays: Chili
Millésime dégusté: 2011

Code SAQ: 10967434
Prix SAQ: 19,95$
Code LCBO: 606764
Prix LCBO: 19,95$

La seule défense qu'on a contre le jab de ce rouge viril est de tendre l'autre joue, de se laisser frapper à nouveau et d'y prendre plaisir. Meilleur que l'an dernier? Peut-être... À la vue de sa robe sombre, on salive déjà. Aucune déception au nez alors qu'un bouquet expressif dévoile des notes bien définies de cassis, sur des nuances de prune, sur une base boisée, ainsi que des effluves d'épices et de poivron vert. On revisite les accents dans une bouche ample et sapide, dotée de tannins charnus et bien constitués. Le cassis et la mûre se collent littéralement au palais et sont escortés par des flaveurs de cuir.

Tannins/corps: Charnus • Bien corsé
Cépages: Cabernet sauvignon
Température: Entre 16 et 18 °C

Cuissons	Garniture	Type de plat	Arômes complémentaires
Grillé Poêlé Au four	Au vin rouge Au poivre Demi-glace	Aiguillettes de canard fumé, sauce au porto	Épices barbecue Piment Poivre

Les vins du samedi (entre 20 et 25 $)

« La plus grande richesse ce n'est pas de posséder un grand vin à partager avec des amis, c'est d'avoir de bons amis avec qui partager un bon vin. »

Voici le temps de recouvrir la table d'une jolie dentelle et de sortir la belle coutellerie. Le repas du samedi étant généralement plus substantiel et davantage élaboré que celui des jours de semaine, il mérite un vin qui sera à la hauteur des mets... et des invités.

Les vins de la catégorie qui suit sont généralement complexes et plus fins que ceux des catégories précédentes. Les critères de sélection sont aussi plus élevés. Les arômes doivent avoir une meilleure définition et être représentatifs des cépages et de la région d'où ils proviennent. Prenez le temps de bien humer leurs parfums, d'apprécier leurs qualités à leur juste valeur, car ils en valent la peine. Ce vins sont le résultat d'un savoir-faire qui allie passion et amour.

Pinot Bianco, Alois Lageder ★★

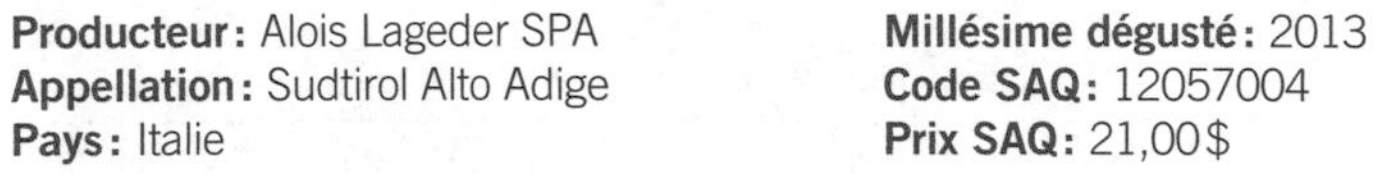

Producteur: Alois Lageder SPA
Appellation: Sudtirol Alto Adige
Pays: Italie

Millésime dégusté: 2013
Code SAQ: 12057004
Prix SAQ: 21,00$

Si vous êtes amateur de ce cépage délicat et nuancé, vous ne voudrez pas rater ce vin élevé en biodynamie par une figure de proue de la viticulture du Trentin Haut Adige, une région fraîche située dans le nord-est de l'Italie. Sous une robe jaune pâle, il étend une gerbe d'arômes qui s'expriment avec discrétion, mais avec suffisamment de précision pour être identifiés. On y perçoit des nuances de fruits à chair blanche, sur des intonations minérales et florales. La bouche est tendre, dotée d'une agréable fraîcheur, avec une impression très nette des saveurs et une grande pureté du fruit.

Acidité/corps: Fraîche • Léger +
Cépages: Pinot blanc
Température: Entre 7 et 10 °C

IMV: 63

Cuissons	Garniture	Type de plat	Arômes complémentaires
Mijoté Au four Cru	Aux fruits Fumet de poisson Aux herbes	Filet de bar au citron	Fenouil Ananas Badiane

Pinot Gris, Léon Beyer ★★½

Producteur: Léon Beyer
Appellation: Alsace
Pays: France

Millésime dégusté: 2012
Code SAQ: 968214
Prix SAQ: 21,25$

Voilà certainement l'un des vins les plus polyvalents sur le marché. Ce pinot gris affiche une teinte jaune paille assez profonde. Un bouquet riche et varié s'offre au nez. On y trouve des notes de fruits à chair blanche, suivies d'accents de fruits tropicaux bien dosés, appuyés par des effluves floraux reposant sur une base légèrement épicée, tapissée de miel et de gingembre. En filigrane, on détecte des inflexions minérales. Fraîche et texturée, la bouche se gave des saveurs fruitées. Contrairement à plusieurs de ses congénères, il est bien sec, quoique le sucre ne semble pas si loin derrière.

Acidité/corps: Fraîche • Moyennement corsé
Cépages: Pinot gris
Température: Entre 8 et 11 °C

IMV: 63

Cuissons	Garniture	Type de plat	Arômes complémentaires
Mijoté Au four Cru	Fumet de poisson Aux agrumes Fond de volaille	Nage de fruits de mer, gastrique à l'orange	Agrumes Fruits exotiques Coriandre

Chablis, Albert Bichot

Producteur : Albert Bichot
Appellation : Chablis
Pays : France
Millésime dégusté : 2013
Code SAQ : 17897
Prix SAQ : 22,00$

Chablis est une appellation mythique, longtemps perçue comme l'archétype du chardonnay idéal. Chez nos voisins du sud, on commandait par le nom de Chablis tout ce qui était à base de ce cépage. Confectionné par l'un des meilleurs négociants de la Bourgogne, ce blanc dévoile une robe jaune paille assez intense. Des accents d'agrumes, de pomme verte et de poire s'accompagnent de nuances minérales et florales. La bouche est vive, mais enveloppante. On reconnaît la vigueur des vins de Chablis, une région fraîche. Les intonations perçues à l'olfaction, surtout la pomme, demeurent suspendues un long moment avant de s'étioler.

Acidité/corps : Vive • Moyennement corsé
Cépages : Chardonnay
Température : Entre 8 et 10 °C

IMV: 63

Cuissons	Garniture	Type de plat	Arômes complémentaires
Grillé Au four Poêlé	Aux fruits Fumet de poisson Au vin blanc	Bigorneaux à la bourguignonne	Agrumes Vanille Épices douces

Chardonnay,Castello della Sala Bramìto del Cervo

Producteur : Marchesi Antinori SRL
Appellation : I.G.T. Umbria
Pays : Italie
Millésime dégusté : 2013
Code SAQ : 10781971
Prix SAQ : 23,25$

Je connaissais déjà le Cervaro, le vin phare de ce domaine appartenant à Antinori, mais ce vin fut une découverte pour moi cette année. Vendu la moitié du prix du grand vin, il n'est pas deux fois moins bon pour autant. Il affiche une robe jaune paille avec des reflets verts. Le nez est fin, dominé par des nuances minérales et des notes de beurre frais, d'abricot et de pomme. La bouche est fraîche, raffinée, croquante à souhait et bien équilibrée. L'aspect gustatif est une copie de l'aspect olfactif. Les saveurs de pomme et les accents minéraux occupent le palais.

Acidité/corps : Fraîche • Léger +
Cépages : Chardonnay
Température : Entre 8 et 10 °C

IMV: 63

Cuissons	Garniture	Type de plat	Arômes complémentaires
Au four Mijoté Bouilli	Au vin blanc Au beurre Aux fruits	Risotto aux crevettes nordiques	Safran Beurre Cardamome

Rueda, Rolland Galarreta

Producteur: Rolland & Galarreta
Appellation: Rueda
Pays: Espagne
Millésime dégusté: 2013
Code SAQ: 12244889
Prix SAQ: 20,85$

Le projet conjoint du réputé œnologue Michel Rolland et du viticulteur Javier Galarreta est l'un des plus intéressants qui ait pris naissance au cours des dernières années. Avec ce verdejo, le producteur démontre que le monde du vin blanc de qualité ne gravite pas qu'autour des chardonnays et des sauvignons. Dès qu'on verse ce blanc, on est conquis par sa densité et sa couleur jaune dorée. Des nuances de miel, de fruits à chair blanche et de melon composent une partie de son bouquet d'une netteté exemplaire. En bouche, il s'avère riche, texturé et frais. Les saveurs décrites au nez reviennent enjôler le palais.

Acidité/corps: Fraîche • Moyennement corsé
Cépages: Verdejo
Température: Entre 8 et 10 °C

IMV: 64

Cuissons	Garniture	Type de plat	Arômes complémentaires
Mijoté Grillé Au four	Aux fruits Au beurre Fond de volaille	Calmar grillé, mayonnaise épicée à la lime	Lime Poivre rose Miel

Chardonnay, Kim Crawford, Unoaked

Producteur: Kim Crawford Wines
Appellation: Marlborough
Pays: Nouvelle-Zélande
Millésime dégusté: 2014
Code SAQ: 10669470
Prix SAQ: 21,00$
Code LCBO: 991950
Prix LCBO: 19,95$

Ce vin, comme son nom l'indique, n'a subi aucun levage sous bois afin de préserver l'expression naturelle du cépage. Le résultat est tout à fait ravissant. D'entrée de jeu, sa robe jaune paille nous fait de l'œil. Au nez, un bouquet peu expressif, mais subtil et nuancé, dévoile des accents de pomme verte et de beurre, fardés d'un souffle de brioche à la vanille. On craque pour son côté tendre et enveloppant, sa rondeur typiquement chardonnay et son agréable acidité. Les nuances perçues à l'olfaction, surtout les notes de pomme, s'étalent en douce sur le palais et l'occupent un long moment avant de s'étioler.

Acidité/corps: Fraîche • Moyennement corsé
Cépages: Chardonnay
Température: Entre 8 et 11 °C

IMV: 64

Cuissons	Garniture	Type de plat	Arômes complémentaires
Poêlé Mijoté Au four	Au beurre Aux agrumes À la crème	Baluchon de brie à l'abricot	Safran Amande Coriandre

Saint-Véran, Combe aux Jacques

Producteur : Louis Jadot
Appellation : Saint-Véran
Pays : France
Millésime dégusté : 2013
Code SAQ : 597591
Prix SAQ : 22,00$

Cette très belle proposition de ce grand producteur bourguignon fait figure d'incontournable. Ce vin est élevé en cuve d'inox et sans apport de bois afin de préserver les arômes naturels du chardonnay qui sont aisément reconnaissables dans ce produit bien ficelé. Sous une robe jaune paille avec des reflets dorés, il étale un bouquet expressif et nuancé, marqué par des notes de fruits à chair blanche côtoyant des accents floraux et minéraux, sur un fond légèrement brioché. La bouche est tendre, grasse et enveloppante, et retrouve les accents perçus à l'olfaction.

Acidité/corps : Fraîche • Léger +
Cépages : Chardonnay
Température : Entre 7 et 10 °C

Cuissons	Garniture	Type de plat	Arômes complémentaires
Grillé Au four Poêlé	Au vin blanc Au beurre À la crème	Morue à la crème et au vin blanc	Safran Vanille Amande

Chardonnay, Wild Ferment

Producteur : Viña Errazuriz
Appellation : Aconcagua Costa
Pays : Chili
Millésime dégusté : 2013
Code SAQ : 860213
Prix SAQ : 22,25$
Code LCBO : 738393
Prix LCBO : 22,95$

Déjà, en versant ce vin, on réalise qu'on est en présence d'un blanc fignolé de par sa densité et la couleur dorée de sa robe. Élaboré dans le respect de la terre et des éléments qui l'entourent, ce chardonnay aux accents caractéristiques de pomme-poire, de fruits tropicaux et de vanille, déploie des intonations de silex sur une base boisée. Le palais se laisse bercer par les saveurs perçues à l'olfaction. Ce vin est doté d'une acidité croquante compensée par un agréable côté moelleux et une texture grasse typique du chardonnay. À boire maintenant ou à mettre en cave pendant quatre ou cinq ans.

Acidité/corps : Croquante • Moyennement corsé
Cépages : Chardonnay
Température : Entre 8 et 10 °C

Cuissons	Garniture	Type de plat	Arômes complémentaires
Poêlé Au four Grillé	Fond de volaille Au beurre Fumet de poisson	Filet de truite amandine	Poivron Poivre Mûre

Chardonnay / Sauvignon Blanc, Liano

Producteur: Umberto Cesari
Appellation: Rubicone
Pays: Italie

Millésime dégusté: 2012
Code SAQ: 11661761
Prix SAQ: 23,65$

Les produits de ce producteur sont toujours très charmants, pour ne pas dire charmeurs, et on se laisse séduire sans opposer de résistance. Déjà, à l'œil, ce vin affiche une teinte jaune dorée d'une bonne profondeur qui attise nos sens. Il est aromatique à souhait et dévoile des notes bien définies de pêche, d'abricot, de poire et de pomme, sur un lit de nuances boisées bien intégrées. La bouche est ample, grasse et fraîche. On retrouve avec bonheur les accents perçus à l'olfaction, avec une dominance de saveurs d'abricot. À cela, s'ajoutent des intonations de vanille et d'épices douces. Très belle finale en fruit.

Acidité/corps: Fraîche • Assez corsé
Cépages: Chardonnay, sauvignon blanc
Température: Entre 7 et 10 °C

IMV: 64

Cuissons	Garniture	Type de plat	Arômes complémentaires
Grillé Au four Poêlé	Au beurre Fond de volaille Aux herbes	Brie en croûte, aux poires	Poire Anis Safran

Sauvignon Blanc, Rimapere

★★★

Producteur: Baron Edmond de Rothschild
Appellation: Marlborough
Pays: Nouvelle-Zélande

Millésime dégusté: 2012
Code SAQ: 12213492
Prix SAQ: 24,55$

Voilà le genre de vin qui vous fait dire « ho la la! » dès les premiers effluves. Il est le résultat d'un partenariat entre la famille Rothschild et la Craggy Range Winery. Le savoir-faire des deux maisons se perçoit tout au long de la dégustation. Visuellement, ce blanc affiche une teinte jaune-vert. Au nez, un bouquet aromatique étale avec aplomb des notes bien appuyées de pamplemousse, sur une base minérale et de buis. Il se fait croquant en bouche, très sapide, et affiche une belle pureté des arômes. Le pamplemousse rose s'exprime d'emblée, suivi d'accents d'ananas et d'écorce de citron. Long et savoureux.

Acidité/corps: Vive • Corsé
Cépages: Sauvignon blanc
Température: Entre 8 et 10 °C

Cuissons	Garniture	Type de plat	Arômes complémentaires
Mijoté Au four Poêlé	Fond de volaille Aux agrumes Fumet de poisson	Crevettes sautées au beurre d'anis	Badiane Citron Safran

Chardonnay, Gold Label, Diamond Collection, Francis Coppola

Producteur: Francis Ford Coppola
Appellation: Monterey County
Pays: États-Unis
Millésime dégusté: 2013

Code SAQ: 10312382
Prix SAQ: 22,45$
Code LCBO: 708305
Prix LCBO: 19,95$

Le style de vins que ce producteur et réalisateur hollywoodien confectionne est à l'image de ses films, en ce sens qu'ils ne laissent personne indifférent. Ce chardonnay typiquement californien affiche une teinte jaune dorée assez intense. Il étale avec verve des accents de fruits tropicaux, sur des nuances de beurre frais, de mangue, de pomme et de poire, le tout apposé sur un lit d'intonations boisées bien dosées. Les saveurs de fruits se dégustent avec plaisir dans une bouche fraîche, dotée d'une acidité croquante et d'une texture grasse. Les nuances décrites au nez se laissent choir sur la langue et y demeurent longtemps avant de s'étioler.

Acidité/corps: Croquante • Assez corsé
Cépages: Chardonnay
Température: Entre 7 et 10 °C

Cuissons	Garniture	Type de plat	Arômes complémentaires
Au four Poêlé Mijoté	Au beurre Aux agrumes Au vin blanc	Gambas grillées, beurre à l'ail	Citron Beurre Safran

Chardonnay, Farnito

Producteur: Casa Vinicola Carpineto
Appellation: I.G.T. Toscana
Pays: Italie

Millésime dégusté: 2013
Code SAQ: 366054
Prix SAQ: 24,80$

C'est au sud de Florence qu'est produit ce vin digne des grandes tables. Il est élaboré par un géant de la viticulture toscane, dans une région davantage réputée pour ses vins rouges d'exception. À l'œil, il dévoile une robe jaune paille assez profonde. Au nez, des accents de pomme et d'autres fruits à chair blanche côtoient des nuances de vanille et de beurre frais, appuyées par un boisé bien intégré. En bouche, on reconnaît la texture grasse du chardonnay, ainsi que son côté croustillant qui fait craquer l'amateur du cépage. On retrouve sans surprise les intonations perçues au nez, dans un environnement tout à fait harmonieux.

Acidité/corps: Fraîche • Assez corsé
Cépages: Chardonnay
Température: Entre 8 et 10 °C

Cuissons	Garniture	Type de plat	Arômes complémentaires
Mijoté Poêlé Au four	Fond de volaille Fumet de poisson Au beurre	Darne de saumon grillé, beurre d'agrumes	Safran Vanille Fenouil

Sauvignon Blanc, Kim Crawford ★★½

Producteur: Kim Crawford Wines
Appellation: Marlborough
Pays: Nouvelle-Zélande
Millésime dégusté: 2014

Code SAQ: 10327701
Prix SAQ: 21,00$
Code LCBO: 35386
Prix LCBO: 19,95$

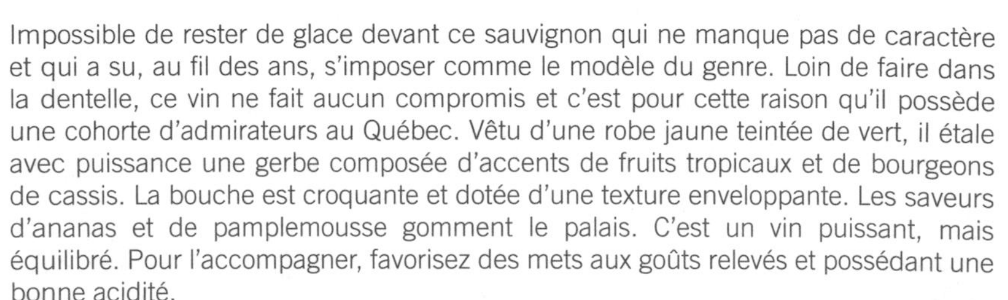

Impossible de rester de glace devant ce sauvignon qui ne manque pas de caractère et qui a su, au fil des ans, s'imposer comme le modèle du genre. Loin de faire dans la dentelle, ce vin ne fait aucun compromis et c'est pour cette raison qu'il possède une cohorte d'admirateurs au Québec. Vêtu d'une robe jaune teintée de vert, il étale avec puissance une gerbe composée d'accents de fruits tropicaux et de bourgeons de cassis. La bouche est croquante et dotée d'une texture enveloppante. Les saveurs d'ananas et de pamplemousse gomment le palais. C'est un vin puissant, mais équilibré. Pour l'accompagner, favorisez des mets aux goûts relevés et possédant une bonne acidité.

Acidité/corps: Croquante • Assez corsé
Cépages: Sauvignon blanc
Température: Entre 8 et 11 °C

IMV: 66

Cuissons	Garniture	Type de plat	Arômes complémentaires
Mijoté Poêlé Au four	Aux fruits Fumet de poisson Au vin blanc	Filet de morue poêlé à la grenobloise	Agrumes Herbes Câpre

Château Des Jean-Loron, Les Gandelins

Producteur: Château des Jean-Loron
Appellation: Chénas
Pays: France
Millésime dégusté: 2011
Code SAQ: 11618199
Prix SAQ: 20,95$

J'avais dégusté ce millésime en 2013 et force est d'admettre que ce vin est en verve plus que jamais et qu'il n'a pris aucune ride. Il est doté d'une robe rubis assez dense. Au nez, on perçoit un agréable cocktail de baies des champs confites. En bouche, il s'avère très fruité, très frais, avec des tannins gouleyants. Les nuances de baies des champs, surtout les notes de fraise, s'expriment sans aucune retenue. Le tout est bien dosé, sans excès de fruit ni le côté foin coupé qu'on retrouve souvent chez les vins du beaujolais. La finale s'étire sur plusieurs caudalies.

Tannins/corps: Souples • Léger
Cépages: Gamay
Température: Entre 14 et 16 °C

Cuissons	Garniture	Type de plat	Arômes complémentaires
Mijoté Cru Au four	Fond de veau Au vin rouge Aux fruits	Rillettes de porc	Poivre rose Fraise Anis

Coup de ♥

Pinot noir, Kim Crawford

Producteur: Kim Crawford Wines Ltd.
Appellation: South Island
Pays: Nouvelle-Zélande
Millésime dégusté: 2013
Code SAQ: 10754244
Prix SAQ: 21,00$
Code LCBO: 626390
Prix LCBO: 19,95$

Le choix d'assembler les récoltes de Central Otago et de Marlborough s'avère judicieux. Le climat frais de la première région permet d'apporter davantage de complexité au produit grâce à une maturation plus lente que dans le nord. À l'oeil, on reconnaît la couleur rouge pâle du pinot. Des arômes de petites baies rouges côtoyant des effluves de bois et de vanille composent un bouquet fin et expressif. Les amateurs de pinots seront charmés par la souplesse des tannins et par les saveurs bien définies de baies rouges et de prune qui se nichent dans le palais avant d'inviter les notes d'épices douces à s'y loger.

Tannins/corps: Souples • Léger +
Cépages: Pinot noir
Température: Entre 14 et 17 °C

IMV: 84

Cuissons	Garniture	Type de plat	Arômes complémentaires
Mijoté Au four Grillé	Aux fruits Fond de veau Fond de volaille	Lapin braisé à l'ancienne	Épices douces Laurier Baies des champs

Réserve de la Chèvre Noire ★★

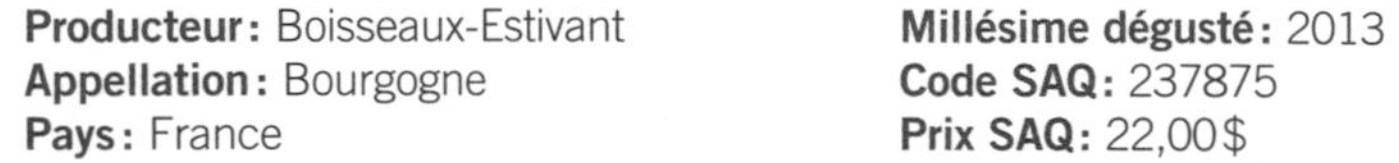

Producteur: Boisseaux-Estivant
Appellation: Bourgogne
Pays: France

Millésime dégusté: 2013
Code SAQ: 237875
Prix SAQ: 22,00$

Voici le genre de produit qui trône sur les tablettes de la SAQ depuis si longtemps qu'on a tendance à oublier à quel point il est bon. Muni d'une robe typique du pinot, à savoir rubis et assez claire, il déploie un joli bouquet teinté de nuances de griotte et de canneberge, sur des accents de bois torréfié et de vanille, ainsi que sur une base végétale pas trop insistante. En bouche, on retrouve les saveurs de griotte et de canneberge. Elles sont suivies par des inflexions de bois torréfié qui s'associent à des intonations rappelant le pain d'épices. Le tout est supporté par des tannins souples, voire gouleyants.

Tannins/corps: Souples • Léger +
Cépages: Pinot noir
Température: Entre 14 et 16 °C

Cuissons	Garniture	Type de plat	Arômes complémentaires
Au four Poêlé Mijoté	Fond de veau Aux tomates Aux fruits	Poitrine de poulet grillée, sauce à l'estragon	Herbes de Provence Champignon Baies des champs

Brouilly, Sous Les Balloquets ★★

Producteur: Louis Jadot
Appellation: Brouilly
Pays: France

Millésime dégusté: 2013
Code SAQ: 515841
Prix SAQ: 21,85$

Le producteur Louis Jadot est certainement l'un des meilleurs que la Bourgogne connaisse. Ses tentacules se dispersent aux quatre coins de cette région et il a le chic pour soutirer le meilleur de chaque parcelle de terroir qu'il exploite. Ce vin à la robe rubis assez dense en est un bel exemple. Au nez, il se fait bavard, exprimant des arômes de baies rouges et de griottes, embellis par des accents floraux. La bouche est à la fois tendre et puissante. Bien que tout en dentelle, la trame tannique possède une charpente solide. Comme dans tout bon beaujolais, c'est le fruit qui domine, pour notre plus grand bonheur.

Tannins/corps: Souples • Léger +
Cépages: Gamay
Température: Entre 14 et 16 °C

Cuissons	Garniture	Type de plat	Arômes complémentaires
Au four Mijoté Cru	Aux fruits Fond de veau Au vin rouge	Assiette de viandes froides et pâtés	Épices douces Herbes de Provence Baies rouges et noires

Morgon, Terres Dorées

★★½

Producteur: Jean-Paul Brun
Appellation: Morgon
Pays: France
Millésime dégusté: 2013

Code SAQ: 11589746
Prix SAQ: 22,90$
Code LCBO: 264465
Prix LCBO: 23,95$

Les vins de Jean-Paul Brun sont toujours resplendissants. Ils sont vinifiés à la bourguignonne, c'est-à-dire avec des levures indigènes et très peu de SO2, et sans macération carbonique. Jean-Paul Brun fait alors chanter le terroir au lieu de le trafiquer. À l'œil, ce rouge dévoile une robe rubis assez claire. Au nez, on reconnaît les accents typiques du gamay tels que la cerise et la fraise des champs, sur une base rappelant la terre et les feuilles vertes. En toile de fond, on perçoit des effluves floraux. La bouche est gouleyante, très sapide et rafraîchissante. La trame tannique est délicate, sans être trop frêle. La bouche est fidèle aux nuances perçues à l'olfaction.

Tannins/corps: Souples • Léger
Cépages: Gamay
Température: Entre 14 et 16 °C

Cuissons	Garniture	Type de plat	Arômes complémentaires
Mijoté Cru Au four	Aux fruits Fond de veau Nature	Lapin aux griottes	Cerise Laurier Poivron

Bourgogne Pinot Noir, Joseph Faiveley

★★½

Producteur: Joseph Faiveley
Appellation: Bourgogne
Pays: France

Millésime dégusté: 2012
Code SAQ: 142448
Prix SAQ: 23,50$

L'un des plus grands producteurs de la Bourgogne nous offre ici un vin à base de pinot noir très représentatif de la qualité des vins que l'on produit dans le pays d'origine de ce cépage légendaire. À l'œil, il affiche une teinte rubis assez claire, ce qui est normal pour un pinot. Il présente un bouquet complexe, nuancé, d'où émanent des notes de petites baies rouges, accompagnées de nuances végétales reposant sur une base champignonnée. La bouche est tendre, délicieuse et dotée d'une trame tannique qui se tient bien droite, mais tout en finesse. Le palais retrouve les accents perçus à l'olfaction avec une dominance de saveurs de baies rouges.

Tannins/corps: Souples • Léger
Cépages: Pinot noir
Température: Entre 14 et 16 °C

IMV:
85

Cuissons	Garniture	Type de plat	Arômes complémentaires
Mijoté Au four Nature	Aux herbes Au jus Fond de veau	Cuisseau de pintade à la moutarde [illegible]	Champignon Bouquet garni Baies des champs

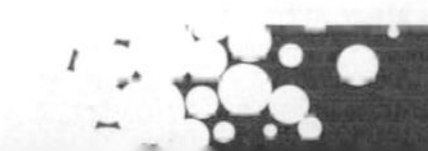

Pinot Noir, Saint Clair, Vicar's Choice

Producteur: Saint Clair Family Estate
Appellation: Marlborough
Pays: Nouvelle-Zélande

Millésime dégusté: 2012
Code SAQ: 10947716
Prix SAQ: 24,25$

Il se fait en Nouvelle-Zélande, des vins à base de pinot noir qui rivalisent avec ceux de la Bourgogne. Sans aller jusqu'à dire que celui-ci fera trembler les murs du temple, disons qu'il confondra bien des sceptiques qui ne jurent que par le pays d'origine de ce cépage légendaire. Sa robe est grenat, assez pâle. Au nez, des effluves de griotte et de petits fruits rouges se greffent à des nuances florales, ainsi qu'à des accents d'épices douces, sur un couvert légèrement boisé. Les intonations perçues à l'olfaction se révèlent dans une bouche sapide, fraîche, dotée de tannins fins et délicats, mais avec suffisamment de structure.

Tannins/corps: Souples • Léger +
Cépages: Pinot noir
Température: Entre 14 et 16 °C

IMV: 85

Cuissons	Garniture	Type de plat	Arômes complémentaires
Four Poêlé Mijoté	Fond de volaille Jus de veau Aux fruits rouges	Dinde rôtie aux châtaignes	Épices douces Cerise Laurier

Bourgogne, Pinot Noir, Couvent des Jacobins

Coup de

Producteur: Louis Jadot
Appellation: Bourgogne
Pays: France

Millésime dégusté: 2012
Code SAQ: 966804
Prix SAQ: 22,90$

À l'image des toitures bourguignonnes, ce vin est une mosaïque composée à partir de grappes provenant de l'ensemble de la région. Les cuvées de ce produit sont vinifiées seules, puis assemblées pour représenter le style de la maison Jadot. Il en résulte ici un vin équilibré, élégant, fruité et raffiné. Sous une robe rubis assez claire, on perçoit un bouquet fin dominé par des odeurs de griotte, sur des accents de pain d'épices, avec en filigrane d'agréables intonations évoquant un couvert forestier. On retrouve avec bonheur ces nuances au palais, surtout les arômes de griotte et de pain d'épices. La bouche où rien ne s'entrechoque est baignée de délicatesse jouit d'une trame tannique qui se tient bien droite.

Tannins/corps: Souples • Léger +
Cépages: Pinot noir
Température: Entre 15 et 17 °C

IMV: 86

Cuissons	Garniture	Type de plat	Arômes complémentaires
Mijoté Au four Poêlé	Fond de veau Aux fruits Au jus	Cuisseau de lapin braisé aux griottes	Griotte Basilic Champignon

Fronsac, Chartier Créateur d'Harmonies

Producteur : Sélection Chartier Inc.
Appellation : Fronsac
Pays : France
Millésime dégusté : 2010
Code SAQ : 12068070
Prix SAQ : 20,00$

Après avoir perfectionné, voire révolutionné l'art de marier les aliments et les vins, François Chartier fait maintenant dans le négoce et il faut avouer qu'il se tire très bien d'affaire. En compagnie de l'œnologue Pascal Chatonnet, il élabore ici un vin aux accents typiques de ce coin de pays où le merlot est roi. Affichant une teinte rubis assez foncée, ce produit étale un bouquet complexe, composé d'intonations de prune et de baies rouges confites, sur des accents de fumée et de terre humide. La bouche est ample, dotée de tannins souples, mais non dénués de structure. Le palais note une bonne présence du fruit et une finale sur les champignons et le cuir.

Tannins/corps : Souples • Léger +
Cépages : Merlot, cabernet sauvignon, cabernet franc
Température : Entre 15 et 17 °C

Cuissons	Garniture	Type de plat	Arômes complémentaires
Mijoté Au four Poêlé	Aux champignons Fond de veau Aux herbes	Cuisse de pintade confite, sauce crémeuse aux champignons	Champignon Poivron Poivre

Coup de ♥

Bourgogne, Pinot Noir, Chapitre Suivant

Producteur : Domaine René Bouvier
Appellation : Bourgogne
Pays : France
Millésime dégusté : 2012
Code SAQ : 11153264
Prix SAQ : 23,50$

Le Domaine René Bouvier a réussi ce que peu de producteurs bourguignons sont capables de faire : créer une cuvée générique aux allures de vin de terroir. Quand on apprend que les vignes sont de Marsannay et Gevrey-Chambertin, on comprend mieux. Déjà, la robe assez dense de ce pinot nous interpelle. Un nez élégant, puissant, étale des notes de griotte, accompagnées d'accents de framboise et d'un soupçon de poivre. La bouche est ample, dotée de tannins bien bâtis, loin des bourgognes fluets qui abondent sur le marché. Les saveurs de framboise et de poivre se confirment et s'affirment. Agréable finale soutenue.

Tannins/corps : Charnus • Moyennement corsé
Cépages : Pinot noir
Température : Entre 14 et 16 °C

IMV: 87

Cuissons	Garniture	Type de plat	Arômes complémentaires
Au four Mijoté Poêlé	Aux fruits Aux herbes Fond de veau	Bœuf bourguignon	Laurier Épices douces Anis

Pic Saint Loup, Bergerie de l'Hortus

★★

Producteur: Domaine de l'Hortus
Appellation: Pic Saint Loup
Pays: France

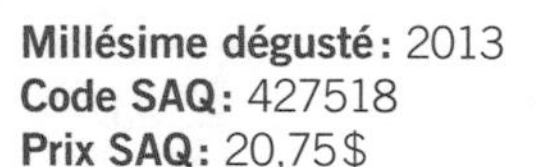

Millésime dégusté: 2013
Code SAQ: 427518
Prix SAQ: 20,75$

J'ai renoué avec ce vin qui fut pendant plusieurs années l'un de mes préférés et je n'ai pas été déçu. J'y ai retrouvé la même droiture. Élaboré à base de la Sainte-Trinité des cépages languedociens, ce rouge étale une robe rubis dense et profonde. Des notes bien appuyées de baies noires et rouges confites paradent sous le nez et s'accompagnent de nuances de réglisse, embellies par des notes de poivre et d'épices. En bouche, les intonations de poivre s'expriment d'emblée et sont suivies par les saveurs de baies noires. Le tout est appuyé par des tannins présents, au grain soyeux.

Tannins/corps: Charnus • Moyennement corsé
Cépages: Syrah, grenache, mourvèdre
Température: Entre 15 et 17 °C

Cuissons	Garniture	Type de plat	Arômes complémentaires
Poêlé Au four Grillé	Fond de veau Au vin rouge Au poivre	Filet de wapiti aux mûres	Poivre Badiane Épices douces

Massaya, Selection

★★

Producteur: Tanaïl
Appellation: Vallée de la Békaa
Pays: Liban

Millésime dégusté: 2011
Code SAQ: 904102
Prix SAQ: 21,30$

D'emblée, il faut louer le courage des hommes et des femmes qui œuvrent pour maintenir ce vignoble en vie malgré le contexte géopolitique tendu de cette région du globe. Cet assemblage qui rappelle certains vins du sud de la France est gorgé de fruits. Il étale une robe grenat moyennement profonde. De son bouquet aromatique, se dégagent des accents de fruits rouges confits, accompagnés de nuances d'épices sur une base boisée. La bouche est sapide et ronde, pourvue de tannins souples, mais qui se tiennent quand même assez droits. Les saveurs de framboise confite collent littéralement au palais.

Tannins/corps: Souples • Moyennement corsé
Cépages: Grenache, cinsault, cabernet sauvignon, mourvèdre
Température: Entre 16 et 18 °C

Cuissons	Garniture	Type de plat	Arômes complémentaires
Poêlé Mijoté Au four	Fond de veau Au poivre Demi-glace	Couscous aux merguez	Poivre Piment Épices arabes

Brancaia, Tre

★★½

Producteur : Casa Brancaia SRL
Appellation : I.G.T. Toscana
Pays : Italie

Millésime dégusté : 2012
Code SAQ : 10503963
Prix SAQ : 22,55$

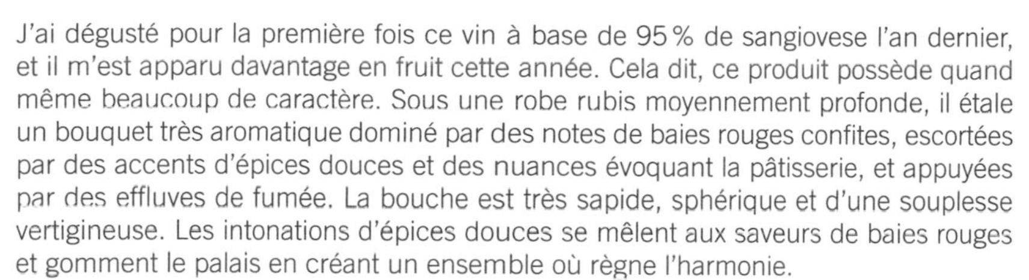

J'ai dégusté pour la première fois ce vin à base de 95% de sangiovese l'an dernier, et il m'est apparu davantage en fruit cette année. Cela dit, ce produit possède quand même beaucoup de caractère. Sous une robe rubis moyennement profonde, il étale un bouquet très aromatique dominé par des notes de baies rouges confites, escortées par des accents d'épices douces et des nuances évoquant la pâtisserie, et appuyées par des effluves de fumée. La bouche est très sapide, sphérique et d'une souplesse vertigineuse. Les intonations d'épices douces se mêlent aux saveurs de baies rouges et gomment le palais en créant un ensemble où règne l'harmonie.

Tannins/corps : Souples • Moyennement corsé
Cépages : Sangiovese, cabernet sauvignon, merlot
Température : Entre 16 et 18 °C

IMV: 88

Cuissons	Garniture	Type de plat	Arômes complémentaires
Grillé Au four Poêlé	Aux tomates Fond de veau Aux herbes	Osso buco	Poivre Basilic Tomate

Sherazade

★★

Producteur : Donnafugata S.R.L.
Appellation : I.G.T. Sicilia
Pays : Italie

Millésime dégusté : 2013
Code SAQ : 11895663
Prix SAQ : 20,05$

Il est difficile de parler de ce vin sans évoquer les jolies étiquettes de cette maison sicilienne. Ce produit est composé à 100% de nero d'avola, un cépage local qui donne normalement des vins à la robe sombre. Celui-ci est de couleur rubis moyennement profonde. Au nez, un bouquet aromatique dévoile des notes végétales, accompagnées de nuances de petites baies rouges, de cerise surtout. En toile de fond, on retrouve des intonations de silice. La bouche est dominée par le fruit et dotée d'une trame tannique bien en chair et pourvue d'une agréable acidité. Celle-ci sert de véhicule pour transporter les saveurs de cerise.

Tannins/corps : Charnus • Moyennement corsé
Cépages : Nero d'avola
Température : Entre 16 et 18 °C

IMV: 89

Cuissons	Garniture	Type de plat	Arômes complémentaires
Mijoté Poêlé Au four	Fond de veau Aux fruits Aux herbes	Confit de canard aux mûres sauvages	Épices italiennes Poivre Basilic

Sangiovese di Romagna, Riserva ★★

Producteur: Umberto Cesari
Appellation: Sangiovese di Romagna
Pays: Italie
Millésime dégusté: 2011
Code SAQ: 10780338
Prix SAQ: 20,25$

Le charme de ce vin est incontestable. On reconnaît la signature d'Umberto Cesari, bien connu au Québec grâce au Liano, également décrit dans ce guide. Doté d'une robe rubis assez foncée, ce rouge divulgue un bouquet riche et très aromatique marqué par le fruit. On y détecte des notes de baies rouges, agrémentées de nuances chocolatées, sur une base où les épices et les effluves boisés se côtoient. La bouche est ample, dotée d'une trame tannique en chair et en courbes, charmeuse, avec une dominance de saveurs de fruits. Elles sont rejointes par des accents d'épices. Le mot de la fin appartient aux flaveurs de cuir.

Tannins/corps: Souples • Léger +
Cépages: Sangiovese
Température: Entre 16 et 18 °C

Cuissons	Garniture	Type de plat	Arômes complémentaires
Au four Grillé Poêlé	Fond de gibier Au vin rouge Aux tomates	Lasagne à la viande	Tomate Champignon Basilic

Château Signac, Cuvée Combe d'Enfer ★★

Producteur: SCA du Château Signac
Appellation: Côtes-du-Rhône Villages, Chusclan
Pays: France
Millésime dégusté: 2010
Code SAQ: 917823
Prix SAQ: 20,50$

Cette cuvée racée s'est avérée très intéressante en ce millésime. Dès qu'il est versé, on se doute déjà que l'expérience sera joyeuse. Il affiche une robe grenat aux reflets violacés. Son bouquet expressif à souhait est marqué par des accents de baies des champs, auxquels s'ajoutent des notes de poivre, le tout sur une base d'épices et de garrigue. Il s'avère très sapide en bouche, gourmand et friand, avec une trame tannique assez solide. Les intonations de garrigue et de poivre se révèlent en premier, alors que les saveurs de fruits tapissent le palais et l'enveloppent joyeusement. Rien ne choque ni ne s'entrechoque.

Tannins/corps: Charnus • Assez corsé
Cépages: Syrah, grenache, carignan, mourvèdre, counoise
Température: Entre 15 et 17 °C

Cuissons	Garniture	Type de plat	Arômes complémentaires
Poêlé Au four Mijoté	Fond de veau Au poivre Épices barbecue	Côte de veau, sauce au poivre	Poivre Herbes de Provence Épices douces

Château Picoron, Sélection Prestige

Producteur: SCEA Vignobles Bardet
Appellation: Castillon - Côtes de Bordeaux
Pays: France

Millésime dégusté: 2012
Code SAQ: 11133263
Prix SAQ: 20,80$

Les vins de côtes ont souvent la réputation d'être un peu mièvres, surtout quand on les compare aux vins produits de l'autre côté de la rive de la Gironde ou aux appellations prestigieuses avoisinantes, comme Pomerol ou Saint-Émilion. Celui-ci est l'exception qui confirme la règle. Sa robe assez foncée attise les papilles qui se mettent aussitôt en mode éveil. La prune et la myrtille dominent un bouquet expressif à souhait. Celui-ci est suivi de nuances florales, de réglisse et d'un soupçon de poivron. En bouche, la trame tannique est parée de chair et de courbes, et bercée par les saveurs détectées à l'olfaction.

Tannins/corps: Charnus • Assez corsé
Cépages: Merlot, cabernet franc
Température: Entre 16 et 18 °C

IMV: 89

Cuissons	Garniture	Type de plat	Arômes complémentaires
Poêlé Grillé Au four	Au vin rouge Fond de veau Aux poivrons	Magret de canard aux mûres	Champignon Poivron Poivre

Rasteau, Benjamin Brunel

Producteur: SCA du Château de la Gardine
Appellation: Rasteau
Pays: France

Millésime dégusté: 2013
Code SAQ: 123778
Prix SAQ: 20,95$

Ce vin a toujours fait partie de mes préférés et c'est avec bonheur que nous avons renoué. Cela me fait dire que je ne devrais jamais passer une année sans déguster au moins une fois ce vin tout à fait délicieux. Visuellement, il affiche une teinte grenat, avec des reflets violets. Au nez, il étale avec verve des accents de prune, accompagnés de baies rouges et noires confites, enrobées d'intonations de réglisse et de poivre. En bouche, il possède un côté viril tout en démontrant une agréable souplesse. Aux nuances détectées à l'olfaction, s'ajoutent des flaveurs de cuir, particulièrement en finale.

Tannins/corps: Charnus • Assez corsé
Cépages: Grenache, syrah
Température: Entre 16 et 18 °C

Cuissons	Garniture	Type de plat	Arômes complémentaires
Mijoté Au four Grillé	Fond de veau Aux fruits Au vin rouge	Confit de canard aux champignons sauvages	Prune Poivre Herbes de Provence

Ravenswood, Old Vines County Series

Producteur: Ravenswood
Appellation: Lodi
Pays: États-Unis
Millésime dégusté: 2009
Code SAQ: 630202
Prix SAQ: 22,00$
Code LCBO: 942599
Prix LCBO: 19,95$

Ce producteur dont le slogan se traduirait par « Pas de vin mauviette! », récidive avec ce rouge pas piqué des vers. Davantage destiné à la cuisine sur le barbecue qu'à la gastronomie moléculaire, ce vin de plaisir possède tout de même un côté raffiné qui fait de lui un produit très polyvalent. Sous une robe assez sombre, il étale avec aplomb des notes de baies rouges et noires confites, sur un lit composé d'épices, de bois et de vanille. La bouche est très sapide, nantie d'une trame tannique bien en chair et en courbes. Les saveurs de fruits font naufrage sur la langue et enveloppent le palais d'une bonne dose de douceur.

Tannins/corps: Charnus • Assez corsé
Cépages: Zinfandel, petite sirah
Température: Entre 16 et 18 °C

Cuissons	Garniture	Type de plat	Arômes complémentaires
Au four Poêlé Grillé	Aux fruits Fond de veau Au vin rouge	Brochette de bœuf au poivre vert	Cassis Champignon Poivre

Coste delle Plaie

Producteur: Podere Castorani SRL
Appellation: Montepulciano d'Abruzzo
Pays: Italie
Millésime dégusté: 2010
Code SAQ: 10788911
Prix SAQ: 22,15$

Si les vins de ce producteur ont réussi à conquérir le dégustateur que je suis, je suis convaincu qu'ils sauront vous charmer également. Visuellement, ce rouge bio affiche une teinte rubis assez profonde, avec des reflets violacés. À l'olfaction, il étale un joli bouquet aromatique composé d'intonations de baies des champs, de prune et de cuir, enrobées de nuances d'épices, sur un couvert forestier évoquant les feuilles d'automne. En bouche, on assiste à une duplication de ces arômes, avec une dominance de saveurs de prune. On craque pour son fruit et pour sa trame tannique en chair et en courbes.

Tannins/corps: Charnus • Assez corsé
Cépages: Montepulciano
Température: Entre 16 et 18 °C

Cuissons	Garniture	Type de plat	Arômes complémentaires
Mijoté Au four Poêlé	Aux herbes Aux tomates Fond de veau	Pizza à l'européenne, au prosciutto et aux olives noires	Tomate Épices italiennes Champignon

Lirac, Château Mont-Redon

Producteur: Abeille - Fabre
Appellation: Lirac
Pays: France

Millésime dégusté: 2012
Code SAQ: 11293970
Prix SAQ: 24,30$

L'appellation Lirac est moins connue que son illustre voisine Châteauneuf-du-Pape, mais elle possède de nombreuses similitudes avec cette dernière. Doté d'une robe rubis moyennement profonde, ce rouge dévoile un bouquet expressif d'où émanent des accents de baies noires, accompagnés de nuances d'épices, de poivre et de garrigue, sur une base évoquant un couvert forestier. La bouche est sapide, puissante, mais avec des tannins affichant une certaine rondeur. Le fruit domine. Des saveurs de cerise et de baies noires se collent littéralement au palais et fondent doucement sur la langue. Ce vin a le mérite d'être déjà prêt à boire.

Tannins/corps: Charnus • Moyennement corsé
Cépages: Grenache, syrah, mourvèdre
Température: Entre 16 et 18 °C

Cuissons	Garniture	Type de plat	Arômes complémentaires
Au four Poêlé Grillé	Aux herbes Fond de veau Au poivre	Carré de porc au romarin	Herbes de Provence Poivre Champignon

Rosso di Montalcino, Argiano

Producteur: Adega Cooperativa de Cantanhede CRL
Appellation: Bairrada
Pays: Portugal
Millésime dégusté: 2009

Code SAQ: 10252869
Prix SAQ: 24,40$
Code LCBO: 281691
Prix LCBO: 15,95$

Les vins de cette appellation sont généralement plus en fruits et plus légers que ceux de l'appellation Brunello di Montalcino. On utilise souvent les plus jeunes vignes du vignoble, un peu comme on le fait avec les seconds vins de Château à Bordeaux. Celui-ci affiche une robe rubis moyennement profonde. À l'olfaction, on discerne des accents de cerise et de prune, accompagnés de nuances d'herbes fines, sur un lit évoquant la terre humide. La bouche est très sapide, avec une dominance de saveurs de cerise. La trame tannique est bien bâtie, sans être costaude. On détecte une légère amertume comme lorsqu'on croque dans un fruit.

Tannins/corps: Charnus • Moyennement corsé
Cépages: Sangiovese
Température: Entre 16 et 18 °C

Cuissons	Garniture	Type de plat	Arômes complémentaires
Poêlé Grillé Mijoté	Fond de veau Aux tomates Au vin rouge	Carré de porc à la dijonnaise	Laurier Basilic Tomate

Merlot, Francis Coppola, Diamond Collection, Blue Label

Producteur: Francis Ford Coppola
Appellation: California
Pays: États-Unis
Millésime dégusté: 2013
Code SAQ: 541888
Prix SAQ: 24,95$

Difficile de ne pas craquer pour ce merlot au profil expressif, charnu et possédant une personnalité bien assumée. Il est à l'image du personnage derrière ce vin qui ne fait jamais les choses à moitié. Ce rouge affiche une teinte rubis, dense et profonde. Dès les premiers effluves, on sait que nous sommes devant un vin qui ne fait pas dans la dentelle. Des notes bien appuyées de baies des champs confites côtoient des accents de moka, sur une base boisée présente, mais pas trop accaparente. Le palais est visité par les mêmes intonations que celles perçues au nez. Le tout est enrobé de tannins en chair.

Tannins/corps: Charnus • Assez corsé
Cépages: Merlot
Température: Entre 16 et 18 °C

Cuissons	Garniture	Type de plat	Arômes complémentaires
Au four Mijoté Poêlé	Épices barbecue Au vin rouge Fond de veau	Magret de canard aux baies des champs	Épices barbecue Baies des champs Champignon

Toscana, Chartier Créateur d'Harmonies

Producteur: Sélection Chartier Inc.
Appellation: I.G.T. Toscana
Pays: Italie
Millésime dégusté: 2010
Code SAQ: 12068109
Prix SAQ: 20,00$

De tous les vins de François Chartier que j'ai eu la chance de déguster cette année, celui-ci est mon préféré. Dès les premiers effluves, on reconnaît aisément le sangiovese et d'ores et déjà, on sait dans quel coin du monde on se trouve. Sous une robe rubis dense et profonde, un bouquet aromatique dégage d'agréables nuances d'épices douces, embellies par des accents de baies rouges confites, sur une base composée de café légèrement torréfié. La bouche est ample, dotée de tannins à l'ossature solide et présentant passablement de chair, et pourvue d'une agréable élasticité. Les accents perçus au nez se réflètent au palais. Long et savoureux.

Tannins/corps: Charnus • Assez corsé
Cépages: Sangiovese, merlot, cabernet sauvignon
Température: Entre 16 et 18 °C

Cuissons	Garniture	Type de plat	Arômes complémentaires
Grillé Au four Poêlé	Fond de veau Aux tomates Au vin rouge	Gigot d'agneau au thym et au romarin	Laurier Basilic Poivre

Devois des Agneaux d'Aumerlas

★★★

Producteur: Elisabeth & Brigitte Jeanjean
Appellation: Coteaux du Languedoc
Pays: France

Millésime dégusté: 2012
Code SAQ: 912311
Prix SAQ: 20,95$

Voilà une très jolie proposition que ce vin gorgé de soleil. C'est une belle carte postale qui reflète le terroir d'origine d'où il est issu. À l'œil, il arbore une robe rubis assez foncée. De beaux arômes paradent sous le nez. On y perçoit des notes de baies confites et de prune, sur des accents d'épices et un soupçon de poivre. La bouche est gourmande, juteuse à souhait, dotée de tannins sveltes, avec juste assez de muscles autour de l'ossature. Son agréable texture est soyeuse. La prune et la mûre se manifestent d'emblée au palais et sont suivies d'intonations de cuir qui demeurent jusqu'à la finale.

Tannins/corps: Charnus • Assez corsé
Cépages: Syrah, grenache
Température: Entre 16 et 18 °C

IMV: 90

Cuissons	Garniture	Type de plat	Arômes complémentaires
Grillé Au four Poêlé	Fond de veau Au vin rouge Aux herbes	Carré d'agneau aux herbes de Provence	Herbes de Provence Mûre Badiane

Gran Coronas, Reserva

★★★

Producteur: Miguel Torres
Appellation: Penedès
Pays: Espagne
Millésime dégusté: 2010

Code SAQ: 36483
Prix SAQ: 20,95$
Code LCBO: 36483
Prix LCBO: 19,95$

Je suggère fortement d'acheter ce vin les yeux fermés, indépendamment du millésime, au moins une fois par an. À l'œil, il affiche une robe rubis assez profonde, avec une légère teinte grenat. D'intenses notes de baies des champs confites s'évadent de son bouquet, suivies d'accents de prune, sur une base où se côtoient des nuances de café, de vanille et de bois. La bouche est dotée d'une structure tannique bâtie pour durer. Les accents de mûre et de cassis gomment le palais, sans l'assiéger, et se lient avec des nuances animales et de vanille. L'ensemble demeure suspendu un long moment et semble défier le temps.

Tannins/corps: Charnus • Assez corsé
Cépages: Cabernet sauvignon, tempranillo
Température: Entre 16 et 18 °C

IMV: 90

Cuissons	Garniture	Type de plat	Arômes complémentaires
Poêlé Grillé Au four	Fond de gibier Fond de veau Au vin rouge	Paëlla à la viande	Poivre Laurier Piment

Celeste

Producteur: Miguel Torres
Appellation: Ribera del Duero
Pays: Espagne
Millésime dégusté: 2011

Code SAQ: 11741285
Prix SAQ: 21,60$
Code LCBO: 210872
Prix LCBO: 20,95$

Ce vin a reçu ce nom parce que la cueillette se fait la nuit, alors que la vigne est au repos, et parce que le vignoble est situé à 895 mètres d'altitude et qu'on a l'impression de toucher aux étoiles. D'une teinte rubis dense et profonde, il déploie avec coffre un bouquet composé d'arômes de baies rouges et noires bien mûres, de cassis surtout, côtoyant des accents de réglisse et de prune, fardés de nuances d'épices et enrobés d'intonations de chêne torréfié. Ce rouge aux larges épaules étale sans retenue ses saveurs en gommant le palais d'une épaisse couche de fruits.

Tannins/corps: Charnus • Assez corsé
Cépages: Tempranillo
Température: Entre 16 et 18 °C

Cuissons	Garniture	Type de plat	Arômes complémentaires
Grillé Poêlé Au four	Fond de gibier Demi-glace Fond de veau	Gigot d'agneau à l'ail et au romarin	Poivre Bouquet garni Épices barbecue

Chianti Classico, Carpineto

Producteur: Casa Vinicola Carpineto
Appellation: Chianti Classico
Pays: Italie
Millésime dégusté: 2013

Code SAQ: 478891
Prix SAQ: 21,80$
Code LCBO: 356048
Prix LCBO: 19,95$

La maison est sérieuse. Elle élabore des vins droits, sans bavure, et travaille de manière à faire parler le cépage et le terroir sans le trafiquer. Ce rouge affiche une teinte rubis moyennement profonde. Les arcades formées sur les parois du verre témoignent d'une bonne dose de glycérine. Un bouquet expressif allonge des intonations de cerise et de baies rouges bien mûres, embellies par des accents de boîte à épices. La bouche est particulièrement sapide. Son acidité naturelle favorise la perception des saveurs de baies rouges sur la langue. Le tout est supporté par une trame tannique en chair et en courbes.

Tannins/corps: Charnus • Assez corsé
Cépages: Sangiovese, canaiolo
Température: Entre 16 et 18 °C

Cuissons	Garniture	Type de plat	Arômes complémentaires
Au four Poêlé Mijoté	Aux tomates Au vin rouge Fond de veau	Pizza à l'européenne, au prosciutto et aux olives noires	Champignon Basilic Épices italiennes

Coto de Imaz, Reserva

Producteur: El Coto de Rioja SA
Appellation: Rioja
Pays: Espagne

Millésime dégusté: 2008
Code SAQ: 10857569
Prix SAQ: 21,80$

Voici un Rioja comme je les aime, c'est-à-dire joufflu, possédant du caractère et une personnalité bien assumée. D'entrée de jeu, sa robe rubis affichant des réflexions légèrement tuilées nous interpelle. Des notes bien appuyées de baies des champs paradent sous le nez en s'accompagnant de nuances d'épices et de vanille, enveloppées d'effluves de bois torréfié, sur un couvert forestier. S'ajoutent aussi des notes de boîte à tabac. La bouche est ample, texturée et goûteuse, avec des tannins fermes qui font preuve d'une certaine élasticité. Des saveurs de cuir et de prune se greffent à l'ensemble de saveurs identifiées à l'examen olfactif. La finale est longue et soutenue.

Tannins/corps: Charnus • Corsé
Cépages: Tempranillo
Température: Entre 16 et 18 °C

Cuissons	Garniture	Type de plat	Arômes complémentaires
Grillé Poêlé Au four	Au vin rouge Fond de gibier Aux tomates	Souris d'agneau aux herbes de Provence	Champignon Poivre Bouquet garni

Baron de Ley, Reserva

Producteur: Baron de Ley
Appellation: Rioja
Pays: Espagne

Millésime dégusté: 2009
Code SAQ: 868729
Prix SAQ: 22,05$

Belle proposition que celle-là, qui plaira aux amateurs de vins à la fois costauds, complexes et fins.Sous une carapace d'apparence rigide, il expose un charmant côté tendre qui séduit à tout coup.l'œil, il dévoile une robe rubis avec de légers reflets tuilés. Au nez, il étale avec aplomb des notes bien appuyées de cassis et autres baies confites, sur des accents floraux, ainsi que des effluves boisés et vanillés. On assiste à une belle démonstration de puissance et de souplesse en bouche. Les intonations détectées au nez échouent sur la langue en libérant des saveurs de cerise, de prune et de bois.

Tannins/corps: Charnus • Moyennement corsé
Cépages: Tempranillo
Température: Entre 15 et 17 °C

Cuissons	Garniture	Type de plat	Arômes complémentaires
Mijoté Au four Poêlé	Fond de veau Aux herbes Au vin rouge	Filet de cerf au bourbon et à la mélasse	Épices douces Cacao Poivre

Domaine de l'Île Margaux

★★

Producteur : SCEA Domaine de l'Île Margaux
Appellation : Bordeaux Supérieur
Pays : France

Millésime dégusté : 2012
Code SAQ : 43125
Prix SAQ : 22,85$

L'île Margaux, située dans le bras de Macau, fait face à la commune du même nom et est essentiellement constituée de champs de vigne. Elle bénéficie d'un microclimat qui l'épargne entre autres des gelées printanières. Doté d'une robe rubis assez foncée, ce vin étale un joli bouquet composé d'effluves de cassis et de mûre confite, côtoyant des nuances de bois, de cuir et de violette. En bouche, l'élégance du merlot et du cabernet fait sentir sa présence avec aplomb. On reconnaît la touche bordelaise des tannins enrobés et sphériques. Les saveurs de fruits occupent le haut du pavé et sont rejointes par des nuances légèrement boisées.

Tannins/corps : Charnus • Assez corsé
Cépages : Merlot, cabernet sauvignon, cabernet franc, malbec, petit verdot
Température : Entre 16 et 18 °C

Cuissons	Garniture	Type de plat	Arômes complémentaires
Poêlé Au four Grillé	Fond de veau Au vin rouge Au poivre	Carré d'agneau à la tombée de tomates	Champignon Cassis Épices douces

Coup de ♥

Countacc!, Michele Chiarlo

★★★

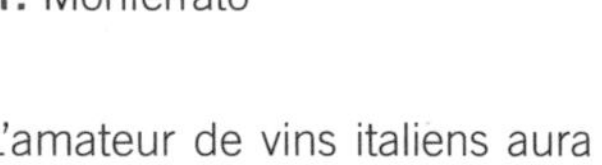

Producteur : Michele Chiarlo
Appellation : Monferrato
Pays : Italie

Millésime dégusté : 2011
Code SAQ : 10271921
Prix SAQ : 24,00$

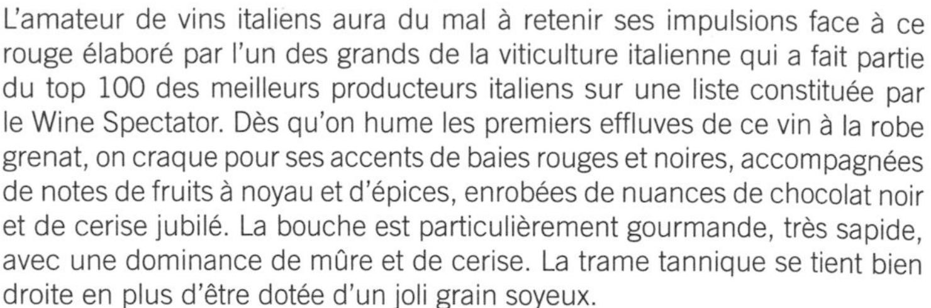

L'amateur de vins italiens aura du mal à retenir ses impulsions face à ce rouge élaboré par l'un des grands de la viticulture italienne qui a fait partie du top 100 des meilleurs producteurs italiens sur une liste constituée par le Wine Spectator. Dès qu'on hume les premiers effluves de ce vin à la robe grenat, on craque pour ses accents de baies rouges et noires, accompagnées de notes de fruits à noyau et d'épices, enrobées de nuances de chocolat noir et de cerise jubilé. La bouche est particulièrement gourmande, très sapide, avec une dominance de mûre et de cerise. La trame tannique se tient bien droite en plus d'être dotée d'un joli grain soyeux.

Tannins/corps : Charnus • Assez corsé
Cépages : Barbera, cabernet sauvignon, syrah
Température : Entre 16 et 18 °C

Cuissons	Garniture	Type de plat	Arômes complémentaires
Grillé Poêlé Au four	Fond de veau Au vin rouge Au porto	Carré de cerf aux petites baies sauvages	Réglisse Poivre Champignon

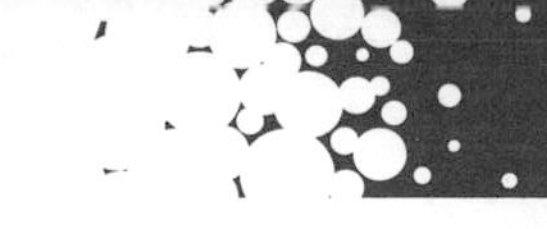

Marqués de Riscal, Reserva

Producteur: Bodegas de Los Herederos Marqués de Riscal
Appellation: Rioja
Pays: Espagne
Millésime dégusté: 2009
Code SAQ: 10270881
Prix SAQ: 24,00$
Code LCBO: 32656
Prix LCBO: 23,45$

Tout y est dans ce vin pour satisfaire l'amateur de Rioja. Il s'agit d'un vin à la fois musclé et empreint de finesse. Déjà, la vue de sa teinte rubis assez dense prévient les sens de se mettre en mode éveil. L'examen olfactif dévoile des notes bien appuyées de cassis, de fraise et de cerise confite, suivies d'accents de poivre, d'épices et de cuir. On retrouve ces saveurs dans une bouche ample, dotée de tannins pourvus de passablement de chair. Les saveurs de fruits à noyau gomment le palais et fondent en révélant des flaveurs de boîte à cigare.

Tannins/corps: Charnus • Corsé
Cépages: Tempranillo (90%), graciano, mazuelo
Température: Entre 16 et 18 °C

Cuissons	Garniture	Type de plat	Arômes complémentaires
Poêlé Grillé Au four	Fond de veau Au vin rouge Au poivre	Carré d'agneau en croûte d'olives noires	Poivre Bouquet garni Champignon

La Petite Chardonne

Producteur: SAS Domaine Florimont
Appellation: Côtes de Bourg
Pays: France
Millésime dégusté: 2011
Code SAQ: 919068
Prix SAQ: 24,15$

La grande majorité des vins produits dans cette région où le merlot est roi, sont d'un ennui mortel, mais heureusement il existe des exceptions et celui-ci en est un bel exemple. Issu d'un millésime qui a donné du fil à retordre aux vignerons, ce vin ne semble pas en avoir souffert. Il revêt une robe rubis assez dense et profonde. Son bouquet aromatique à souhait s'ouvre sur des notes bien définies de baies rouges et noires, évoluant sur des accents d'épices et de cacao, ainsi que sur des notes animales. La bouche est charnue, ample, avec d'agréables tannins fondus. Le palais retrouve les saveurs détectées au nez.

Tannins/corps: Charnus • Assez corsé
Cépages: Merlot, cabernet sauvignon
Température: Entre 16 et 18 °C

Cuissons	Garniture	Type de plat	Arômes complémentaires
Poêlé Grillé Au four	Fond de gibier Fond de veau Aux champignons	sette d'agneau aux cèpes	Champignon Laurier Épices douces

Lan, Reserva

Producteur: Bodegas Lan
Appellation: Rioja
Pays: Espagne
Millésime dégusté: 2007
Code SAQ: 11414145
Prix SAQ: 24,20$

Lan est l'acronyme de trois provinces du Rioja: Logroño, Álava et Navara. Mon premier contact avec ce vin fut heureux. Déjà, à la vue de sa teinte pourpre très foncée et presque noire, les papilles s'éveillent. L'examen olfactif confirme une partie de nos soupçons. Nous sommes en présence d'un vin expressif, dévoilant des notes bien appuyées de baies rouges et noires confites, côtoyant des effluves de réglisse, d'épices également, sur une base boisée bien présente, témoin d'un passage de 24 mois en barrique. En bouche, l'attaque est franche et directe. Ce vin est doté de tannins bien en chair et le palais se réjouit de retrouver les intonations perçues au nez.

Tannins/corps: Charnus • Assez corsé
Cépages: Tempranillo, mazuelo, garnacha
Température: Entre 16 et 18 °C

IMV: 90

Cuissons	Garniture	Type de plat	Arômes complémentaires
Grillé Poêlé Au four	Au poivre Fond de gibier Aux champignons	Navarin d'agneau	Champignon Réglisse Pruneau

Villa Antinori

★★

Producteur: Marchesi Antinori SRL
Appellation: I.G.T. Toscana
Pays: Italie
Millésime dégusté: 2011
Code SAQ: 10251348
Prix SAQ: 24,50$

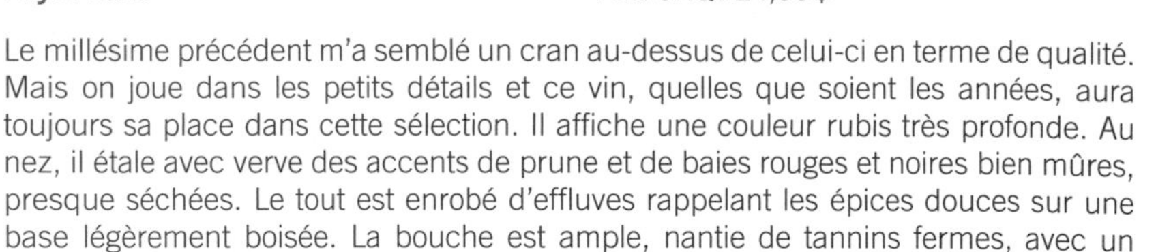

Le millésime précédent m'a semblé un cran au-dessus de celui-ci en terme de qualité. Mais on joue dans les petits détails et ce vin, quelles que soient les années, aura toujours sa place dans cette sélection. Il affiche une couleur rubis très profonde. Au nez, il étale avec verve des accents de prune et de baies rouges et noires bien mûres, presque séchées. Le tout est enrobé d'effluves rappelant les épices douces sur une base légèrement boisée. La bouche est ample, nantie de tannins fermes, avec un grain velouté. Les intonations perçues au nez sont rejointes par des flaveurs de café.

Tannins/corps: Charnus • Assez corsé
Cépages: Sangiovese, cabernet sauvignon, merlot, syrah
Température: Entre 16 et 18 °C

Cuissons	Garniture	Type de plat	Arômes complémentaires
Au four Poêlé Grillé	Fond de veau Aux champignons Demi-glace	Magret de canard aux champignons sauvages	Épices italiennes Poivre Basilic

Pèppoli ★★½

Producteur: Marchesi Antinori SRL
Appellation: Chianti Classico
Pays: Italie
Millésime dégusté: 2011
Code SAQ: 10270928
Prix SAQ: 24,90$
Code LCBO: 606541
Prix LCBO: 19,95$

Nos voisins ontariens ont bien de la chance de payer ce vin près de 5$ de moins que nous. Cela dit, ce rouge élaboré par l'une des figures de proue du Chianti s'est imposé au fil des ans comme un incontournable dans ce guide. Ce rouge élaboré à 90% de sangiovese étale une robe rouge assez foncée. À l'olfaction, on détecte des nuances florales, suivies d'accents de baies noires confites, sur des notes de chocolat, d'épices et de bois, ainsi que sur des nuances de réglisse. Une multitude de saveurs de baies rouges et noires se côtoient dans une bouche gourmande, dotée de tannins fondus et présents.

Tannins/corps: Charnus • Assez corsé
Cépages: Sangiovese, merlot, syrah
Température: Entre 16 et 18 °C

Cuissons	Garniture	Type de plat	Arômes complémentaires
Grillé Au four Poêlé	Fond de veau Au vin rouge Aux champignons	Carré d'agneau à l'ail et au romarin	Laurier Basilic Tomate

Jackson-Triggs, Grand Reserve, Red Meritage

Producteur: Jackson-Triggs Estate Wines
Appellation: Okanagan Valley
Pays: Canada
Millésime dégusté: 2010
Code SAQ: 12178711
Prix SAQ: 24,80$

Meritage est le nom que l'on donne dans ce coin de pays pour désigner un assemblage de type bordelais. Il faut donc utiliser un minimum de trois cépages parmi ceux qu'on emploie normalement à Bordeaux. Généralement, ce terme est employé pour les cuvées de prestige. Ce vin possède une robe rubis assez foncée. Le nez est expressif. On y perçoit des notes bien appuyées de cassis, de cerise noire et de poivre, saupoudrées d'un boisé bien intégré. La bouche est costaude, riche sans être lourde, et fidèle aux accents perçus à l'olfaction. On perçoit le côté fringant du cabernet, retenu par la sagesse du merlot.

Tannins/corps: Charnus • Corsé
Cépages: Merlot, cabernet franc, cabernet sauvignon
Température: Entre 16 et 18 °C

Cuissons	Garniture	Type de plat	Arômes complémentaires
Poêlé Au four Grillé	Fond de gibier Au vin rouge Barbecue	Côte de bœuf, fond de gibier aux cèpes	Champignon Poivre Laurier

Bolgheri, Greppicante

Producteur: I Greppi S.S.
Appellation: Bolgheri
Pays: Italie

Millésime dégusté: 2013
Code SAQ: 11191826
Prix SAQ: 24,95$

L'appellation Bolgheri est l'une des plus prestigieuses de la Toscane. Plusieurs super toscans en sont d'ailleurs issus. Celui-ci, élaboré avec des cépages bordelais, représente l'une des meilleures aubaines provenant de ce coin de pays. Dévoilant une robe foncée aux inflexions violacées, il étale avec verve un bouquet aromatique et fin, d'où émanent des nuances de myrtille et de mûre, sur une base d'épices, de tabac et d'accents de silex. En bouche, on craque pour son amplitude, pour ses tannins tissés serrés et sa matière compacte. C'est davantage le fruit qui domine le palais alors que les saveurs de baies noires et de prune s'y collent pendant plusieurs caudalies.

Tannins/corps: Charnus • Corsé
Cépages: Cabernet sauvignon, merlot, cabernet franc
Température: Entre 16 et 18 °C

Cuissons	Garniture	Type de plat	Arômes complémentaires
Grillé Mijoté Poêlé	Fond de veau Au poivre Aux herbes	Rôti de bœuf au jus	Poivre Anis Pruneau

Palazzo della Torre

Producteur: Azienda Agricola Allegrini
Appellation: I.G.T. Veronese
Pays: Italie
Millésime dégusté: 2011

Code SAQ: 907477
Prix SAQ: 24,95$
Code LCBO: 672931
Prix LCBO: 24,95$

Ce vin est élaboré comme un ripasso. Au départ, on vinifie 70% de la récolte et l'autre 30% subit un passerillage (baies séchées au soleil) pour être ajouté à un moût déjà fermenté et lancer une seconde fermentation. Cette technique apporte une structure impossible à atteindre dans cette région fraîche. Il en résulte un vin riche, complexe et absolument savoureux affichant une teinte rubis dense et profonde. Des nuances de baies noires et rouges confites se conjuguent avec des accents d'épices, sur une base boisée et de tabac blond. Ces intonations se reflètent dans une bouche charnue, possédant un grain soyeux et empreint d'une agréable finesse.

Tannins/corps: Charnus • Corsé
Cépages: Corvina, rondinella, sangiovese
Température: Entre 16 et 18 °C

Cuissons	Garniture	Type de plat	Arômes complémentaires
Poêlé Au four Grillé	Au porto Fond de veau Au vin rouge	Pizza à l'européenne, au prosciutto et aux olives noires	Épices douces Fruits séchés Cacao

Syrah-Shiraz, Francis Coppola, Diamond Collection, Green Label

Producteur: Francis Ford Coppola
Appellation: California
Pays: États-Unis
Millésime dégusté: 2012
Code SAQ: 10355526
Prix SAQ: 24,95$

Difficile de résister à ce vin gorgé de fruits. Une autre belle réussite signée Francis Ford Coppola qui, il faut le dire, confectionne des vins qui ne manquent pas d'expression. À l'œil, ce rouge dévoile une robe rubis foncée, avec des reflets violacés. Une parade d'intonations fruitées défile sous le nez en révélant avec aplomb des notes de cassis et de mûre, sur des nuances chocolatées, le tout déposé sur un boisé bien intégré. Miroir du nez sur le plan organoleptique, la bouche est ample, goûteuse, savoureuse, avec des tannins bien en chair et juste ce qu'il faut de matière. Le produit possède également une agréable texture soyeuse.

Tannins/corps: Souples • Moyennement corsé
Cépages: Syrah
Température: Entre 15 et 17 °C

Cuissons	Garniture	Type de plat	Arômes complémentaires
Poêlé Au four Mijoté	Fond de veau Aux fruits Au poivre	Magret de canard aux baies des champs	Épices douces Poivre Mûre

Château Peyros

★★

Producteur: Peyros SA
Appellation: Madiran
Pays: France
Millésime dégusté: 2009
Code SAQ: 488742
Prix SAQ: 20,10$
Code LCBO: 234997
Prix LCBO: 18,95$

Élaboré à partir de vieilles vignes de Tannat (80 %) et de Cabernet franc (20 %), ce vin est certainement l'un des meilleurs madirans, question rapport qualité-prix. Les vignes poussent dans un sol rocailleux qui contribue à lui apporter une structure tannique imposante. Il affiche une teinte grenat très sombre. Sous celle-ci se déploie un intense bouquet dominé par des notes de cassis et de mûre, accompagnées d'accents de chocolat noir, de vanille et de bois, sur un fond minéral. La bouche est costaude, puissante et riche. Les saveurs de fruits noirs se collent au palais, puis fondent pour révéler des notes de cuir et d'épices.

Tannins/corps: Charnus • Bien corsé
Cépages: Tannat, cabernet franc
Température: Entre 16 et 18 °C

Cuissons	Garniture	Type de plat	Arômes complémentaires
Grillé Poêlé Au four	Demi-glace Au poivre Fond de gibier	Côte de cerf, sauce au poivre long	Poivre Réglisse Cassis

Château Bouscassé

Producteur: Alain Brumont
Appellation: Madiran
Pays: France
Millésime dégusté: 2010
Code SAQ: 856575
Prix SAQ: 21,25$

Grâce à des produits bien ficelés comme celui-ci, le producteur Alain Brumont réussit à ennoblir le tannat, un cépage reconnu pour la rusticité de ses tannins. Visuellement, ce rouge affiche une teinte rubis, presque noire. Il est armé d'un bouquet puissant, complexe et nuancé qui étale des accents de cassis, embellis par des notes de violette, sur un couvert constitué d'épices, de cuir et de café torréfié. En bouche, il possède une trame tannique bâtie pour parcourir les années. Les saveurs de mûre et de cassis gomment le palais et l'enveloppent d'une couche épaisse, pour ensuite être balayées par des saveurs de prune, elles-mêmes écartées par des flaveurs de cuir.

Tannins/corps: Charnus • Corsé
Cépages: Tannat, cabernet sauvignon, cabernet franc
Température: Entre 16 et 18 °C

Cuissons	Garniture	Type de plat	Arômes complémentaires
Grillé Poêlé Au four	Au vin rouge Fond de gibier Demi-glace	Mignon de cerf rouge au vin rouge	Poivre Herbes de Provence Anis

Malbec, Catena

Producteur: Bodegas Catena Zapata
Appellation: Mendoza
Pays: Argentine
Millésime dégusté: 2012
Code SAQ: 478727
Prix SAQ: 21,95$
Code LCBO: 478727
Prix LCBO: 19,95$

Les amateurs de vins qui craquent normalement pour les vins musclés seront comblés par ce rouge à la forte personnalité. À l'œil, il dévoile une robe rubis dense et profonde. Une parade de notes appuyées avec force défile sous le nez, déployant des accents de prune, de cassis et de mûre, embellis par des nuances de réglisse et d'épices, sur des effluves de vanille. Le tout repose sur une base évoquant un couvert forestier. La bouche est ample, très goûteuse et sapide à souhait, pourvue d'une trame tannique qui se tient bien droite. Les intonations décrites au nez gomment le palais et l'enveloppent d'une couche épaisse.

Tannins/corps: Charnus • Bien corsé
Cépages: Malbec
Température: Entre 16 et 18 °C

IMV:
91

Cuissons	Garniture	Type de plat	Arômes complémentaires
Grillé Poêlé Au four	Fond de gibier Aux champignons Au vin rouge	Filet d'agneau au thym et au romarin	Herbes de Provence Poivre Champignon

Flechas de Los Andes, Gran Malbec

★★★

Producteur : Baron Edmond de Rothschild
Appellation : Mendoza
Pays : Argentine

Millésime dégusté : 2010
Code SAQ : 10689876
Prix SAQ : 23,80$

J'aime bien comparer les malbecs argentins au tango du même pays, car ils me donnent l'impression que le vin exécute en bouche une danse à la fois virile, musclée et empreinte de sensualité. Ce Gran Malbec représente bien l'esprit de la lettre. Arborant une teinte rouge cerise noire, il étale un bouquet expressif et nuancé, d'où émanent de subtils effluves de fruits bien mûrs, sur des nuances évoquant la violette, ainsi que des accents de terroir. En bouche, on reconnaît dès l'attaque le caractère viril du malbec qui imprime avec force des intonations de fruits noirs et de cuir, dans un enrobage de tannins bien en chair, mais sans lourdeur.

Tannins/corps : Charnus • Bien corsé
Cépages : Malbec
Température : Entre 16 et 18 °C

Cuissons	Garniture	Type de plat	Arômes complémentaires
Poêlé Au four Grillé	Épices barbecue Au poivre Fond de veau	Gigot d'agneau au thym et au romarin	Poivre Champignon Porto

Amorino

PProducteur : Podere Castorani SRL
Appellation : Montepulciano d'Abruzzo
Pays : Italie

Millésime dégusté : 2010
Code SAQ : 11131778
Prix SAQ : 24,60$

Voilà un autre très beau produit élaboré par cette maison italienne qui appartient au coureur de F1, Jarno Trulli. Il s'agit d'un vin possédant une forte personnalité, aux allures musclées, mais avec juste ce qu'il faut de profondeur. D'apparence foncée et très dense, il étale avec beaucoup d'aplomb des notes de fraise et de baies noires, accompagnées d'épices, suivies d'accents d'éther, sur une base de bois et de cuir. Il est doté d'une bouche ample, goûteuse et savoureuse, nantie de tannins à l'ossature solide offrant passablement de chair. Les intonations de fraise et de baies s'expriment d'emblée et sont rejointes par des flaveurs de cuir en finale.

Tannins/corps : Charnus • Corsé
Cépages : Montepulciano
Température : Entre 16 et 18 °C

IMV:
91

Cuissons	Garniture	Type de plat	Arômes complémentaires
Grillé Poêlé Au four	Au poivre Aux épices Fond de gibier	Carré d'agneau aux herbes italiennes	Épices italiennes Poivre Piment

Les vins pour occasions spéciales (25 $ et plus)

« Il existe trois sortes de vins : les bons vins, les mauvais vins et les vins trop chers. »

Cette nappe que vous réservez aux occasions spéciales et qui vous a été léguée par votre mère, il est temps de la sortir. Les verres en cristal et l'argenterie auront davantage d'éclat de toute façon. Qu'il s'agisse d'un anniversaire ou d'une fête comme Noël ou la Saint-Valentin, les vins que vous trouverez dans cette section conviendront parfaitement pour célébrer l'un ou l'autre de ces événements.

Ici, les critères de sélection sont relevés d'un cran. Plusieurs novices auront de la difficulté à faire la différence entre ces vins et ceux qu'on retrouve dans les autres catégories. C'est souvent dans les petits détails qu'il y a le plus de différence. Cela dit, on s'attend à plus de complexité, davantage de finesse et parfois plus de puissance aromatique. On espère aussi une plus grande définition des arômes. Cette sélection devrait plaire aux plus fins palais.

Chardonnay, GAUN

★★

Producteur: Tenute Lageder
Appellation: Sudtirol Alto Adige
Pays: Italie
Millésime dégusté: 2013
Code SAQ: 742114
Prix SAQ: 25,95$

Ce vin est élaboré par une figure mythique de la région la plus nordique d'Italie, située près de l'Autriche. Les raisins proviennent de vignobles certifiés biodynamiques. Il en résulte un vin complexe et nuancé, loin des bombes aromatiques qu'on retrouve plus au sud. Affichant une robe jaune dorée avec des reflets verts, il étale discrètement des parfums de pomme-poire, de fruits tropicaux, d'anis, ainsi que des notes minérales. La bouche est à la fois croquante et tendre. Les accents de fruits tropicaux et de poire dominent le palais. Elles l'occupent un bon moment avant de céder le passage à des nuances végétales et minérales.

Acidité/corps: Fraîche • Léger +
Cépages: Chardonnay
Température: Entre 8 et 10 °C

Cuissons	Garniture	Type de plat	Arômes complémentaires
Mijoté Cru Au four	Aux fruits Au beurre Fond de volaille	Risotto aux crevettes nordiques et badiane	Agrumes Vanille Badiane

Beaujolais Blanc, Terres Dorées

★★

Producteur: Jean-Paul Brun
Appellation: Beaujolais Blanc
Pays: France
Millésime dégusté: 2013
Code SAQ: 713495
Prix SAQ: 25,00$

Jean-Paul Brun vinifie ses vins à la bourguignonne, avec le bâtonnage des lies, en utilisant des levures indigènes et en réduisant au minimum le recours aux sulfites. Le résultat est à faire pâlir la Bourgogne tout entière. Ce produit affiche une teinte jaune paille avec des inflexions dorées. Le nez est typiquement chardonnay, avec des intonations de beurre frais, de pêche et de fruits tropicaux, le tout enrobé de fines notes boisées. La bouche, suave, fraîche et ronde, est dotée d'une texture soyeuse et enveloppante. Les accents identifiés à l'olfaction s'épandent dans le palais, avec une dominance de saveurs de pêche. L'ensemble est fort harmonieux.

Acidité/corps: Fraîche • Moyennement corsé
Cépages: Syrah, cabernet sauvignon, merlot, grenache, cabernet franc, cot
Température: Entre 8 et 10 °C

Cuissons	Garniture	Type de plat	Arômes complémentaires
Mijoté Poêlé Bouilli	Fond de volaille Fumet de poisson Au beurre	Morue noire, laquée au miso	Safran Amande Vanille

Pouilly-Fuissé, Jean-Claude Boisset

Producteur: Jean-Claude Boisset
Appellation: Pouilly-Fuissé
Pays: France

Millésime dégusté: 2013
Code SAQ: 11675708
Prix SAQ: 25,45$

Voici un vin bien maîtrisé et issu d'un terroir légendaire, confectionné avec soin par un groupe sérieux. Doté d'une robe jaune-vert scintillante, il dévoile un agréable bouquet d'arômes où se chevauchent de subtiles notes de beurre et de fruits à chair blanche, avec un soupçon de nuances de fruits tropicaux bien dosé. On détecte aussi, en toile de fond, des tonalités minérales. En bouche, il affiche de jolies rondeurs, avec un profil savoureux et tendre. D'emblée, on remarquera son côté fruité et ses accents de beurre frais, suivis d'intonations d'anis. Un soupçon de nuances calcaires couronnent le tout.

Acidité/corps: Fraîche • Moyennement corsé
Cépages: Chardonnay
Température: Entre 8 et 10 °C

Cuissons	Garniture	Type de plat	Arômes complémentaires
Poêlé Cru Bouilli	Aux champignons Au beurre Fumet de poisson	Assiette de coquillages au safran	Vanille Safran Amande

Montagny Premier Cru, Louis Roche

Producteur: La Cave des Vignerons de Buxy
Appellation: Montagny Premier Cru
Pays: France

Millésime dégusté: 2011
Code SAQ: 221242
Prix SAQ: 26,00$

Ce premier cru ravira les amateurs de vins nuancés, fins et délicats, à mille lieues des bombes de fruits qu'on retrouve entre autres dans le Nouveau Monde. L'appellation Montagny est située en Côte Chalonnaise, l'une des régions de la Bourgogne où l'on retrouve les meilleures aubaines. Ce blanc à la robe jaune paille étale un joli bouquet d'où émanent des accents de pomme, de brioche à la vanille, ainsi qu'un soupçon de beurre frais. En filigrane, on perçoit des nuances de fleurs blanches. Il est muni d'une belle bouche ronde, enveloppante et fraîche. Aux accents perçus au nez s'ajoutent des nuances d'agrumes.

Acidité/corps: Fraîche • Léger +
Cépages: Chardonnay
Température: Entre 8 et 10 °C

Cuissons	Garniture	Type de plat	Arômes complémentaires
Mijoté Au four Cru	Au beurre Aux fruits Fumet de poisson	Escargots à la bourguignonne	Anis Fleur d'ail Vanille

Chardonnay, Le Clos Jordanne, Village Reserve

Producteur: Le Clos Jordanne
Appellation: Niagara Peninsula
Pays: Canada
Millésime dégusté: 2011

Code SAQ: 11254031
Prix SAQ: 30,75$
Code LCBO: 33910
Prix LCBO: 32,25$

Un nouveau vinificateur et un rachat des parts du groupe Boisset par Constellation, n'a aucunement affecté la qualité des vins de ce vignoble d'exception. Issu de l'agriculture bio, cet équivalent d'une appellation village en Bourgogne affiche une robe jaune doré d'une belle intensité. Au nez, d'intenses odeurs de beurre frais s'accompagnent de nuances de vanille, de pomme et de silex. Ces inflexions se reflètent dans une bouche ample, croquante à souhait, dotée de jolies rondeurs. La finale révèle des notes de pain grillé. Il y a tout dans ce vin, plus près de l'esprit bourguignon que celui du Nouveau Monde, pour plaire à l'amateur le plus exigeant.

Acidité/corps: Vive • Moyennement corsé
Cépages: Chardonnay
Température: Entre 8 et 10 °C

IMV: 64

Cuissons	Garniture	Type de plat	Arômes complémentaires
Poêlé Au four Mijoté	Au beurre Fumet de poisson Fond de volaille	Truite poêlée au beurre et aux amandes grillées	Amande Safran Anis

Sauvignon Blanc, Pioneer Block 3, 43 Degrees

Producteur: Saint Clair Family Estate
Appellation: Marlborough
Pays: Nouvelle-Zélande

Millésime dégusté: 2012
Code SAQ: 10955054
Prix SAQ: 26,35$

Il y a quelque chose de fondamentalement viscéral dans ce vin. On y retrouve des intonations qui évoquent certains Pouilly-Fumé, l'une des meilleures appellations qui cultivent ce cépage. Ce vin est moins exubérant que la majorité des sauvignons néo-zélandais et davantage complexe. Arborant une robe jaune-vert, il déploie un vibrant bouquet d'où proviennent des nuances d'agrumes, accentuées par des effluves de bourgeon de cassis, ainsi que d'intenses notes végétales. La bouche est fraîche, goûteuse et équilibrée. Les saveurs de fruits tropicaux gomment le palais et s'entourent d'intonations de papaye et de fruit de la passion. En finale, on détecte des accents d'herbes fraîches.

Acidité/corps: Vive • Assez corsé
Cépages: Sauvignon blanc
Température: Entre 6 et 8 °C

IMV: 65

Cuissons	Garniture	Type de plat	Arômes complémentaires
Poêlé Au four Mijoté	Aux herbes Aux agrumes Fumet de poisson	Fricassée de fruits de mer au safran	Bouquet garni Anis Estragon

Pinot Noir, Rodney Strong, Russian River Valley

★★★

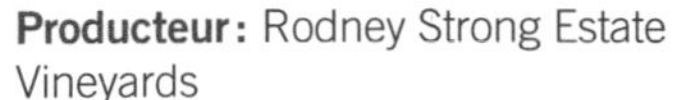

Producteur: Rodney Strong Estate Vineyards
Appellation: Sonoma County
Pays: États-Unis
Millésime dégusté: 2012

Code SAQ: 11383502
Prix SAQ: 25,30$
Code LCBO: 954834
Prix LCBO: 24,95$

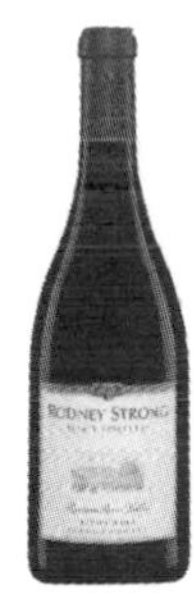

À l'extérieur de la Bourgogne, la Russian River Valley est l'une des régions les plus propices à l'élaboration de pinots noirs de grande qualité. Celui-ci est un exemple frappant. Il est résolument californien, mais la Bourgogne natale du pinot n'est pas si loin. Visuellement, il affiche une teinte grenat moyennement profonde. Au nez, des intonations de prune, de cerise et d'épices se côtoient. Elles sont suivies d'effluves de bois grillé, ainsi que de notes végétales. La bouche est sapide et ronde, tout en affichant une trame tannique détenant une bonne couche de chair. Aux intonations détectées au nez, s'ajoutent des nuances de moka.

Tannins/corps: Charnus • Assez corsé
Cépages: Pinot noir, syrah (2%)
Température: Entre 14 et 17 °C

IMV: 86

Cuissons	Garniture	Type de plat	Arômes complémentaires
Mijoté Au four Grillé	Fond de veau Aux herbes Nature	Thon grillé, sauce au jus de veau	Herbes de Provence Cacao Épices douces

Mercurey, La Framboisière

★★★

Producteur: Domaine Faiveley
Appellation: Mercurey
Pays: France

Millésime dégusté: 2010
Code SAQ: 10521029
Prix SAQ: 33,00$

Voici un très beau pinot noir aux lignes pures, élaboré par un très grand producteur bourguignon. De toutes les appellations de la Bourgogne, Mercurey est sans doute celle qui offre les meilleures aubaines. Ce vin affiche une teinte grenat très limpide. Au nez, il étale un bouquet assez expressif d'où émanent des accents de griotte et de framboise, enjolivés par des nuances d'épices douces et légèrement mentholées, sur une base végétale évoquant les feuilles vertes. La bouche est gouleyante, dotée de tannins fins et délicats, mais bien présents. Les intonations de petites baies rouges dominent. La finale semble défier le temps.

Tannins/corps: Souples • Léger +
Cépages: Pinot noir
Température: Entre 15 et 17 °C

IMV: 86

Cuissons	Garniture	Type de plat	Arômes complémentaires
Au four Poêlé Mijoté	Fond de veau Au vin rouge Aux champignons	Cuisseau de lapin à la moutarde	Bouquet garni Champignon Épices douces

Pinot Noir, Le Clos Jordanne, Village Réserve

Producteur: Le Clos Jordanne
Appellation: Niagara Peninsula
Pays: Canada
Millésime dégusté: 2011

Code SAQ: 10745487
Prix SAQ: 30,75$
Code LCBO: 33894
Prix LCBO: 30,00$

Sébastien Jacquey a remplacé de main de maître Thomas Bachelder, parti ouvrir des vignobles à plusieurs endroits sur la planète, et Constellation a racheté les parts du groupe Boisset. Mis à part ces deux changements, le jus qu'on en tire, élaboré à la Bourguignonne, est toujours aussi bon. La robe se pare d'une teinte rubis moyennement profonde. Au nez, des nuances de fruits rouges et noirs bien mûrs s'expriment avec aplomb et sont suivies, de manière subtile, de notes de moka, d'épices et de violette. La bouche est ronde, dotée d'une trame tannique en chair, mais surtout en courbes. Les inflexions décelées à l'olfaction se retrouvent au palais.

Tannins/corps: Souples • Moyennement corsé
Cépages: Pinot noir
Température: Entre 15 et 17 °C

IMV: 86

Cuissons	Garniture	Type de plat	Arômes complémentaires
Au four Mijoté Poêlé	Aux fruits Fond de veau Au vin rouge	Filet de porc à l'échalote	Épices douces Poivre Baies rouges et noires

Moulin-à-Vent, Château des Jacques

Producteur: Louis Jadot
Appellation: Moulin-à-Vent
Pays: France

Millésime dégusté: 2011
Code SAQ: 11451915
Prix SAQ: 29,05$

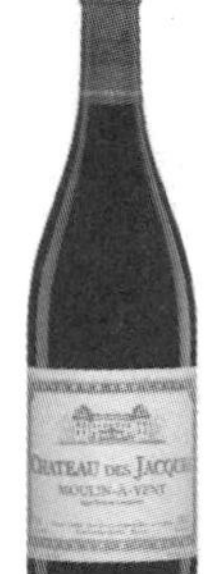

Il y a dans ce produit une profondeur qui existe dans peu de vins à base de gamay. On dit qu'à Moulin-à-Vent, le gamay pinote puisqu'il se donne des airs du cépage roi de la Bourgogne. Ce vin est une belle démonstration de cet énoncé. Brandissant une robe rubis moyennement claire, il étale un intense et complexe bouquet imprégné d'accents de baies noires et rouges, sur des nuances d'épices douces embellies par des effluves floraux. En toile de fond, on perçoit des intonations évoquant la terre humide. La bouche est suave, dotée de tannins gouleyants enrobés de passablement de fruits.

Tannins/corps: Souples • Léger +
Cépages: Gamay
Température: Entre 14 et 17 °C

IMV: 87

Cuissons	Garniture	Type de plat	Arômes complémentaires
Mijoté Au four Poêlé	Aux fruits Aux champignons Aux herbes	Rôti de porc farci aux champignons	Champignon Mûre Cannelle

Château La Croix des Moines

Producteur : Jean-Louis Trocard
Appellation : Lalande-de-Pomerol
Pays : France
Millésime dégusté : 2011
Code SAQ : 973057
Prix SAQ : 27,05$

L'expert reconnaîtra l'élégance du merlot dans ce rouge, archétype du style qu'on produit sur la rive droite de la Gironde. Loin des bombes aromatiques ou des vins gonflés aux stéroïdes, ce rouge affiche une robe rubis, moyennement profonde. Il déploie avec verve des notes de cassis et de mûre, escortées par des accents d'épices et enrobées par des effluves boisés. À noter la belle définition des arômes et la netteté du fruit. La bouche est très sapide, ronde, pourvue de tannins fins et élastiques. Les saveurs de baies noires et de prune s'expriment d'emblée. Rien ne choque ni ne s'entrechoque. Tout baigne dans un équilibre parfait.

Tannins/corps : Souples • Moyennement corsé
Cépages : Merlot, cabernet franc, cabernet sauvignon
Température : Entre 15 et 17 °C

Cuissons	Garniture	Type de plat	Arômes complémentaires
Au four Mijoté Poêlé	Au jus Au vin rouge Fond de veau	Rôti de veau aux champignons	Champignon Poivron Bouquet garni

Valpolicella Classico Superiore, Tommasi, Ripasso

Producteur : Agricola Tommasi Viticoltori
Appellation : Valpolicella Classico Superiore
Pays : Italie
Millésime dégusté : 2012
Code SAQ : 862110
Prix SAQ : 25,25$
Code LCBO : 910430
Prix LCBO : 22,95$

Année après année, la popularité de ce vin ne se dément pas, et la raison est simple : il est bon. Visuellement, il affiche une robe très foncée. Il possède un joli nez évoquant la boîte à épices, soutenu par des accents de baies rouges et noires confites, et enrobées de nuances boisées. La bouche est ample, savoureuse et presque sucrée. Ce vin possède une trame tannique bien implantée, mais sans raideur ni aspérité. On remarque la belle définition des saveurs de fruits qui enveloppent le palais d'une couche épaisse et s'y collent littéralement en fondant doucement. La finale nous laisse sur des flaveurs de moka.

Tannins/corps : Charnus • Assez corsé
Cépages : Corvina, rondinella, molinara
Température : Entre 15 et 16 °C

Cuissons	Garniture	Type de plat	Arômes complémentaires
Grillé Au four Poêlé	Aux tomates Aux herbes Fond de veau	Osso buco	Épices italiennes Poivre Laurier

Il Bruciato

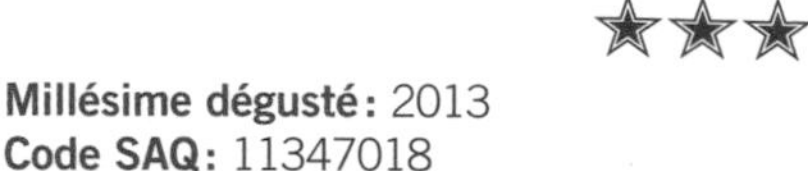

★★★

Producteur : Tenuta Guado Al Tasso
Appellation : Bolgheri
Pays : Italie

Millésime dégusté : 2013
Code SAQ : 11347018
Prix SAQ : 26,00$

Il y a quelque chose d'indéfinissable dans ce vin qui me fait fléchir chaque fois que j'y plonge le nez. Le sentiment que je ressens est semblable à celui éprouvé lorsqu'on rencontre l'âme sœur et qu'on est persuadé que c'est pour la vie. C'est en partie à cause de sa robe opaque, presque noire, mais davantage à cause de ses parfums de mûre et de cassis bien mûrs, embellis d'effluves de café et d'épices. La bouche est goûteuse, dotée de tannins à la fois sveltes et satinés. Les intonations détectées au nez prennent possession du palais et l'occupent un long moment en fondant doucement.

Tannins/corps : Charnus • Assez corsé
Cépages : Cabernet sauvignon, merlot, syrah
Température : Entre 16 et 18 °C

IMV: 89

Cuissons	Garniture	Type de plat	Arômes complémentaires
Au four Poêlé Grillé	Fond de veau Au vin rouge Aux champignons	Magret de canard au cassis	Baies des champs Truffe Basilic

Cabernet Sauvignon, Claret, Diamond Collection, Black Label, Francis Coppola

★★½

Producteur : Francis Ford Coppola Winery
Appellation : California
Pays : États-Unis

Millésime dégusté : 2012
Code SAQ : 863654
Prix SAQ : 26,95$

Le réalisateur californien Francis Ford Coppola met ici en scène un vin à l'image du personnage, c'est à dire jovial, affable et résolument gourmand. Il possède un côté sophistiqué et hédoniste à la fois. D'emblée, sa robe rubis dense et profonde nous interpelle. De vibrants accents de prune, de myrtille et de mûre s'enveloppent d'effluves de vanille et de bois, sur une base d'épices et de réglisse. En bouche, les saveurs de fruits sont rehaussées par une impression de sucre résiduel, ce qui est loin de déplaire. La trame tannique possède passablement de chair et de courbes. Les saveurs de fruits semblent flotter en défiant le temps.

Tannins/corps : Souples • Moyennement corsé
Cépages : Cabernet sauvignon, petit verdot, malbec, cabernet franc
Température : Entre 15 et 17 °C

Cuissons	Garniture	Type de plat	Arômes complémentaires
Grillé Au four Poêlé	Au vin rouge Fond de veau Au poivre	Brochette de veau au poivre long	Épices douces Réglisse Poivre

Chianti Classico Riserva, Il Grigio ★★½

Producteur : Società Agricola San Felice SPA
Appellation : Chianti Classico
Pays : Italie

Millésime dégusté : 2011
Code SAQ : 703363
Prix SAQ : 27,65$

Aux premiers effluves, on reconnaît les accents du pays où le sangiovese est roi et dès lors on se doute que l'expérience sera heureuse. Visuellement, ce vin affiche une teinte rubis assez profonde. Au nez, il étale avec aplomb des notes de prune, accompagnées de nuances de baies rouges et noires confites, sur un lit d'épices et de poivre. Des accents évoluées de tabac blond et de cèdre sont également aisément détectables. La bouche est sapide, dotée de tannins souples mais présents, et retrouve les arômes perçus à l'olfaction, avec une dominance de saveurs de cerise.

Tannins/corps : Charnus • Assez corsé
Cépages : Sangiovese
Température : Entre 16 et 18 °C

IMV: 89

Cuissons	Garniture	Type de plat	Arômes complémentaires
Poêlé Au four Grillé	Fond de veau Au poivre Au vin rouge	Bajoue de veau braisée	Champignon Poivre Épices barbecue

Pétales d'Osoyoos ★★★

Producteur : Osoyoos Larose
Appellation : Okanagan Valley
Pays : Canada
Millésime dégusté : 2011

Code SAQ : 11166495
Prix SAQ : 27,95$
Code LCBO : 276741
Prix LCBO : 24,95$

Le frangin d'Osoyoos Larose, le grand vin de la vallée d'Okanagan, représente parfaitement l'esprit et la lettre de ce qu'on appelle un second vin de château à Bordeaux. Fait à souligner : le groupe Taillan (Gruaud-Larose) est désormais propriétaire à 100 % du domaine. Visuellement, ce rouge étale une robe rubis assez dense. Son bouquet déploie de vibrants accents de prune, accompagnés de nuances de baies bien mûres, sur une base de bois torréfié et de café. En bouche, les mêmes saveurs dominent. Le merlot étant majoritaire, on ne se surprend guère de la finesse des tannins de ce vin, ce qui ne veut pas dire qu'il soit dénué de chair, bien au contraire.

Tannins/corps : Charnus • Assez corsé
Cépages : Merlot, cabernet franc, cabernet sauvignon, petit verdot, malbec
Température : Entre 16 et 18 °C

Cuissons	Garniture	Type de plat	Arômes complémentaires
Au four Poêlé Grillé	Fond de veau Au vin rouge Fond de gibier	Filet de bœuf, sauce au poivre vert	Clou de girofle Baies noires Piment doux

Château Haute-Nauve

★★

Producteur: Union des Producteurs de Saint-Émilion
Appellation: Saint-Émilion Grand Cru
Pays: France
Millésime dégusté: 2010
Code SAQ: 721431
Prix SAQ: 28,30$

Ce vin représente l'une des meilleures propositions qu'on puisse me faire lors d'une année de dégustation. Il s'agit d'une jolie carte postale pour ce coin de pays où le merlot est roi. Visuellement, ce rouge exhibe une robe rubis dense et profonde. Son bouquet expressif dévoile des notes bien appuyées de cassis, agrémentées par des accents de cerise noire, sur une base où des effluves de chocolat côtoient des intonations boisées. On reconnaît la souplesse légendaire du merlot, dans une bouche imbibée de saveurs fruitées. Il possède toutefois une armature assez solide. En rétro-olfaction, on perçoit des flaveurs de chêne.

Tannins/corps: Charnus • Assez corsé
Cépages: Merlot, cabernet franc, cabernet sauvignon
Température: Entre 16 et 18 °C

IMV: 89

Cuissons	Garniture	Type de plat	Arômes complémentaires
Au four Poêlé Grillé	Fond de veau Au vin rouge Demi-glace	Carré d'agneau à la moutarde et aux oignons grillés	Bouquet garni Poivre vert Poivron

Zinfandel, Director's Cut

★★½

Producteur: Francis Ford Coppola
Appellation: Dry Creek Valley, Sonoma County
Pays: États-Unis
Millésime dégusté: 2012
Code SAQ: 11882272
Prix SAQ: 29,25$
Code LCBO: 203208
Prix LCBO: 32,95$

Francis Ford Coppola nous présente un zinfandel issu de l'une des meilleures régions pour produire ce cépage californien, cousin du primitivo italien. Déjà à l'œil, avec sa teinte rouge cerise noire, nos sens s'éveillent. L'examen olfactif révèle des accents de baies rouges, accompagnés de mûre, sur une base d'épices, de bois et de chocolat, ainsi que des nuances de réglisse et d'un soupçon de caramel. La bouche est dominée par le fruit et possède une bonne densité. Le nectar est doté d'une trame tannique à l'ossature solide avec passablement de chair. La mûre, la prune et les saveurs de moka occupent les premiers rôles de cette version du réalisateur.

Tannins/corps: Charnus • Moyennement corsé
Cépages: Zinfandel, petite sirah
Température: Entre 15 et 18 °C

IMV: 89

Cuissons	Garniture	Type de plat	Arômes complémentaires
Poêlé Mijoté Au four	Fond de veau Aux herbes Aux champignons	Ragoût de bœuf aux champignons	Champignon Prune Épices douces

Lucente

★★★

Producteur: Luce della Vite SRL
Appellation: I.G.T. Toscana
Pays: Italie

Millésime dégusté: 2012
Code SAQ: 860627
Prix SAQ: 34,75$

Ce vin représente le second vin de Luce della Vite, un projet initié par deux géants de la viticulture, soit Vittorio Frescobaldi et Robert Mondavi, aujourd'hui mené de main de maître par le fils du premier. Ce rouge revêt une robe pourpre, dense et profonde. Au nez, un bouquet riche dévoile d'intenses notes de cerise noire et de cassis, accompagnées de nuances de fraise, enveloppées par des effluves de moka et d'épices. Le tout est appuyé par un boisé bien dosé. La bouche est ample, nantie d'une trame tannique reposant sur des assises solides. Fidèle aux accents perçus à l'olfaction, ce vin étire une finale marquée par le fruit.

Tannins/corps: Charnus • Assez corsé
Cépages: Merlot, sangiovese
Température: Entre 16 et 18 °C

IMV: 89

Cuissons	Garniture	Type de plat	Arômes complémentaires
Grillé Au four Poêlé	Au vin rouge Fond de veau Au poivre	Filet mignon, sauce au bleu	Tomate Réglisse Poivre

A Proper Claret

★★½

Producteur: Bonny Doon Vineyards
Appellation: California
Pays: États-Unis

Millésime dégusté: 2012
Code SAQ: 12495961
Prix SAQ: 25,25$

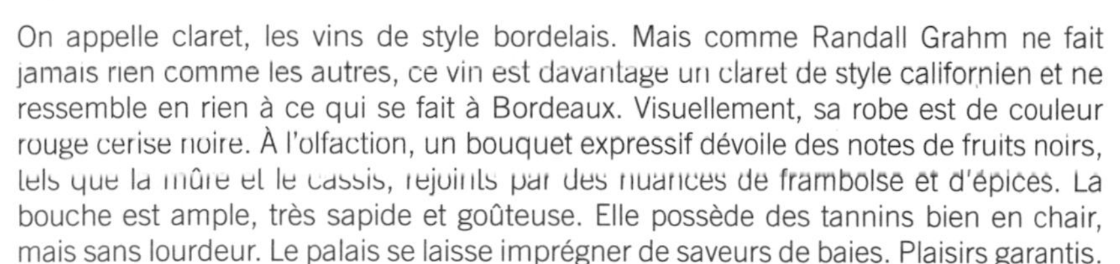
On appelle claret, les vins de style bordelais. Mais comme Randall Grahm ne fait jamais rien comme les autres, ce vin est davantage un claret de style californien et ne ressemble en rien à ce qui se fait à Bordeaux. Visuellement, sa robe est de couleur rouge cerise noire. À l'olfaction, un bouquet expressif dévoile des notes de fruits noirs, tels que la mûre et le cassis, rejoints par des nuances de framboise et d'épices. La bouche est ample, très sapide et goûteuse. Elle possède des tannins bien en chair, mais sans lourdeur. Le palais se laisse imprégner de saveurs de baies. Plaisirs garantis.

Tannins/corps: Charnus • Assez corsé
Cépages: Cabernet sauvignon, petit verdot, syrah, tannat
Température: Entre 16 et 18 °C

Cuissons	Garniture	Type de plat	Arômes complémentaires
Grillé Poêlé Au four	Au vin rouge Fond de gibier Demi-glace	Filet de cerf, sauce Grand-Veneur	Poivre Herbes de Provence Épices douces

Laudis

Producteur: Miguel Torres SA
Appellation: Priorat
Pays: Espagne
Millésime dégusté: 2012
Code SAQ: 12117513
Prix SAQ: 25,30$

Quand toutes les conditions pour élaborer un bon vin sont réunies, à savoir un terroir d'exception, un bon producteur et de bons cépages, on ne peut s'attendre à rien d'autre qu'un produit de qualité. Doté d'une robe assez dense, ce vin étale avec aplomb des nuances de baies rouges et noires, ainsi que de fruits à noyau, sur une base de bois torréfié bien dosée. On craque pour l'amplitude de sa bouche, pour sa structure tannique bien en chair, mais sans aucune aspérité, et pour son équilibre général. Les saveurs de baies, de framboise surtout, s'accompagnent de nuances de réglisse et tapissent le palais en défiant le temps.

Tannins/corps: Charnus • Corsé
Cépages: Carignan, grenache
Température: Entre 16 et 18 °C

Cuissons	Garniture	Type de plat	Arômes complémentaires
Grillé Poêlé Au four	Fond de veau Fond de gibier Aux fruits	Aiguillettes de canard au cassis	Épices barbecue Réglisse Poivre

Chianti Classico, Riserva Ducale

Producteur: Ruffino SPA
Appellation: Chianti Classico
Pays: Italie
Millésime dégusté: 2012
Code SAQ: 45195
Prix SAQ: 25,50$
Code LCBO: 45195
Prix LCBO: 25,00$

S'il existe en nous un bouton déclencheur sur lequel il suffit d'appuyer pour faire jaillir l'étincelle du bonheur, ce vin l'a sans doute trouvé. Une teinte rubis légèrement tuilée nous accueille. Un bouquet expressif et nuancé s'offre à nous en laissant échapper des parfums de baies des champs bien mûres, rehaussés de notes d'épices, saupoudrées d'accents de vanille et de bois. Notre palais se laisse bercer par ses saveurs de baies qui s'enrobent d'accents boisés sans jamais que ces derniers prennent le contrôle sur l'ensemble. Les épices suivent dans cette bouche dotée de tannins bâtis pour tenir la route plusieurs années.

Tannins/corps: Charnus • Bien corsé
Cépages: Sangiovese, merlot, cabernet sauvignon
Température: Entre 16 et 18 °C

IMV:
90

Cuissons	Garniture	Type de plat	Arômes complémentaires
Au four Poêlé Grillé	Fond de gibier Aux tomates Au vin rouge	Carré d'agneau à la tombée de tomates et basilic	Poivre Laurier Tomate

Brolo Campofiorin, Oro

★★★

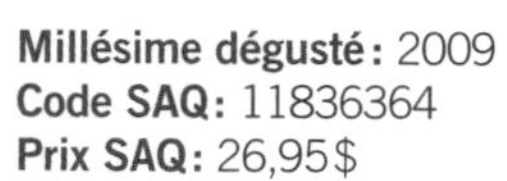

Producteur : Masi Agricola SPA
Appellation : I.G.T. Rosso del Veronese
Pays : Italie

Millésime dégusté : 2009
Code SAQ : 11836364
Prix SAQ : 26,95$

Ce très beau vin passerillé est le produit d'un clos unique où poussent les meilleures vignes du domaine. À noter qu'il contient un faible pourcentage d'oseleta, un cépage indigène redécouvert par Masi. Il affiche une teinte rubis très dense et très foncée. À l'olfaction, il dévoile avec conviction des notes de baies rouges et noires confites s'associant à des nuances d'épices et de moka, enrobées d'accents de vanille et de bois. La bouche présente un côté velouté même si la trame tannique démontre une structure solide. Les saveurs de baies confites tapissent le palais et l'enrobent, puis fondent jusqu'à révéler des flaveurs de vanille.

Tannins/corps : Charnus • Corsé
Cépages : Corvina, rondinella, oseleta
Température : Entre 16 et 18 °C

Cuissons	Garniture	Type de plat	Arômes complémentaires
Grillé Poêlé Au four	Aux fruits Fond de veau Au vin rouge	Souris d'agneau, jus de veau aux herbes	Baies des champs Champignon Épices italiennes

Grand Listrac

★★½

Producteur : Vin Conseil SARL
Appellation : Listrac-Médoc
Pays : France

Millésime dégusté : 2009
Code SAQ : 637827
Prix SAQ : 27,05$

J'ai toujours eu un faible pour ce vin très représentatif de ce coin de pays. Racé et noble, il se tient bien droit, comme un chêne, sans fléchir. Doté d'une robe rubis dense avec des reflets légèrement tuilés, il déploie un riche bouquet aux teintes de baies noires auxquelles se greffent des accents de truffes, de violette et de tabac blond. De discrets arômes de bois se greffent à l'ensemble. En bouche, les saveurs de baies noires, telles que le cassis et la mûre, tartinent le palais. Cela lui donne un agréable côté moelleux qui tranche avec la trame tannique qui possède passablement de mordant. Un brin animal en finale.

Tannins/corps : Charnus • Assez corsé
Cépages : Merlot, cabernet sauvignon, petit verdot
Température : Entre 16 et 18 °C

Cuissons	Garniture	Type de plat	Arômes complémentaires
Poêlé Au four Grillé	Fond de veau Au vin rouge Aux champignons	Bavette de bœuf à l'échalote	Laurier Poivron Poivre

Côtes Rocheuses

Producteur : Union des Producteurs de Saint-Émilion
Appellation : Saint-Émilion Grand Cru
Pays : France
Millésime dégusté : 2011
Code SAQ : 704817
Prix SAQ : 27,20$

Produit par la cave coopérative de l'endroit, ce vin possède toutes les qualités nécessaires pour plaire aux amateurs de vins issus de cette appellation mythique. Visuellement, il étale une teinte rubis très dense et profonde. Au nez, il déploie un riche bouquet marqué par d'intenses nuances de mûre et de cassis, accompagnées d'effluves d'épices et de bois ainsi que de notes d'éther et de cuir. La bouche est ample, nantie de tannins possédant une charpente solide. Les saveurs de cassis et de prune dominent un ensemble où le fruit prend beaucoup d'espace. Les flaveurs de cuir et de bois clôturent une finale longue et soutenue.

Tannins/corps : Charnus • Corsé
Cépages : Merlot, cabernet franc, cabernet sauvignon
Température : Entre 16 et 18 °C

Cuissons	Garniture	Type de plat	Arômes complémentaires
Au four Poêlé Grillé	Au vin rouge Aux épices Fond de veau	Entrecôte de bœuf pétillante, aux champignons sautés	Laurier Poivre Champignon

Liano, Rouge

Producteur : Umberto Cesari
Appellation : I.G.T. Rubicone
Pays : Italie
Millésime dégusté : 2012
Code SAQ : 12042603
Prix SAQ : 27,90$
Code LCBO : 225086
Prix LCBO : 27,95$

Très charmeur que ce vin du géant de l'appellation Rubicone située en Émilie-Romagne. On se laisse prendre sans opposer de résistance. Ce vin de plaisir est présent dans le cœur des Québécois depuis très longtemps et ils ne sont pas prêts de s'en lasser. Sous une robe très dense, il dévoile des notes bien appuyées de moka et de chocolat noir, embellies par des accents de baies des champs confites, accompagnés d'effluves d'épices douces. Des nuances boisées enrobent le tout, sans entraver l'expression du fruit. Les arômes perçus au nez se retrouvent dans une bouche aux tannins en chair et en courbes.

Tannins/corps : Charnus • Assez corsé
Cépages : Sangiovese, cabernet sauvignon
Température : Entre 16 et 18 °C

Cuissons	Garniture	Type de plat	Arômes complémentaires
Poêlé Au four Grillé	Au vin rouge Fond de veau Aux tomates	Carré d'agneau à la tombée de tomates et basilic	Basilic Tomate Réglisse

Yemula

Producteur: Cesari SRL
Appellation: Rubicone
Pays: Italie

Millésime dégusté: 2011
Code SAQ: 12132983
Prix SAQ: 27,75$

On reconnaît d'emblée la signature d'Umberto Cesari, à qui l'on doit le très populaire Liano, dans ce vin riche, à la personnalité assumée et résolument charmeur. À l'œil, il dévoile une robe rubis assez profonde. Le nez est expressif à souhait et complexe. On y perçoit d'intenses notes de prune et de baies noires confites, sur des accents de moka et de réglisse noire, appuyés par un boisé bien intégré. La bouche est ample, sapide, gourmande, ronde et costaude. Les intonations décrites au nez reviennent égayer la bouche. Elles se collent aux parois des joues et semblent défier le temps.

Tannins/corps: Charnus • Corsé
Cépages: Sangiovese, merlot
Température: Entre 16 et 18 °C

Cuissons	Garniture	Type de plat	Arômes complémentaires
Grillé Au four Poêlé	Fond de veau Aux champignons Au vin rouge	Magret de canard aux champignons sauvages	Réglisse Poivre Épices italiennes

Altano, Quinta do Ataíde, Reserva

Producteur: Symington Family Estates Vinhos Lda
Appellation: Douro
Pays: Portugal

Millésime dégusté: 2010
Code SAQ: 10370814
Prix SAQ: 28,20$

Ce vin élaboré à 100% du cépage rouge roi du Douro est digne des plus grandes tables du monde. Il est élaboré avec soin et a bénéficié de douze mois de vieillissement en fût. À l'œil, il affiche une teinte rubis assez dense et profonde. Un bouquet aromatique dévoile des accents de prune et de cassis, accompagnés de notes florales, ainsi que d'une touche légèrement chocolatée. La bouche est ample et sapide, dotée d'une trame tannique en chair et en courbes. On revisite les intonations perçues à l'olfaction. Celles-ci sont rejointes par des saveurs d'épices et de mûre. Belle définition des arômes.

Tannins/corps: Souples • Moyennement corsé
Cépages: Touriga nacional
Température: Entre 16 et 18 °C

Cuissons	Garniture	Type de plat	Arômes complémentaires
Au four Mijoté Poêlé	Aux fruits Fond de veau Au porto	Filet mignon, sauce au bleu	Porto Poivre Épices barbecue

Chinon, Clos de l'Olive

★★★

Producteur: SCA Couly-Dutheil Père et Fils
Appellation: Chinon
Pays: France

Millésime dégusté: 2010
Code SAQ: 10264923
Prix SAQ: 28,80$

Ce producteur a le chic pour confectionner des cuvées typées, très distinctes les unes des autres. De tous les vins de ce producteur dégustés cette année, celui-ci est sans doute le plus fin et le plus élégant. Visuellement, il affiche une teinte rubis moyennement profonde. De légers accents de poivron vert côtoient des nuances de baies rouges et noires, et de réglisse, agrémentées d'effluves rappelant la terre humide. La bouche est ample, sapide et riche, en plus d'être dotée de tannins bien en chair. Les nuances d'herbes s'ajoutent à un ensemble où les saveurs de fruits dominent. De plus, ce vin est pourvu d'une longueur en bouche difficile à égaler.

Tannins/corps: Charnus • Assez corsé
Cépages: Cabernet franc
Température: Entre 16 et 18 °C

IMV: 90

Cuissons	Garniture	Type de plat	Arômes complémentaires
Au four Mijoté Poêlé	Fond de veau Aux herbes Aux poivrons	Foie de veau à l'échalote	Poivre Herbes de Provence Poivron

Shiraz, Robertson Winery, Number One, Constitution Road

★★★

Producteur: Robertson Winery
Appellation: Breede River Valley
Pays: Afrique du Sud

Millésime dégusté: 2011
Code SAQ: 10703332
Prix SAQ: 29,80$

Le nom de ce vin désigne l'adresse du producteur: 1, rue de la Constitution, Robertson. Il ne faut pas beaucoup de temps pour réaliser qu'on est ici en présence d'un vin de grande qualité. Sa robe de couleur pourpre assez dense, est invitante. Les premiers effluves révèlent des accents de mûre et de cassis. Un boisé de qualité accompagne des nuances de poivre, d'épices et d'encens. On reconnaît la suavité de la syrah qui étale en bouche ses saveurs de baies, accompagnées d'intonations de bois bien dosées. La trame tannique repose sur des assises bien implantées et est dotée d'une agréable élasticité.

Tannins/corps: Charnus • Assez corsé
Cépages: Shiraz
Température: Entre 16 et 18 °C

IMV: 90

Cuissons	Garniture	Type de plat	Arômes complémentaires
Grillé Au four Poêlé	Fond de veau Au vin rouge Au poivre	Filet de bœuf au poivre long	Poivre Cumin Champignon

Château Montus, Rouge ★★½

Producteur: Alain Brumont
Appellation: Madiran
Pays: France
Millésime dégusté: 2010
Code SAQ: 705483
Prix SAQ: 30,25$

Alain Brumont a donné ses lettres de noblesse au tannat, un cépage davantage reconnu pour sa rusticité que pour son élégance. Aujourd'hui, on produit avec ce cépage des vins qui rivalisent avec ceux de Bordeaux. Le produit phare de ce producteur est l'un des meilleurs de sa catégorie. Il affiche une teinte presque noire et dévoile un nez très aromatique et complexe. On y perçoit des odeurs de baies noires et de prune, sur des accents de torréfaction, un brin minéraux, agrémentés d'odeurs animales. La bouche est ample, avec des tannins bien en chair affichant un agréable côté satiné. La bouche s'imprègne de saveurs fruitées.

Tannins/corps: Charnus • Corsé
Cépages: Tannat, cabernet sauvignon
Température: Entre 16 et 18 °C

IMV: 90

Cuissons	Garniture	Type de plat	Arômes complémentaires
Grillé Poêlé Au four	Fond de gibier Demi-glace Au porto	Côtelettes d'agneau à l'ail et au romarin	Poivre Baies des champs Herbes de Provence

Crognolo ★★

Producteur: Miguel Torres SA
Appellation: Catalunya
Pays: Espagne
Millésime dégusté: 2009
Code SAQ: 11915038
Prix SAQ: 29,95$
Code LCBO: 727636
Prix LCBO: 33,95$

Impressionnant que ce vin presque exclusivement élaboré à base de sangiovese. Le dégustateur avisé ne prendra pas beaucoup de temps avant de se rendre compte qu'il est en présence d'un vin d'exception. Affichant une robe cerise noire, il étale avec puissance des notes de vanille, de cassis, de mûre, de fleurs, de café et de réglisse. La bouche est ample, dotée de tannins présents, mais avec un grain suave. Les nuances de fruits et d'épices sont suivies de notes de fines herbes, de plant de tomate et de moka en finale. Un passage en carafe lui permettra de s'ouvrir davantage et de révéler des arômes insoupçonnés.

Tannins/corps: Charnus • Corsé
Cépages: Sangiovese, merlot
Température: Entre 16 et 18 °C

Cuissons	Garniture	Type de plat	Arômes complémentaires
Poêlé Au four Grillé	Aux herbes Fond de veau Demi-glace	Carré d'agneau à la tombée de tomates et basilic	Poivre Tomate Champignon

Barolo, Beni di Batasiolo

★★

Producteur: Batasiolo SPA
Appellation: Barolo
Pays: Italie
Millésime dégusté: 2011

Code SAQ: 10856777
Prix SAQ: 29,95$
Code LCBO: 178541
Prix LCBO: 30,00$

L'appellation Barolo est la plus prestigieuse du Piémont. Ce vin est l'un des moins chers offerts à la SAQ. C'est une jolie entrée en la matière pour ceux qui veulent découvrir les subtilités des vins de cette appellation unique en son genre, sans se ruiner. Visuellement, ce rouge affiche une robe grenat assez pâle. De son bouquet subtil et nuancé s'évadent des odeurs de cerise noire confite, sur des accents d'épices et de bois torréfié. Il est doté d'une bouche suave et très sapide. L'aspect fruité, la cerise macérée dans l'alcool surtout, domine à l'attaque, alors que la trame tannique se révèle assez solide, avec une légère amertume.

Tannins/corps: Charnus • Assez corsé
Cépages: Nebbiolo
Température: Entre 15 et 17 °C

Cuissons	Garniture	Type de plat	Arômes complémentaires
Mijoté Grillé Au four	Fond de veau Aux tomates Au poivre	Carré d'agneau à l'ail et au romarin	Basilic Champignon Balsamique

Le Volte Dell'Ornellaia

★★★

Producteur: Tenute Dell'Ornellaia
Appellation: I.G.T. Toscana
Pays: Italie
Millésime dégusté: 2012

Code SAQ: 10938684
Prix SAQ: 29,95$
Code LCBO: 964221
Prix LCBO: 29,95$

Le petit d'Ornellaia, l'un des meilleurs super-toscans, n'est peut-être pas aussi complexe et riche que son grand frère, mais pour 1/6 du prix, il vaut tous les huards qu'on a versés pour lui. Le merlot représente 50% de l'assemblage, suivi du sangiovese et du cabernet sauvignon. Sous une robe assez sombre, on perçoit des accents de prune et de baies noires bien mûres, accompagnées de nuances d'épices, sur une base de bois et de vanille, témoins d'un séjour de 10 mois en barrique. On reconnaît la force des grands vins dans l'élégance et la structure de ses tannins. Les intonations perçues au nez réjouissent le palais.

Tannins/corps: Charnus • Assez corsé
Cépages: Merlot, sangiovese, cabernet sauvignon
Température: Entre 16 et 18 °C

Cuissons	Garniture	Type de plat	Arômes complémentaires
Grillé Poêlé Au four	Fond de veau Fond de gibier Aux fruits	Aiguillettes de canard au cassis	Épices barbecue Réglisse Tomate

Pomerol, Moueix

★★

Producteur: Ets. Jean-Pierre Moueix
Appellation: Pomerol
Pays: France

Millésime dégusté: 2011
Code SAQ: 739623
Prix SAQ: 31,50$

Non, il n'y a pas une parcelle de Pétrus dans ce vin élaboré à partir de lots achetés, assemblés et élevés par cette maison de négoce. Mais ce vin vaut quand même son pesant d'or. Sous une robe rubis assez foncée, on perçoit un bouquet expressif à souhait, marqué par des intonations de cassis et de prunes, sur des accents d'épices et de bois. La bouche est ample, dotée de tannins fringants, tout en jeunesse, qui s'attendriront avec le temps. Si vous n'avez pas la patience d'attendre quelques années avant de le boire, un passage en carafe fera une partie du travail.

Tannins/corps: Charnus • Assez corsé
Cépages: Merlot, cabernet franc
Température: Entre 16 et 18 °C

Cuissons	Garniture	Type de plat	Arômes complémentaires
Grillé Poêlé Au four	Fond de veau Au vin rouge Fond de gibier	Épaule de bœuf grillée, sauce au vin rouge	Clou de girofle Poivre Baies noires

Coup de

Cahors, Clos Triguedina

★★★

Producteur: Jean-Luc Baldès
Appellation: Cahors
Pays: France

Millésime dégusté: 2010
Code SAQ: 746412
Prix SAQ: 28,00$

Il y a des vins comme celui-ci qui nous scie les jambes dès les premiers effluves. Il m'a fait penser à un Saint-Estèphe, mais si c'eut été le cas, son prix aurait été le double. Ce vin à la robe presque noire dévoile un intense bouquet complexe et nuancé. On y observe une dominance d'odeurs de baies noires, de cassis surtout, enrobées d'accents d'épices fortes sur un couvert forestier. On remarque l'omniprésence des effluves boisés. La bouche est ample, dotée d'une trame tannique aux assises bien implantées, mais sans lourdeur. Le palais se régale des intonations perçues au nez, avec une dominance de prune en finale.

Tannins/corps: Charnus • Corsé
Cépages: Malbec, merlot, tannat
Température: Entre 16 et 18 °C

IMV:
91

Cuissons	Garniture	Type de plat	Arômes complémentaires
Grillé Poêlé Au four	Fond de gibier Au porto Au bleu	Filet mignon grillé, au bleu	Champignon Olive noire Poivre

Cabernet Sauvignon, Farnito

Producteur: Casa Vinicola Carpineto
Appellation: I.G.T. Toscana
Pays: Italie

Millésime dégusté: 2009
Code SAQ: 963389
Prix SAQ: 29,50$

Ce toscan aux larges épaules fera le bonheur des amateurs de vins possédant de la personnalité. Il provient de deux vignobles dont l'un est situé près de Florence et l'autre à proximité de Sienne. Sous une robe assez foncée, il étale un intense bouquet complexe et nuancé d'où émanent des notes de cassis et de mûres, suivies d'accents de violette, accompagnés d'effluves de réglisse, sur une base boisée bien dosée. La bouche et ample et pulpeuse à souhait. La trame tannique est solide et élégante à la fois. Les saveurs détectées au nez sont aisément identifiables et s'accompagnent d'accents de café en finale.

Tannins/corps: Charnus • Bien corsé
Cépages: Cabernet sauvignon
Température: Entre 16 et 18 °C

IMV: 91

Cuissons	Garniture	Type de plat	Arômes complémentaires
Grillé Poêlé Au four	Fond de veau Fond de gibier Aux herbes	Gigot d'agneau à l'ail et au romarin	Épices italiennes Champignon Anis

Ceuso

Producteur: Azienda Agricola Ceuso S.R.L.
Appellation: I.G.T. Sicilia
Pays: Italie

Millésime dégusté: 2008
Code SAQ: 907444
Prix SAQ: 29,25$

Un super sicilien, ça existe? Il semble que oui. L'idée de jumeler des cépages Bordelais au cépage roi de l'endroit est devenu une pratique courante en Toscane, alors pourquoi pas en Sicile? Dès la vue de sa robe encre rouge, on salive déjà. Au nez, un bouquet aromatique et complexe dévoile des accents de cuir, de pruneau et de baies noires, sur des intonations de terre humide. La bouche est ample, charnue, dotée de tannins nantis d'une bonne couche de chair, bâtis pour tenir une longue route. Les saveurs de fruits gomment le palais. Le mot de la fin va aux saveurs de cuir. Une jolie réussite.

Tannins/corps: Charnus • Bien corsé
Cépages: Nero d'Avola, cabernet sauvignon, merlot
Température: Entre 16 et 18 °C

IMV: 91

Cuissons	Garniture	Type de plat	Arômes complémentaires
Grillé Poêlé Au four	Demi-glace Fonf de gibier Au poivre	Souris d'agneau confite	Champignon Poivre Pruneau

Chinon, Clos de l'Écho

★★★

Producteur: SCA Couly-Dutheil Père et Fils
Appellation: Chinon
Pays: France
Millésime dégusté: 2011
Code SAQ: 710418
Prix SAQ: 29,80$

Les amateurs de cabernet franc complexe et possédant de la personnalité, seront ravis par ce vin riche, aux accents typiques du cépage et très représentatifs des vins de cette appellation à part dans le monde vinicole. Doté d'une robe rubis dense et profonde, il dévoile un bouquet expressif et complexe, dominé par des accents de réglisse noire et de chocolat, embellis par des nuances florales et épicées, sur une base de cerise macérée dans l'alcool. La bouche est ample, goûleuse et riche, nantie de tannins enrobés. Le palais est visité par les intonations perçues au nez, avec une dominance de saveurs de cerise.

Tannins/corps: Charnus • Bien corsé
Cépages: Cabernet franc
Température: Entre 16 et 18 °C

IMV: 91

Cuissons	Garniture	Type de plat	Arômes complémentaires
Poêlé Au four Grillé	Fond de gibier Au poivre Au vin rouge	Filet de bœuf au poivre long	Poivre Épices barbecue Poivron

Coup de ♥

Insoglio del Cinghiale

★★★

Producteur: Tenuta Campo du Sasso Ltd
Appellation: I.G.T. Toscana
Pays: Italie
Millésime dégusté: 2013
Code SAQ: 10483405
Prix SAQ: 30,25$

Mon premier contact avec ce vin à l'assemblage hétéroclite en terre toscane fut des plus heureux. Nous avons affaire à un produit bien ficelé, puissant et raffiné, qui possède un petit côté animal très charmant, ainsi qu'un profil fruité bien assumé. Sous une apparence rouge foncé, il déploie avec verve des accents de baies rouges et noires, accompagnés de nuances de fruits à noyau, sur des notes d'épices et de bois torréfié. On discerne des intonations de violette en toile de fond. La bouche est ample, dotée d'une trame tannique reposant sur des assises solidement implantées. Le palais retrouve avec bonheur les nuances perçues au nez.

Tannins/corps: Souples • Bien corsé
Cépages: Syrah, cabernet franc, merlot, petit verdot
Température: Entre 16 et 18 °C

IMV: 91

Cuissons	Garniture	Type de plat	Arômes complémentaires
Au four Poêlé Grillé	Fond de gibier Épices italiennes Aux tomates	Ragoût de bœuf à la toscane	Épices italiennes Olive noire Anis

Podere Castorani, Riserva

★★★

Producteur : Podere Castorani SRL
Appellation : Montepulciano d'Abruzzo
Pays : Italie

Millésime dégusté : 2009
Code SAQ : 10383113
Prix SAQ : 32,25$

Podere Castorani, qui appartient en partie à l'ancien coureur de F1, Jarno Trulli, prouve avec ce produit qu'il est possible de confectionner de grands vins de garde digne des plus grandes appellations du monde. Doté d'une robe rubis avec des inflexions grenat, il déploie avec aplomb de vibrants accents de fruits noirs bien mûrs, sur des nuances joliment chocolatées, appuyées par un boisé qui n'entrave aucunement le passage du fruit. Le tout est déposé sur une base évoquant un tapis forestier. La bouche est le miroir du nez du point de vue aromatique. Ce rouge possède beaucoup de matière, une trame tannique imposante, mais sans aspérité.

Tannins/corps : Charnus • Bien corsé
Cépages : Montepulciano
Température : Entre 16 et 18 °C

IMV: 91

Cuissons	Garniture	Type de plat	Arômes complémentaires
Grillé Au four Poêlé	Aux champignons Fond de gibier Aux tomates	Osso buco	Champignon Tomate Basilic

La Fiole du Pape

Producteur : Charles Brotte
Appellation : Chateauneuf-du-Pape
Pays : France
Millésime dégusté : Produit non millésimé

Code SAQ : 12286
Prix SAQ : 39,75$
Code LCBO : 12286
Prix LCBO : 39,95$

Ce vin est aussi connu que la forme de sa bouteille, issue d'un concours de céramistes. Elle représente un cep de grenache. Moins connue est son élaboration. Il s'agit d'une cuvée non millésimée, élaborée à partir de vins de l'année et de vins de réserve afin de perpétuer une recette d'une constance inébranlable. Ce vin concept dévoile une robe rubis aux reflets tuilés. Il étale avec aplomb des accents de petits fruits rouges bien mûrs, suivis de nuances d'épices, sur une base constituée de bois et de vanille. Ces inflexions se reflètent dans une bouche ample, très sapide et goûteuse à souhait. Tannique avec un agréable velouté.

Tannins/corps : Charnus • Bien corsé
Cépages : Grenache, syrah
Température : Entre 16 et 18 °C

IMV: 91

Cuissons	Garniture	Type de plat	Arômes complémentaires
Poêlé Au four Grillé	Fond de gibier Demi-glace Poivre	Entrecôte de bœuf grillée, sauce au poivre long	Poivre Épices barbecue Cerise

Osoyoos Larose, Le Grand Vin

Producteur : Osoyoos Larose
Appellation : Okanagan Valley
Pays : Canada
Millésime dégusté : 2009

Code SAQ : 10293169
Prix SAQ : 45,00$
Code LCBO : 626325
Prix LCBO : 44,95$

Si vous n'aviez qu'un seul vin canadien à goûter au moins une fois dans votre vie, ce serait celui-là. Issu d'un partenariat entre le groupe Taillan de Bordeaux (Gruaud-Larose) et Vincor Canada, il est l'un des joyaux de la viticulture canadienne. Il s'agit d'un vin opulent, digne des meilleures tables du monde. Arborant une robe rubis dense et profonde, il déploie avec aplomb un bouquet riche et complexe aux accents de pruneau, de baies rouges et noires, de cassis surtout, s'accompagnant de nuances végétales témoignant d'une certaine jeunesse. La bouche est goûteuse à souhait, dotée d'une trame tannique bâtie pour vieillir, et fidèle aux accents perçus à l'olfaction.

Tannins/corps : Charnus • Corsé
Cépages : Merlot, cabernet sauvignon, cabernet franc, petit verdot, malbec
Température : Entre 16 et 18 °C

Cuissons	Garniture	Type de plat	Arômes complémentaires
Au four Poêlé Mijoté	Fond de veau Aux herbes Au vin rouge	Rôti de canard aux champignons sauvages	Bouquet garni Poivre Épices barbecue

Amarone della Valpolicella Classico, Fabiano

Producteur : Azienda Vinicola Fratelli Fabiano SPA
Appellation : Amarone della Valpolicella Classico

Pays : Italie
Millésime dégusté : 2009
Code SAQ : 10769307
Prix SAQ : 46,00$

L'Amarone est unique en son genre de par sa méthode de fabrication. Les grappes sont placées dans des clayettes et mises à sécher dans des greniers une bonne partie de l'hiver. Le vin qui en découle est d'une richesse inouïe, puissant, et possède davantage de complexité qu'un valpolicella traditionnel. Celui-ci est doté d'une robe rubis assez dense. D'intenses arômes de baies rouges et noires confites se mêlent à des odeurs de boîte à épices, sur des accents de cacao. En bouche, l'attaque est franche, riche, avec une trame tannique bien en chair. Les intonations de fruits confits gomment le palais et demeurent suspendues pendant plusieurs caudalies.

Tannins/corps : Charnus • Bien corsé
Cépages : Corvina, rondinella, molinara
Température : Entre 16 et 18 °C

IMV: 92

Cuissons	Garniture	Type de plat	Arômes complémentaires
Grillé Poêlé Au four	Demi-glace Fond de gibier Aux tomates	Osso buco	Estragon Cacao Épices douces

Les autres vins (effervescents, rosés, de dessert)

« Celui qui cherche les défauts dans un vin passe souvent à côté de sa beauté. »

Cette sélection ne serait pas complète si elle ne comptait pas une section destinée aux vins différents : aux effervescents, ces vins de fête par excellence ; aux rosés, ces vins délicats souvent réservés à l'apéritif, mais qui pourtant font de bons accords avec une multitude de plats ; les vins de dessert, ces petits trésors sucrés qui complètent à merveille un repas déjà bien arrosé.

Prosecco, Voga

★★

Producteur : Enoitalia SPA
Appellation : Prosecco
Pays : Italie

Millésime dégusté : 2012
Code SAQ : 11904443
Prix SAQ : 17,45 $

Il y a quelque chose de résolument sexy dans ce mousseux demi-sec, à commencer par sa jolie bouteille transparente. Arborant une teinte jaune paille, ce produit est doté de bulles assez abondantes. Au nez, on assiste à une parade d'accents de fruits à noyau, tels que la pêche et l'abricot, reposant sur une base imbibée d'effluves floraux. La bouche est fraîche et la mousse d'un bon volume. L'acidité est contrebalancée par une bonne présence de sucre résiduel. Les saveurs se collent au palais et y demeurent juste assez longtemps pour nous donner envie de replonger dans le verre.

Acidité/corps : Fraîche • Léger +
Cépages : Glera
Température : Entre 6 et 8 °C

IMV : 62

Cuissons	Garniture	Type de plat	Arômes complémentaires
Cru Mijoté Au four	Aux fruits Aux herbes Fumet de poisson	Brie en croûte aux pêches	Pêche Canneberge blanche Épices douces

J.P. Chenet, Brut, blanc de blancs

★★

Producteur : J.P. Chenet
Appellation : Vin de table
Pays : France

Millésime dégusté : Produit non millésimé
Code SAQ : 10540748
Prix SAQ : 13,75 $

Les amateurs de vins à qui j'ai fait goûter ce mousseux ont tous été surpris lorsque je leur en ai dévoilé le prix. On ne se rapproche pas de la qualité d'un Champagne, mais pour le cinquième du prix, il vaut plus que son pesant d'or. Sa robe est de couleur jaune paille, ses bulles assez fines et sa mousse relativement abondante. Le nez est assez délicat, marqué par des nuances florales côtoyant des effluves de compote de pommes et des notes légèrement briochées. La bouche est fraîche, avec une mousse texturée. Les saveurs de pomme se révèlent en premier, suivies d'agréables flaveurs minérales.

Acidité/corps : Fraîche • Léger
Cépages : Chardonnay
Température : Entre 6 et 8 °C

IMV : 63

Cuissons	Garniture	Type de plat	Arômes complémentaires
Bouilli Cru Mijoté	Aux fruits Fumet de poisson Nature	Tartare de saumon	Vanille Safran Agrumes

Codorníu, Classico, Brut

Producteur: Codorniù SA
Appellation: Cava
Pays: Espagne
Millésime dégusté: Produit non millésimé

Code SAQ: 503490
Prix SAQ: 15,05$
Code LCBO: 215814
Prix LCBO: 13,95$

D'année en année, grâce aux conseils de sommeliers avisés, le Cava espagnol prend de plus en plus de place dans le cœur des consommateurs québécois. Ce sympathique représentant de l'appellation n'a de petit que son prix et mérite d'être traité avec égards. Il est élaboré dans les règles de l'art, issu d'une seconde fermentation en bouteille, comme en Champagne. À l'œil, il affiche une robe jaune paille avec des bulles fines et abondantes. Brioché et toasté à souhait, il dégage des notes de pêche et de pomme, et des nuances de silex. Sa bouche est croquante. Ne boudez pas votre plaisir.

Acidité/corps: Fraîche • Léger
Cépages: Macabeo, xarel-lo, parellada
Température: Entre 8 et 11 °C

Cuissons	Garniture	Type de plat	Arômes complémentaires
Cru Au four Bouilli	Fumet de poisson Au beurre Fond de volaille	Nage de fruits de mer	Agrumes Vanille Amande

Segura Viudas, Brut, Reserva

Producteur: Segura Viudas
Appellation: Cava
Pays: Espagne
Millésime dégusté: Produit non millésimé

Code SAQ: 158493
Prix SAQ: 15,25$
Code LCBO: 216960
Prix LCBO: 14,95$

Cette entrée de gamme de la maison Segura Viudas, propriété du géant Freixenet, représente certainement l'un des meilleurs achats de sa catégorie. Ce mousseux est élaboré selon la méthode traditionnelle, la même qu'utilisée en Champagne. D'apparence jaune paille et affichant de fines bulles formant de longs cordons, il étale autant au nez qu'en bouche, des parfums de pomme verte, de citron et de fruits tropicaux, appuyés par des nuances minérales rappelant la craie. Vive, mais sans excès, la bouche est fruitée avec passablement de corps. Il sera à son meilleur bien frais autant à l'apéro qu'avec des fruits de mer.

Acidité/corps: Vive • Moyennement corsé
Cépages: Macabeo, parellada, xarel-lo
Température: Entre 7 et 9 °C

Cuissons	Garniture	Type de plat	Arômes complémentaires
Cru Bouilli Vapeur	Au citron Fumet de poisson Nature	Cocktail de crevettes	Agrumes Amande Anis

Henkell Trocken

★½

roducteur : Henkell & Co.
Appellation : Seck
Pays : Allemagne
Millésime dégusté : Produit non millésimé
Code SAQ : 122689
Prix SAQ : 16,25 $
Code LCBO : 122689
Prix LCBO : 14,95 $

Ce mousseux allemand n'a pas besoin de présentation. Toutefois, il fait partie du décor depuis si longtemps qu'on a tendance à le traiter avec condescendance. Rectifions le tir. Ce fort joli sekt est élaboré selon la méthode Charmat, moins coûteuse que la technique traditionnelle de prise de mousse en bouteille. Il affiche une robe jaune paille avec des bulles assez fines, abondantes, quoique peu persistantes. Au nez autant qu'en bouche, on perçoit des nuances de fruits tropicaux, de pomme verte, d'épices et de fleurs blanches, complétées par d'agréables notes minérales. Il est vif, mais sans excès. Des flaveurs minérales succèdent aux saveurs de fruits en fin de bouche.

Acidité/corps : Vive • Léger
Cépages : Chardonnay, sauvignon blanc, pinot noir, chenin blanc
Température : Entre 6 et 9 °C

IMV: 63

Cuissons	Garniture	Type de plat	Arômes complémentaires
Cru Bouilli Vapeur	Aux fruits Au vin blanc Fumet de poisson	Mousse de crabe	Agrumes Badiane Romarin

Parés Baltà, Brut

★★

Producteur : Cavas Parés Baltà SA
Appellation : Cava
Pays : Espagne
Millésime dégusté : Produit non millésimé
Code SAQ : 10896365
Prix SAQ : 17,45 $

Ce mousseux issu de l'agriculture biologique, réussira à séduire les plus exigeants amateurs de bulles. À l'œil, il affiche une robe de couleur paille avec des reflets verts. Il déploie une mousse abondante munie de bulles moyennes formant de longs cordons. À l'olfaction, il allonge un bouquet moyennement expressif, imbibé de nuances florales et minérales, en plus de divulguer des notes de fruits à chair blanche. En bouche, il se fait tendre en étalant une bonne fraîcheur et révèle des saveurs de zeste de citron qui se jouxtent aux intonations déjà perçues à l'olfaction. On craque pour sa texture crémeuse et sa longueur en bouche.

Acidité/corps : Fraîche • Léger +
Cépages : Parellada, macabeo, xarel-lo
Température : Entre 6 et 8 °C

Cuissons	Garniture	Type de plat	Arômes complémentaires
Au four Poché Mijoté	Au beurre Nature Fumet de poisson	Nage de fruits de mer	Safran Amande Coriandre

Prosecco, Ruffino

★★

Producteur : Ruffino SPA
Appellation : Prosecco
Pays : Italie

Millésime dégusté : Produit non millésimé
Code SAQ : 12270489
Prix SAQ : 18,05 $

Le Prosecco vit dans l'ombre des grandes appellations qui élaborent des vins mousseux. Pourtant, il s'agit souvent de petites perles, sans jeu de mots, qui méritent qu'on s'y attarde. Celui-ci est élaboré dans un style délicat, poussant ses notes en les chuchotant plutôt qu'en les criant, piano, piano, comme disent les Italiens. Jaune paille avec des reflets verts, il est doté d'une mousse abondante, mais peu persistante. Il propose un bouquet discret, dévoilant des nuances de pêche et de fruits à chair blanche, évoluant sur des effluves floraux. Ces nuances se reflètent dans une bouche tendre et délicieuse, avec assez de volume et tout ce qu'il faut de mordant pour égayer les papilles.

Acidité/corps : Fraîche • Léger
Cépages : Prosecco
Température : Entre 6 et 8 °C

IMV: 63

Cuissons	Garniture	Type de plat	Arômes complémentaires
Mijoté Cru Au four	Fumet de poisson Aux fruits Nature	Mousse de crabe et avocat	Pêche Épices douces Miel

Première Bulle

★★

Producteur : Les Vignerons du Sieur d'Arques
Appellation : Blanquette de Limoux
Pays : France

Millésime dégusté : 2012
Code SAQ : 94953
Prix SAQ : 18,95 $

Son nom évoque la découverte, en 1531, par les bénédictins de l'Abbaye Saint-Hilaire, près de Limoux, de l'apparition d'étranges bulles dans un vin qu'ils ont laissé fermenter en bouteille. C'est là que la première « bulle du monde » serait née. Visuellement, il affiche une teinte jaune paille, avec des bulles assez fines et abondantes. Des nuances de pomme verte, de vanille, d'amande douce et d'agrumes se succèdent sous le nez. La bouche est dotée d'une acidité rafraîchissante, avec passablement de volume. Le palais est visité par les intonations perçues au nez, avec une dominance des saveurs de pomme.

Acidité/corps : Vive • Léger +
Cépages : Mauzac, chardonnay, chenin blanc
Température : Entre 6 et 10 °C

Cuissons	Garniture	Type de plat	Arômes complémentaires
Bouilli Cru Poêlé	Au vin blanc Au beurre Nature	Pétoncles grillés au beurre d'agrumes	Anis Amande Safran

Blanquette de Limoux, Domaine de Fourn

Producteur: GFA Robert
Appellation: Blanquette de Limoux
Pays: France
Millésime dégusté: 2012
Code SAQ: 220400
Prix SAQ: 19,95$

Dans le monde des mousseux, qu'il s'agisse de Champagne, crémant, cava, seck, spumante et autres Prosecco, on oublie souvent qu'à Limoux il se fait l'un des meilleurs vins issus de la méthode traditionnelle. Cette cuvée en est un exemple frappant. D'apparence jaune paille, ce vin affiche de jolis cordons de bulles moyennement fines. Au nez, il est aromatique à souhait. Son bouquet est marqué par des accents de pomme verte, enrobés de nuances de zeste de citron, sur des notes minérales. En bouche, on croque dans les fruits comme s'ils venaient de tomber de l'arbre. La mousse est assez abondante et titille le palais. Le palais jouit des arômes perçus au nez.

Acidité/corps: Vive • Léger
Cépages: Mauzac, chardonnay, chenin blanc
Température: Entre 6 et 8 °C

Cuissons	Garniture	Type de plat	Arômes complémentaires
Bouilli Cru Poêlé	Au vin blanc Au beurre Nature	Bagel au saumon fumé et au fromage à la crème	Anis Amande Safran

Crémant de Bourgogne, Simonnet-Febvre

Producteur: Simonnet-Febvre
Appellation: Crémant de Bourgogne
Pays: France
Millésime dégusté: Produit non millésimé
Code SAQ: 11791830
Prix SAQ: 22,80$

Jolie découverte que ce vin élaboré «à la champenoise». Il contient 60% de chardonnay et 40% de pinot noir. Cette composition n'est pas étrangère au fait que ce crémant se rapproche en terme de caractères à certains grands vins de l'appellation reine des mousseux. À l'œil, il dévoile une robe jaune paille dotée de bulles fines et abondantes. Son bouquet aromatique est marqué par des arômes de pomme verte, d'amande blanche fraîche et d'anis, sur un fond minéral. La bouche est vive, croquante, et la mousse est enveloppante. On assiste à une duplication des intonations perçues à l'olfaction. Bon rapport qualité-prix.

Acidité/corps: Vive • Moyennement corsé
Cépages: Chardonnay, pinot noir
Température: Entre 7 et 10 °C

Cuissons	Garniture	Type de plat	Arômes complémentaires
Vapeur Au four Poêlé	Fumet de poisson Aux fruits Au vin blanc	Nage de fruits de mer au safran	Épices douces Citron Safran

Cuvée de l'Écusson, Brut ★★

Producteur : Caves Bernard-Massard SA
Appellation : Moselle
Pays : Luxembourg

Millésime dégusté : Produit non millésimé
Code SAQ : 95158
Prix SAQ : 19,75 $

Le climat frais qui prévaut dans la Moselle luxembourgeoise est parfait pour la culture des cépages chardonnay et pinot noir qu'on utilise pour élaborer de grands mousseux. Plus près du style alsacien que champenois, ce mousseux exhibe une robe jaune paille bien nantie en bulles fines. Son bouquet fugace à l'ouverture s'est avéré plus bavard à l'aération. On y découvre des notes d'amande, sur des accents de pomme et de poire, ainsi que des nuances florales, surtout lorsque la température tourne autour de neuf ou dix degrés. Les intonations perçues au nez s'affirment dans une bouche fraîche, dotée d'une mousse assez crémeuse.

Acidité/corps : Fraîche • Léger
Cépages : Chardonnay, pinot blanc, riesling, pinot noir
Température : Entre 7 et 11 °C

Cuissons	Garniture	Type de plat	Arômes complémentaires
Cru Poêlé Au four	Fumet de poisson Aux fruits Nature	Pattes de crabe des neiges au beurre d'agrumes	Agrumes Amande Safran

Farnito, Spumante, Brut ★★½

Coup de ♥

Producteur : Casa Vincola Carpineto
Appellation : Spumante
Pays : Italie

Millésime dégusté : Produit non millésimé
Code SAQ : 11341855
Prix SAQ : 24,80 $

Ce vin original – pas seulement à cause de la forme de sa bouteille – provient de la Toscane, une région où l'on élabore très peu de vins mousseux, et reconnue davantage pour ses rouges. Carpineto présente ici un vin digne des plus grandes tables. Il arbore une teinte jaune dorée et est doté de bulles assez fines. Au nez, il étale un bouquet aromatique dominé par des notes typiques du chardonnay, soit le beurre frais, le bonbon anglais et le pain grillé, ainsi que des notes de fruits à chair blanche et un soupçon de fleurs. En bouche il est frais, onctueux, gras, croquant, avec une dominance de saveurs de pomme. Long et savoureux.

Acidité/corps : Fraîche • Moyennement corsé
Cépages : Chardonnay
Température : Entre 8 et 11 °C

Cuissons	Garniture	Type de plat	Arômes complémentaires
Au four Poêlé Grillé	Au beurre Fond de volaille À la crème	Suprême de volaille, sauce à la crème et aux champignons	Vanille Safran Persil

Prestige de Moingeon, Brut

★★

Producteur: Moingeon
Appellation: Crémant de Bourgogne
Pays: France
Millésime dégusté: Produit non millésimé
Code SAQ: 871277
Prix SAQ: 19,55$

Plus que jamais, ce fort joli crémant élaboré par une maison sérieuse tire bien ses ficelles pour rendre heureux les amateurs de bulles. Il nous en met plein les papilles, à un point tel, qu'on le croirait issu de la région reine des mousseux, la Champagne. Doté d'une robe jaune paille avec des reflets dorés, il affiche des bulles assez fines et abondantes. Son bouquet aromatique étale des nuances typiques du chardonnay, soit le pain grillé, la vanille, la pomme et la noisette. En bouche, la mousse est crémeuse à souhait avec un agréable côté croquant. Les saveurs de pomme dominent.

Acidité/corps: Fraîche • Léger +
Cépages: Chardonnay, pinot noir
Température: Entre 6 et 8 °C

Cuissons	Garniture	Type de plat	Arômes complémentaires
Bouilli Cru Poêlé	Aux agrumes Fumet de poisson Au beurre	Bagel au saumon fumé	Agrumes Safran Noisette

Cuvée de l'Écusson Brut, Rosé

Producteur: Caves Bernard-Massard SA
Appellation: Moselle
Pays: Luxembourg
Millésime dégusté: Produit non millésimé
Code SAQ: 11140674
Prix SAQ: 19,40$

Le vignoble est situé sur les rives de la Moselle. Le climat frais qui prévaut est parfait pour la culture des cépages chardonnay et pinot noir qu'on utilise pour élaborer de grands mousseux. Cette cuvée 100 % pinot noir produite par cette maison familiale est une très belle réussite. Le vin affiche une teinte pelure d'oignon, avec une mousse abondante et de fines bulles qui s'échappent des parois du verre. Au nez autant qu'en bouche, on perçoit des accents de fraise, de pomme et de fleurs. Doté d'une agréable fraîcheur, ce mousseux est bien sec et harmonieux. La mousse offre une texture crémeuse.

Acidité/corps: Fraîche • Léger +
Cépages: Pinot noir
Température: Entre 8 et 10 °C

Cuissons	Garniture	Type de plat	Arômes complémentaires
Mijoté Poêlé Grillé	Fumet de poisson Fond de volaille Beurre	Saumon grillé aux amandes	Griotte Herbes fines Amande

Ackerman, X Noir, Brut

★★

Producteur: Ackerman
Appellation: Vin de table
Pays: France

Millésime dégusté: Produit non millésimé
Code SAQ: 11315251
Prix SAQ: 18,90$

D'emblée, je dois avouer que j'ai eu le béguin pour ce mousseux quelque peu excentrique, mais tout à fait charmant. Il provient de Saumur, dans la vallée de la Loire, mais ne peut bénéficier de l'appellation puisqu'il déroge aux règles de celle-ci par son assemblage. Son emballage séduit, mais c'est grâce à son contenu qu'il se distingue. Il dévoile une robe couleur rose saumon et une mousse légère et fine. Au nez, il offre un bouquet expressif d'où émanent des notes de fraise et de baies des champs qui s'accompagnent de nuances florales et épicées. On aime son côté croquant au fruité assumé.

Acidité/corps: Fraîche • Léger
Cépages: Chenin noir
Température: Entre 8 et 10 °C

IMV: 70

Cuissons	Garniture	Type de plat	Arômes complémentaires
Cru Bouilli Au four	Aux fruits Fond de volaille Aux herbes	Saumon cuit à l'unilatérale, sauce à l'aneth	Laurier Herbes de Provence Baies des champs

Listel-Gris, Grain de Gris

★★

Producteur: Listel
Appellation: Vin de Pays des Sables du Lion
Pays: France
Millésime dégusté: Produit non millésimé
Code SAQ: 270272
Prix SAQ: 11,95$

Si son prix vous incite à l'acheter, ce sont ses qualités organoleptiques qui feront en sorte que vous y reviendrez. À l'accueil, il attire par sa robe pelure d'oignon. L'examen olfactif permet de déceler un bouquet aromatique d'où émanent des notes de groseille et de pêche côtoyant des nuances florales et de garrigue. Il dévoile ensuite un profil tendre, frais et délicat. Les saveurs déjà détectées au nez glissent gentiment sur la langue. Le milieu de bouche est très fruité alors qu'en finale ainsi qu'en rétro on décèle des accents de garrigue. L'amateur de rosé à la provençale, pas trop bonbon, y trouvera son compte.

Acidité/corps: Fraîche • Léger
Cépages: Grenache
Température: Entre 10 et 11 °C

IMV: 68

Cuissons	Garniture	Type de plat	Arômes complémentaires
Mijoté Cru Bouilli	Sauce rosée Fond de volaille Aux fruits	Saumon grillé, salsa de mangue	Herbes de Provence Poivre rose Vanille

Pétale de rose

★★

Producteur: Château la Tour de l'Éveque
Appellation: Côtes de Provence
Pays: France
Millésime dégusté: 2014
Code SAQ: 425496
Prix SAQ: 19,85$

Un vin indémodable que celui-là, issu de la viticulture biologique, élaboré avec des cépages rouges et blancs, à forte dominance de cinsault et de grenache noir. Arborant une teinte pelure d'oignon, il déploie avec légèreté des nuances de petites baies rouges, agrémentées d'effluves de pêche, sur un fond d'herbes de Provence. La bouche est fraîche, très sapide et désaltérante. C'est à pas feutrés qu'il divulgue ses saveurs sur la langue en imprimant des tons évoquant la cerise au marasquin, accompagnés de nuances de pêche. Des saveurs d'épices douces rejoignent les intonations fruitées alors que la finale propose des flaveurs de garrigue.

Acidité/corps: Fraîche • Léger +
Cépages: Cinsault, grenache, syrah, mourvèdre, cabernet sauvignon, ugni blanc, sémillon, rolle
Température: Entre 8 et 10 °C

Cuissons	Garniture	Type de plat	Arômes complémentaires
Bouilli Mijoté Cru	Sauce rosée Aux herbes Aux fruits	Tartare de saumon	Laurier Thym Cerise

Coste Delle Plaie, Rosé

★★★

Producteur: Podere Castorani
Appellation: Cerasuolo d'Abruzzo
Pays: Italie

Millésime dégusté: 2013
Code SAQ: 11904355
Prix SAQ: 21,50$

Ce rosé se démarque des autres par sa personnalité distincte et assumée, par son côté à la fois sapide et bien sec, ainsi que par le fait qu'il s'agisse d'un excellent vin de repas davantage qu'un vin d'apéro, contrairement à plusieurs rosés. À l'œil, il affiche une teinte pelure d'oignon. Il tend une gerbe assez aromatique qu'on s'empresse de saisir. Des accents de fraise et de cerise côtoient des nuances d'herbes fines. Fraîche, ronde, avec juste ce qu'il faut de structure, la bouche se laisse envahir par un fruité généreux. Aux intonations perçues à l'olfaction, s'ajoutent d'intrigantes flaveurs de sous-bois.

Acidité/corps: Fraîche • Léger +
Cépages: Montepulciano
Température: Entre 8 et 11 °C

IMV: 72

Cuissons	Garniture	Type de plat	Arômes complémentaires
Grillé Au four Mijoté	Fond de volaille Fumet de poisson Aux herbes	Bagel au saumon fumé et au fromage à la crème	Herbes de Provence Coriandre Anis

Le Pive, Gris

★★

Producteur: Maison Jeanjean SA
Appellation: Sable de Camargue IGP
Pays: France

Millésime dégusté: 2014
Code SAQ: 11372766
Prix SAQ: 15,95$

Jolie découverte que ce vin gris issu de l'agriculture biologique aux saveurs estivales qui sera à son aise autant sur une terrasse sous un parasol par une journée ensoleillée qu'à l'intérieur sur une table vêtue d'une nappe en dentelle. Visuellement, il affiche une teinte pelure d'oignon. Sous le nez, paradent joyeusement des notes de fraise et de framboise, embellies par des nuances de cantaloup, elles-mêmes accompagnées d'effluves de fruit de la passion. On retrouve ces saveurs de cocktail de fruits dans une bouche fraîche, pourvue d'une agréable acidité. Il offre une belle définition des arômes et une longueur en bouche surprenante.

Acidité/corps: Fraîche • Moyennement corsé
Cépages: Grenache gris, grenache noir, merlot, carignan
Température: Entre 8 et 10 °C

Cuissons	Garniture	Type de plat	Arômes complémentaires
Poêlé Mijoté Au four	Aux fruits Fond de volaille Aux herbes	Prosciutto et melon	Herbes de Provence Anis Cantaloup

Domaine du Vieil Aven ★★

Producteur : Les Vignerons de Tavel
Appellation : Tavel
Pays : France

Millésime dégusté : 2013
Code SAQ : 640193
Prix SAQ : 18,85 $

Ce rosé de repas fait partie de mes préférés depuis toujours. Élaboré dans une région qui ne produit que des rosés, celui-ci fait office de figure de proue puisqu'on y réunit la moitié des producteurs de l'appellation. Sa teinte assez foncée pour un rosé témoigne d'une macération longue, ce qui explique sa puissance aromatique et son côté joufflu en bouche. Au nez, des notes de fraise sauvage côtoient des accents de cerise et de melon. Ces saveurs s'étalent avec aplomb dans une bouche à la fois fraîche et dotée de tannins fins et bien présents. La finale épicée clôt une expérience qu'on espère répéter le plus souvent possible.

Acidité/corps : Fraîche • Moyennement corsé
Cépages : Grenache noir, mourvèdre, clairette, picpoul, bourboulenc, syrah, cinsault, carignan
Température : Entre 9 et 11 °C

Cuissons	Garniture	Type de plat	Arômes complémentaires
Grillé Poêlé Mijoté	Aux herbes Fumet de poisson Aux tomates	Darne de saumon grillée, aux épices barbecue	Herbes de Provence Tomate Laurier

Tavel, E. Guigal ★★★

Producteur : E. Guigal
Appellation : Tavel
Pays : France

Millésime dégusté : 2012
Code SAQ : 10919395
Prix SAQ : 26,90 $

Parmi les vins rosés dégustés cette année, celui-ci s'est démarqué par sa structure, son expression et sa complexité aromatique. Tavel est une appellation où l'on ne produit que des rosés. Il s'agit d'un des rares rosés de garde. Affichant une robe saumon, il déploie avec verve des accents de framboise et de fraise, sur des notes florales et épicées. La bouche est ample, ronde et fraîche. Les saveurs de fruits sont aisément identifiables et demeurent suspendues longtemps avant de s'estomper. Il s'agit d'un vin destiné à la gastronomie qui se mariera autant avec des poissons à chair rose que de la volaille grillée.

Acidité/corps : Fraîche • Moyennement corsé
Cépages : Grenache, cinsault, clairette, syrah
Température : Entre 11 et 13 °C

Cuissons	Garniture	Type de plat	Arômes complémentaires
Mijoté Poêlé Au four	Sauce rosée Aux herbes Fond de veau	Darne de saumon grillée, au poivre rose	Poivre Herbes de Provence Tomate

Nivole ★★★

roducteur: Michele Chiarlo SRL
Appellation: Moscato d'Asti
Pays: Italie

Millésime dégusté: 2014
Code SAQ: 11791848
Prix SAQ: 19,50$

Ce vin n'aura pas besoin d'un GPS pour trouver le chemin qui le mènera à votre cœur. Il s'agit d'un vin qui se partage à deux, à l'heure de l'apéritif, les yeux dans les yeux et la main dans la main. Il est doté d'une robe jaune paille avec des bulles fines et délicates. Son bouquet aromatique à souhait dévoile des accents de pêche, saupoudrés d'effluves floraux, agrémentés par des notes d'agrumes et de gingembre. La mousse est crémeuse, légère, suave et suffisamment présente en bouche pour satisfaire les amateurs de vins effervescents. Doux, rehaussé par une agréable acidité. On revisite les accents perçus au nez.

Acidité/corps: Douce • Léger
Cépages: Muscat
Température: Entre 6 et 8 °C

IMV: 100

Cuissons	Garniture	Type de plat	Arômes complémentaires
Cru Au four Poêlé	Aux fruits Nature Au fromage	Tarte aux pêches	Gingembre Pêche Thym

Pineau des Charentes, Le Coq d'Or ★★

Producteur: Hardy Cognac SA
Appellation: Pineau des Charentes
Pays: France

Millésime dégusté: Produit non millésimé
Code SAQ: 24208
Prix SAQ: 16,25$

Ce Pineau des Charentes est le moins cher de sa catégorie offert à la société d'État, mais cela ne fait pas de lui un produit bas de gamme, bien au contraire. On peut l'employer à plusieurs sauces, autant dans les recettes de cuisine ou en apéritif, ce pour quoi il a sa raison d'être. Visuellement, il affiche une robe ambrée. Au nez, un bouquet expressif dévoile des accents de feuilles de tilleul, sur des accents d'abricot, d'épices douces et de noix. On retrouve ces notes dans une bouche à la fois douce, fraîche et onctueuse. La finale nous laisse sur des intonations de raisin frais.

Acidité/corps: Douce • Moyennement corsé
Cépages: Ugni blanc, colombard, folle blanche
Température: Entre 6 et 9 °C

Cuissons	Garniture	Type de plat	Arômes complémentaires
Mijoté Au four Cru	Aux fruits Au beurre Nature	Prosciutto et melon	Coriandre Agrumes Safran

Sauternes, Baronne Pauline ★★

Producteur: Baron Philippe de Rothschild
Appellation: Sauternes
Pays: France

Millésime dégusté: 2010
Code SAQ: 10791192
Prix SAQ: 30,50$

Le sauternes le moins cher du marché n'est pas nécessairement le moins intéressant. C'est un sauternes après tout, il faut donc s'attendre à se délecter et c'est justement ce qui se passe avec ce vin qui fait davantage dans la sobriété que dans l'explosion de fruits. Sous une robe jaune dorée, il étale avec puissance modérée des notes d'abricot, sur une base florale enrobée de miel. La bouche est onctueuse, pas trop sucrée, dotée d'une agréable fraîcheur. Je l'aurais aimé plus croquante toutefois. Les saveurs d'abricot dominent. Elles demeurent en suspension un long moment avant de disparaître en fondant sur la langue.

Acidité/corps: Douce • Léger +
Cépages: Sémillon, sauvignon blanc
Température: Entre 6 et 9 °C

IMV: 102

Cuissons	Garniture	Type de plat	Arômes complémentaires
Cru Poêlé Au four	Aux fruits Nature Au miel	Gâteau au fromage	Abricot Miel Épices douces

Viognier/Sauvignon Blanc, Late Harvest, Luis Felipe Edwards ★½

Producteur: Viña Luis Felipe Edwards
Appellation: Valle de Colchagua
Pays: Chili

Millésime dégusté: 2013
Code SAQ: 11904460
Prix SAQ: 13,10$

Ce vin de dessert, offert en format de 375 ml, est une véritable aubaine quand on le compare à ses congénères. On salive dès que les yeux se posent sur sa robe jaune doré tirant sur l'ambré. Dès les premiers effluves, il provoque une sensation qui va jusqu'à faire plier les genoux. Des notes bien appuyées de fruits tropicaux et d'abricot cohabitent avec des accents de feuille de thé et de raisins de Corinthe. En bouche, il est très doux et d'une texture sirupeuse. Aux accents perçus à l'olfaction se greffent des saveurs de miel et de caramel, rendant toute résistance futile.

Acidité/corps: Douce • Moyennement corsé
Cépages: Viognier, sauvignon blanc
Température: Entre 6 et 9 °C

Cuissons	Garniture	Type de plat	Arômes complémentaires
Au four Cru Poêlé	Aux fruits Au miel Nature	Poire caramélisée au miel	Épices douces Miel Beurre

Muscat des Papes

★★

Producteur : Vignerons de Beaumes de Venise
Appellation : Muscat de Beaumes de Venise
Pays : France
Millésime dégusté : Produit non millésimé
Code SAQ : 93237
Prix SAQ : 21,95 $

Un vin doux naturel est un vin muté à l'alcool au moment de la fermentation. Celle-ci étant interrompue, on conserve le sucre. Il en résulte un vin très fruité, moins complexe qu'une vendange tardive ou qu'un vin de glace, mais résolument bon. Celui-ci a ses racines au pied du massif des Dentelles de Montmirail, à environ 50 kilomètres du Palais des Papes, siège de la chrétienté au XIVe siècle. Au nez autant qu'en bouche, on perçoit une explosion de fruits tropicaux. Aux nuances de pêche, de litchi et de mangue s'ajoutent des notes de miel et de fleurs blanches. La bouche est douce, avec un charmant côté croquant.

Acidité/corps : Douce • Moyennement corsé
Cépages : Muscat à petits grains
Température : Entre 6 et 9 °C

Cuissons	Garniture	Type de plat	Arômes complémentaires
Cru Poêlé Au four	Aux fruits Nature Au miel	Foie gras poêlé, à la confiture d'abricot	Miel Gingembre Cannelle

Château de Beaulon, 5 ans

Producteur : Château de Beaulon
Appellation : Pineau des Charentes
Pays : France
Millésime dégusté : Produit non millésimé
Code SAQ : 66043
Prix SAQ : 20,25 $

Château de Beaulon confectionne des pineaux des Charentes de grande qualité. Il est situé pas très loin de Bordeaux, dans la partie sud de la région de Cognac. Ce pineau a séjourné 5 ans en fût de chêne, suffisamment pour avoir développé de la complexité tout en conservant son fruit et sa fraîcheur. D'une teinte ambrée, il offre un bouquet très aromatique, dominé par des notes de pomme compotée, assorties à des nuances d'épices douces, rehaussées par des effluves de miel et de vanille. Douce, suave, supportée par une agréable acidité, la bouche révèle des notes d'agrumes et d'abricot, suivies par des flaveurs de raisins secs.

Acidité/corps : Douce • Assez corsé
Cépages : Sémillon, sauvignon blanc
Température : Entre 7 et 10 °C

Cuissons	Garniture	Type de plat	Arômes complémentaires
Poêlé Au four Cru	Aux fruits Au miel Aux épices douces	Foie gras poêlé, compote de pommes et raisins de Corinthe	Cannelle Pomme Miel

Cabral, Branco Fino, Porto Blanc ★★

Producteur : Vallegre Vinhos do Porto
Appellation : Porto
Pays : Portugal

Millésime dégusté : Produit non millésimé
Code SAQ : 10270733
Prix SAQ : 14,65 $

La popularité du porto blanc n'atteindra jamais celle du porto rouge, pourtant, il est loin d'être une pâle copie de ce dernier. L'un des avantages du porto blanc est sans doute sa versatilité, car il peut être bu nature, sur glaçons ou en cocktail, arrosé de tonic et d'un peu de jus de lime, entre autres. Celui-ci revêt une robe jaune dorée légèrement ambrée. Au nez, il dévoile un bouquet aromatique dominé par des parfums de pomme compotée, de raisin séché et de noix rancies. La bouche est ample, goûteuse et pas trop sucrée. Les nuances détectées à l'olfaction reviennent charmer le palais pour notre plus grand plaisir.

Acidité/corps : Douce • Corsé
Cépages : Malvasia fina, rabigato, viosinho, donselinho
Température : Entre 8 et 11 °C

Cuissons	Garniture	Type de plat	Arômes complémentaires
Au four Poêlé Nature	Aux fruits Au bleu Aux noix	Tarte aux pommes et au cheddar	Écorce d'agrumes Noix Vanille

Coup de ♥

Union Libre, Cidre de Feu ★★★

Producteur : Union Libre
Appellation : Québec
Pays : Canada

Millésime dégusté : Produit non millésimé
Code SAQ : 12118559
Prix SAQ : 24,65 $

Pour produire ce cidre de feu, on emploie un procédé semblable à celui qu'on utilise pour transformer l'eau d'érable en sirop. Avec ses produits haut de gamme, cette entreprise de chez nous a quelque peu bousculé la hiérarchie en ce qui concerne les vins de desserts. Paré d'une robe ambrée assez profonde, ce cidre offre au nez un bouquet très expressif d'où émanent des accents d'abricot, sur des nuances de caramel et d'écorces d'orange. La bouche est ample, dotée d'une texture onctueuse et très goûteuse. Il est un peu moins sucré qu'un cidre de glace, avec une agréable acidité tranchante. Très belle réussite.

Acidité/corps : Douce • Assez corsé
Cépages : Pomme
Température : Entre 6 et 8 °C

IMV: 105

Cuissons	Garniture	Type de plat	Arômes complémentaires
Cru Au four Poêlé	Aux fruits À l'érable Au miel	Tarte à l'abricot	Fruits tropicaux Érable Épices douces

Château de Beaulon, Vieille Réserve Ruby 10 ans

Producteur : Château de Beaulon
Appellation : Pineau des Charentes
Pays : France

Millésime dégusté : Produit non millésimé
Code SAQ : 93245
Prix SAQ : 30,75 $

Ce Pineau des Charentes en est un d'exception. Élaboré à base de cépages nobles normalement vinifiés en sec, il allie la finesse notoire de ces trois grands cépages et la suavité légendaire du pineau. À l'œil, il affiche une belle couleur rubis, claire et limpide, avec des reflets tuilés. À l'olfaction, il déploie un bouquet aromatique nuancé et complexe, d'où émanent des accents de cacao, agrémentés de nuances de raisins secs, sur des notes de prune et d'épices douces, telles que la cannelle. La bouche est goûteuse, suave et douce, pas trop sucrée, et fidèle aux intonations perçues à l'olfaction.

Tannins/corps : Souples • Moyennement corsé
Cépages : Cabernet sauvignon, cabernet franc, merlot
Température : Entre 11 et 13 °C

Cuissons	Garniture	Type de plat	Arômes complémentaires
Au four Poêlé Grillé	Aux fruits Aux épices douces Au chocolat	Foie gras poêlé aux pommes et au vin rouge	Épices douces Chocolat Fruits confits

Cabral, Colheita

Producteur : Vallegre Vinhos do Porto SA
Appellation : Porto
Pays : Portugal

Millésime dégusté : 2000
Code SAQ : 11790870
Prix SAQ : 15,55 $

Vendu uniquement en format 375 ml à la SAQ, ce porto issu d'un millésime d'exception dévoile une robe de couleur rouge cerise légèrement tuilée. Son bouquet, aussi expressif que nuancé, comprend entre autres des arômes de rancio, des notes de fruits rouges et noirs confits, rehaussées par des accents d'épices douces. On revisite les intonations identifiées à l'olfaction dans une bouche suave, dotée d'une trame tannique bien en chair. Son agréable acidité favorise la perception des nuances fruitées. Le caramel, la cerise et les tonalités rappelant les épices douces, clôturent une longue et savoureuse finale.

Tannins/corps : Charnus • Moyennement corsé
Cépages : Touriga nacional, touriga francesa, tinta barroca, tinta roriz
Température : Entre 16 et 18 °C

Cuissons	Garniture	Type de plat	Arômes complémentaires
Au four Poêlé Cru	Aux fruits Chocolat Caramel	Gâteau au chocolat et au caramel	Épices douces Cacao Caramel

Porto Rei, Tawny ★★

Producteur : Sogrape Vinhos SA
Appellation : Porto
Pays : Portugal
Millésime dégusté : Produit non millésimé
Code SAQ : 157438
Prix SAQ : 15,70$

Ce porto représente une agréable entrée en la matière pour tout amateur de douceurs. Très versatile, il sera à son aise autant à l'apéritif qu'au digestif, ou au dessert. Doté d'une robe à la teinte orangée plutôt foncée, il démontre beaucoup d'expression du point de vue olfactif. Des accents de fruits confits et d'écorce d'orange précèdent des nuances d'épices et de cacao. En bouche, il se fait suave et séduisant. Il diffuse en douce ses saveurs de fruits qui gavent le palais de saveurs d'épices et de cacao, tapissant les papilles de nuances de fruits confits. Servir légèrement rafraîchi à l'apéro ou chambré au dessert.

Tannins/corps : Charnus • Moyennement corsé
Cépages : Tinta roriz, touriga francesca, tinta barroca, touriga nacional, tinta amarela et tinto cao
Température : Entre 14 et 17 °C

IMV: 106

Cuissons	Garniture	Type de plat	Arômes complémentaires
Cru Au four Poêlé	Aux fruits Au chocolat Nature	Mousse au chocolat noir	Cacao Caramel Épices douces

Warre's, Otima, Tawny 10 ans ★★½

Producteur : Warre & Ca. SA
Appellation : Porto
Pays : Portugal
Millésime dégusté : Produit non millésimé
Code SAQ : 11869457
Prix SAQ : 25,95$
Code LCBO : 566174
Prix LCBO : 21,95$

Ce porto est offert en format de 500 ml, dans une bouteille de verre transparent de forme allongée, rompant avec la traditionnelle bouteille opaque. Cela lui donne un air résolument bon chic, bon genre, et c'est justement ce qu'il est. À l'œil, il affiche une robe tuilée assez claire. Au nez, il étale un bouquet explosif, dominé par des notes bien appuyées d'épices et d'écorces d'agrumes confites, sur des accents de figue et d'abricot, déposés sur des intonations de bois torréfié. La bouche possède beaucoup d'amplitude, pourvue d'une bonne acidité qui tranche avec la douceur du produit. On revisite avec bonheur les accents perçus à l'olfaction.

Tannins/corps : Charnus • Corsé
Cépages : Touriga nacional, touriga franca, tinta barroca
Température : Entre 13 et 14 °C

IMV: 106

Cuissons	Garniture	Type de plat	Arômes complémentaires
Au four Poêlé Cru	Aux fruits Au chocolat Nature	Sachertorte	Cacao Agrumes Cannelle

Noval, Black

★★½

Producteur: Quinta do Noval Vinhos SA
Appellation: Porto
Pays: Portugal
Millésime dégusté: Produit non millésimé

Code SAQ: 11557576
Prix SAQ: 26,80$
Code LCBO: 235689
Prix LCBO: 24,95$

Voici un porto de style différent, de par son élaboration et sa technique de vinification. La moitié de la récolte est foulée au pied et fermentée dans des lagares traditionnels. L'autre moitié est vinifiée en cuve d'inox, comme un vin normal, puis muté. Il en résulte un vin possédant une forte personnalité, mais un peu plus léger qu'un LBV. Il dévoile une robe rubis assez foncée. Au nez, les épices dominent et les notes de fruits, telles que les baies rouges et les écorces d'orange, suivent et s'enrobent d'intonations de bois torréfié. La bouche est sapide, dotée de tannins bien présents, très ample, avec une belle définition des arômes fruités.

Tannins/corps: Charnus • Assez corsé
Cépages: Touriga nacional, touriga franca, tinta roriz, tinto cão
Température: Entre 14 et 18 °C

IMV: 106

Cuissons	Garniture	Type de plat	Arômes complémentaires
Mijoté Cru Poêlé	Aux fruits Au chocolat Aux herbes	Fondant au chocolat	Chocolat Cerise Réglisse

Cálem, Tawny 10 ans

Coup de ♥

★★★

Producteur: A. A. Cálem & Filho SA
Appellation: Porto
Pays: Portugal
Millésime dégusté: Produit non millésimé
Code SAQ: 12138921
Prix SAQ: 32,25$

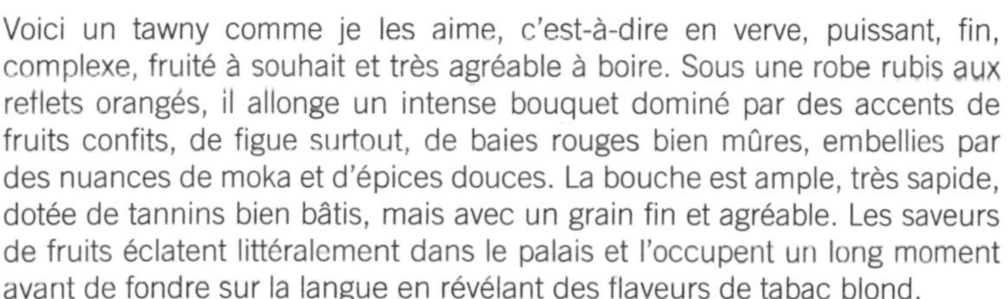

Voici un tawny comme je les aime, c'est-à-dire en verve, puissant, fin, complexe, fruité à souhait et très agréable à boire. Sous une robe rubis aux reflets orangés, il allonge un intense bouquet dominé par des accents de fruits confits, de figue surtout, de baies rouges bien mûres, embellies par des nuances de moka et d'épices douces. La bouche est ample, très sapide, dotée de tannins bien bâtis, mais avec un grain fin et agréable. Les saveurs de fruits éclatent littéralement dans le palais et l'occupent un long moment avant de fondre sur la langue en révélant des flaveurs de tabac blond.

Tannins/corps: Charnus • Assez corsé
Cépages: Touriga nacional
Température: Entre 16 et 18 °C

IMV: 106

Cuissons	Garniture	Type de plat	Arômes complémentaires
Au four Poêlé Cru	Aux fruits Au chocolat Nature	Tarte aux figues séchées	Cacao Framboise Cannelle

Coup de ♥

Offley, Bãrao de Forrester, Tawny 10 ans

★★★

Producteur : Sogrape Vinhos SA
Appellation : Porto
Pays : Portugal

Millésime dégusté : Produit non millésimé
Code SAQ : 260091
Prix SAQ : 29,95 $

D'emblée, sa jolie robe rouge-orangé assez profonde est annonciatrice de l'agréable expérience sensorielle qui suivra. Dès qu'on hume les premières vapeurs de ce premier de classe, on sait qu'on a affaire à un vin complexe, profond, riche et nuancé. C'est avec une certaine émotion qu'on fait connaissance avec ses effluves de fruits confits, de vanille, de raisin de Corinthe et de bois. Il chatouille le nez avec ses notes d'épices douces. La bouche s'avère d'une sapidité exemplaire, ronde, avec une trame tannique bien constituée. Les accents perçus à l'olfaction se confirment dans une bouche riche, chaude et dotée d'une bonne longueur.

Tannins/corps : Charnus • Assez corsé
Cépages : Tinta roriz, touriga francesca, tinta barroca, touriga nacional, tinta amarela et tinto cao
Température : Entre 15 et 16 °C

Cuissons	Garniture	Type de plat	Arômes complémentaires
Cru Poêlé Au four	Au chocolat Aux épices douces Au porto	Foie gras aux raisins de Corinthe	Épices douces Cacao Cerise

Cabral, Tawny 10 ans

Producteur : Vellegre Vinhos do Porto
Appellation : Porto
Pays : Portugal

Millésime dégusté : Produit non millésimé
Code SAQ : 10270741
Prix SAQ : 28,55 $

Tout est là, dans ce tawny, pour plaire à l'amateur de porto le plus exigeant. Affichant une couleur tuilée, il offre un bouquet expressif à souhait, dominé par des nuances de fruits confits, d'écorce d'orange, de caramel et d'épices douces, et des notes bien appuyées de bois. La bouche est suave, ronde, douce et très goûteuse, avec une structure tannique bien bâtie. Les saveurs de fruits secs occupent le haut du pavé alors qu'elles sont rejointes par des intonations rappelant le cacao, les épices et le raisin de Corinthe. La finale, qui s'étire sur plusieurs caudalies, révèle des accents d'orange amère.

Tannins/corps : Charnus • Corsé
Cépages : Touriga nacional, touriga franca, tinta roriz, tinta câo
Température : Entre 15 et 16 °C

Cuissons	Garniture	Type de plat	Arômes complémentaires
Poêlé Au four Cru	Au porto Aux fruits Caramel	Foie gras poêlé aux raisins de Corinthe	Cacao Écorce d'orange Épices douces

Cruz, Spécial Reserve

★★½

Producteur : Gran Cruz Porto
Appellation : Porto
Pays : Portugal

Millésime dégusté : Produit non millésimé
Code SAQ : 10331778
Prix SAQ : 16,95 $

Ce ruby vendu à prix modique n'est peut-être pas le genre de produit qu'on sert quand on reçoit de la grande visite, comme on dit chez nous, mais il en réjouira plus d'un. Affichant une robe tuilée, il offre un bouquet très aromatique, voire explosif. Des notes bien appuyées de bois, de fruits confits, d'écorce d'oranges et d'épices s'expriment sans retenue. La bouche est charnue, avec des tannins bien en chair mais qui affichent un agréable côté soyeux apporté par la douceur naturelle de ce vin muté. Le palais se réglale des intonations détectées au nez. Ce porto possède une agréable fraîcheur.

Tannins/corps : Charnus • Corsé
Cépages : Tinta barroca, tinta roriz, tinta cao, touriga francesa
Température : Entre 16 et 18 °C

IMV: 112

Cuissons	Garniture	Type de plat	Arômes complémentaires
Poêlé Au four Cru	Aux fruits Au porto Au chocolat	Tarte aux noix et au sirop d'érable	Épices douces Fruits confits Cacao

L'indice mets et vins (IMV)

L'indice mets et vins est la somme de tous les ingrédients faisant partie d'une recette. Cette façon de faire vous rapprochera de l'accord idéal. Elle paraît compliquée de prime abord, mais il ne vous suffira que de faire l'exercice à quelques reprises pour la maîtriser parfaitement. Vous pouvez aussi employer la méthode simplifiée en repérant votre ingrédient de base et multiplier son nombre par 1,75, mais cette façon de faire donne des résultats moins précis puisque l'ingrédient de base n'est qu'une pièce du casse-tête. Dans les pages qui suivent, vous trouverez donc trois différentes catégories : les ingrédients de base, les modes de cuisson et la garniture (la sauce ou les accompagnements). Les assembler ne sera qu'un jeu d'enfant. Voici un petit rappel de la marche à suivre pour obtenir un IMV :

1. Repérez l'ingrédient de base de votre recette et retenez le nombre qui lui correspond (exemple : côtelettes d'agneau : 53).

2. Repérez le mode de cuisson et retenez le nombre qui lui correspond (exemple : grillé : 13).

3. Repérez ensuite la garniture (sauce ou accompagnements) qui compose votre recette et retenez le nombre qui lui correspond (exemple : fond de veau : 26).Si vous avez plusieurs sauces ou accompagnements, vous pouvez choisir l'élément qui prédomine ou encore additionner tous les éléments et faire la moyenne de ceux-ci.

4. La somme des valeurs correspondant à l'ingrédient de base, au mode de cuisson et à la garniture (sauce ou accompagnements) correspond à l'indice mets et vins (IMV) de votre recette.

Côtelettes d'agneau (agneau avec os) **= 53**

Grillé **= 13**

Fond de veau **= 26**

53 + 13 + 26 = 92 = IMV

5. Maintenant que vous avez l'IMV de votre recette, repérez les vins ayant un IMV équivalent ou se situant cinq points plus haut ou cinq points plus bas, dans la catégorie de prix qui vous intéresse. Dans l'exemple ci-dessus, tous les vins se situant entre 87 et 97 représentent des choix potentiels. Plus l'IMV du mets s'approche de celui du vin, plus le vin devrait être en accord avec votre plat.

Autre exemple :

Filet de saumon, poché, fumet de poisson à l'oseille

Saumon (poissons à chair rose) **= 35**

Poché **= 8**

Fumet de poisson à l'oseille **= 22**

35 + 8 + 22 = 65 = IMV

Les ingrédients de base

Par souci de rendre la technique plus accessible, la liste des produits de base a été abrégée. De cette manière, vous pouvez repérer plus rapidement les ingrédients.

Il est important de comprendre que le produit de base représente l'ingrédient prédominant de votre recette, à savoir une pièce de viande, un poisson, un fruit de mer ou tout autre élément principal. Si vous avez un feuilleté de champignons sautés, sauce à la crème, le produit de base dans ce cas-ci est le champignon. Si vous avez un feuilleté de ris de veau poêlé à la sauce crème et champignons, le produit de base est le ris de veau.

Dans le cas où vous avez plus d'un ingrédient de base, il vous suffit d'additionner la valeur de chacun des produits de base et de diviser la somme par le nombre d'ingrédients. Dans l'exemple suivant : une fricassée de bœuf, porc et veau, l'indice sera 49 (50,5 + 47 + 49,5 = 146 ÷ 3 = 49). Cet indice s'additionnera au mode de cuisson et à la garniture (sauce ou accompagnements).

Bien que ma liste soit assez exhaustive, les produits vendus sur le marché ne s'y retrouvent pas tous. Par conséquent, si vous ne trouvez pas votre produit parmi ceux énumérés dans ce répertoire, je vous invite à choisir celui que vous croyez être similaire. Notez que certains produits ont bénéficié d'un lien direct; c'est le cas entre autres des huîtres nature ou encore du saumon fumé.

Note

Plusieurs produits de base de cette liste peuvent être employés comme accompagnement. Plusieurs d'entre eux ont fait l'objet d'une cotation dans cette catégorie, mais dans l'éventualité où l'un des produits que vous employez ne s'y trouve pas, vous n'avez qu'à multiplier l'IMV de votre item situé dans cette liste par 0.66 et arrondir le nombre.

Par exemple, si vous avez un filet de sole, poêlé, garni de crevettes, les crevettes deviennent votre accompagnement. Ainsi, la valeur de l'IMV de la crevette en tant qu'accompagnement sera de 22 après que le résultat ait été arrondi (33 x 0,66 = 21,78). Donc, dans cet exemple, l'IMV de la recette est 65 (31 + 12 + 22 = 65).

Servez-vous de cette formule de calcul pour obtenir votre IMV :

Ingrédient de base : __________

+

Mode de cuisson : __________

+

Garniture : __________

(Sauce ou accompagnements)

= IMV

Servez-vous du tableau ci-dessous afin de vérifier si le vin est en accord avec votre plat.

9 et moins	De – 6 à - 8	De -3 à -5	De -2 à +2	De +3 à +5	De + 6 à + 8	9 et plus
Hors d'équilibre	À éviter	Très bon	Excellent	Très bon	À éviter	Hors d'équilibre

Les viandes

À propos des viandes rouges, les valeurs suivantes ont toutes été attribuées en partant du principe que la cuisson est mi-saignante, saignante ou bleue. Toute viande rouge, si elle est cuite au-delà de mi-saignant, nécessitera un vin moins tannique que si elle est cuite saignante. Par conséquent, étant donné que la structure tannique est un critère important de la méthode que je propose, il vous faudra retrancher un point pour semi-cuit et deux points pour bien cuit.

Gros gibiers à poil

Bison : 50,5
Biche : 53
Caribou : 54
Cerf (chevreuil) :....................... 51
Renne : 50,5
Wapiti : 52

Petits gibiers à poil

Lapin :..................................... 37
Lièvre : 49
Sanglier :............................... 49,5

Gibiers à plumes

Autruche : 50
Bécasse : 38
Bernache : 50
Caille :.................................... 36
Canard (entier) : 50
Canard (confit) : 50
Canard (magret) : 52
Faisant : 38
Oie : 50
Oie (magret) : 52
Oie (confit) : 50
Pintade : 38

Oiseaux et volailles de basse-cour

Dinde, dindon : 41
Dinde, dindon (cuisse) :............ 41
Dinde, dindon (poitrine) :....... 38,5
Poulet (entier) :......................... 39
Poulet (cuisse) :........................ 39
Poulet (poitrine) :.................. 35,5
Poulet de Cornouaille :........... 35,5

Œufs

Œuf de caille :.......................... 32
Œuf de canard : 34
Œuf de poule : 33

Viandes rouges

Agneau (carré) : 51,5
Agneau (côte, côtelettes) : 53
Agneau (gigot, souris) : 52,5
Agneau (longe, filet) :............... 52
Bœuf avec os : 52
Bœuf sans os : 50
Autres viandes rouges (chèvre, chevreau, kangourou, loup marin) avec os : 52
Autres viandes rouges (chèvre, chevreau, kangourou, loup marin) sans os : 51
Porc avec os :.......................... 48
Porc sans os :.......................... 45
Porc, jambon :.......................... 43
Veau de lait avec os :............... 49
Veau de lait sans os :............... 47
Veau, escalope : 46
Veau de grain avec os :............ 50
Veau de grain sans os :............ 49

Les mollusques et crustacés

Crustacés (homard, crevette, écrevisse, gambas, crabe, etc.) :...33
Crevettes nordiques :.................31
Coquillages (moule, escargot, huître, palourde, pétoncle, etc.) : 29
Calmar, pieuvre : 32

Les poissons et produits de la mer

Poisson à chair blanche: 33
Poisson à chair rose: 35
Poisson à chair rouge: 40

Les abats

Cervelle: 39
Cœur: 46
Foie: 48
Foie gras de canard ou d'oie: ... 70
Gésier: 43
Langue: 42
Ris: 42
Rognon: 47

Les produits tripiers et salaisons

Dans le cas des charcuteries, saucissons secs et certains autres produits tripiers, si vous les consommez seuls ou accompagnés de pain, vous n'avez qu'à utiliser la formule simplifiée c'est-à-dire de multiplier l'IMV par 1,75. Vous obtiendrez ainsi un lien direct avec les vins proposés.

Exemple: Jésus de Lyon: 44 x 1,75 = 77

Charcuteries

Jambon:
Jambon cru (jambon sec): 43
Jambon cuit ou jambon blanc: 43
Jambon sec et saucisson: Bayonne, prosciutto et autres: ... 44
Charcuteries fines et cochonnailles: 42
Saucisson sec (Salami, Jésus de Lyon, etc.): 43

Saucisses:
Saucisses très douces: 40
Saucisses douces: 42
Saucisses moyennes: 43
Saucisses fortes: 45
Saucisses très fortes: 49

Pâtes alimentaires

Dans le cas des pâtes alimentaires, sauf pour celles qui sont farcies, il suffit de prendre l'IMV correspondant à votre sauce et de multiplier ce nombre par 3,2. Vous obtiendrez ainsi votre lien direct avec les vins.

Exemple: Fettuccinis à la sauce tomate et pesto: 27 x 3,2 = 86,4

Dans le cas d'une pâte farcie, pour obtenir l'IMV, vous devez procéder comme à l'habitude, c'est-à-dire: votre ingrédient de base + votre sauce + votre mode de cuisson.

Exemple : Cannellonis farcis au homard, cuits au four, sauce à la crème : 33 + 12 + 22 = 67

Couscous : .... sauce x 3,2
Gnocchi : .... sauce x 3,2
Pâtes (toutes sortes confondues) : .... sauce x 3,2
Pâtes farcies :
Agneau : 52
Bœuf : 50
Canard, oie : 51
Fromage doux (ricotta, mozzarella) : 38
Fromage moyen (gruyère, tomme) : 41
Fromage fort (bleu, parmesan) : 45
Gibier à plumes : 43
Fruits de mer : 33
Poissons à chair blanche : 31
Poissons à chair rose : 33
Porc : 43
Viandes rouges et gibier à poil : 51
Volaille : 41
Veau : 48
Légumes verts corsés (épinard, cresson) : 40
Légumes verts légers (pois, courge) : 38
Légumes verts moyens (poivron, asperge) : 40

Les légumes

Ces IMV ne sont valables que s'il s'agit de l'ingrédient principal de la recette.

Exemple : feuilleté de bolets poêlés au vin blanc et à la crème, 35 + 12 + 22 = 69

S'il s'agit d'un accompagnement ou encore de l'ingrédient dominant d'une sauce, vous pouvez prendre l'indice de l'ingrédient et le multiplier par 0,75. L'IMV obtenu devient votre garniture que vous additionnerez à votre ingrédient principal et à votre mode de cuisson.

Exemple : Entrecôte de bœuf poêlée aux cèpes : 50 + 12 + 26,25 = 88,25

Tous les vins ayant un IMV entre 83,25 et 93,75 seront en accord avec votre mets.

Artichaut : 34
Asperge : 33
Aubergine : 30
Champignons :
Champignons légers (bolet, cèpe, de Paris) : 35
Champignons moyens

Les céréales

Autres

Les fruits

Sauf exception, les fruits sont employés en tant qu'ingrédient principal dans les desserts et les cotations que vous trouverez ici ont été considérées comme telles. S'il s'agit d'un ingrédient d'accompagnement, veuillez vous référer à la section appropriée à l'intérieur de laquelle vous trouverez également une section fruits.

À noter que la tomate et l'avocat, qui sont des fruits et non des légumes, ont été classés parmi les légumes, car ils sont employés comme tel dans la plupart des recettes.

Les modes de cuisson

Chaque mode de cuisson apporte une dimension différente à un plat, c'est pourquoi il est primordial d'en tenir compte. Par exemple, une cuisson à l'étuvée (vapeur) ne donne presque pas de goût aux aliments. À l'opposée, une cuisson directe sur le barbecue apporte des goûts de fumée et de caramélisation, deux éléments importants à considérer dans le choix du vin. J'ai inclus dans cette catégorie les différents modes de cuisson courante ainsi que quelques modes de préparation (exemple : en aspic (en gelée)).

Les garnitures (sauces et accompagnements)

Dans le cas où vous auriez deux ou plusieurs types de garnitures, sauces ou accompagnements, vous pouvez choisir l'élément qui est le plus en évidence ou encore vous pouvez les additionner pour ensuite les diviser par le nombre d'ingrédients et en faire la moyenne. Mais il est préférable de choisir la première option puisque c'est cet élément qui est à l'avant-plan.

Dans le cas d'un accompagnement autre que ceux énumérés dans la liste qui suit, et dans l'éventualité où cet ingrédient se retrouve dans la liste des produits de base, vous pouvez prendre son IMV et le multiplier par 0,66 puis l'arrondir à la décimale près.

Exemple : poireau :
32 x 0,66 = 20,46

L'IMV pour le poireau en accompagnement sera de 20,5.

NB : Le répertoire de la cuisine est si vaste qu'il est à peu près impossible de faire toute la nomenclature des ingrédients et des sauces, c'est pourquoi à la fin de la plupart des sous-catégories, vous trouverez des indices complémentaires faisant la synthèse de la sous-catégorie en question.

Les beurres composés ou nature

Beurre composé aux agrumes : 17
Beurre composé à l'ail : 21
Beurre composé au bleu : 24
Beurre composé au vin blanc : 21
Beurre composé au vin rouge : 24
Beurre nature : 21
Autres beurres composés : 22

Les courts-bouillons

Court-bouillon végétarien : 23
Court-bouillon de viande : 25
Court-bouillon de poisson : 22
Court-bouillon de fruits de mer : 23
Autres courts-bouillons : 23

Les fruits en accompagnement

Agrumes : 19
Ananas : 20
Baies rouges (canneberge, cerise, fraise, framboise) : 26
Baies noires (cerise noire, bleuet, mûre) : 27
Fruits à chair blanche (pomme, poire) : 21
Fruits à chair jaune ou orangée (abricot, banane, mangue, pêche) : 21
Fruits à noyau (date, figue, prune) : 26
Fruits exotiques (goyave, passion, kiwi, litchi, papaye) : ... 22

Melons (cantaloup, citrouille, melon de miel) : 21
Noix de coco : 21
Raisins :
Blanc : 20
Corinthe : 23
Rouge : 23
Rhubarbe : 76

Sauces émulsionnées à chaud

Béarnaise : 23
Choron (béarnaise + tomate) : 23
Sauce maltaise (hollandaise + orange) : 19
Hollandaise : 20
Gastrique : 21
Toute autre sauce émulsionnée à chaud : 22

Sauces émulsionnées à froid

Aïoli : 21
Andalouse (mayonnaise + tomates) : 22
César : 21

Dijonnaise (sauce moutarde) : 19
Gribiche : 18
Mayonnaise (maison) : 18
Mayonnaise (en pot) : 14
Mayonnaise russe : 20
Rémoulade : 18
Tartare : 17
Toute autre sauce émulsionnée à froid : 20

Sauces exotiques et sucrées

Au miel : 22
À l'érable : 23
À la mélasse : 24
Sauce au cari et raisins : 22
Sauce Chiang Mai : 23
Sauce chinoise au gingembre : 22
Sauce aigre-douce : 22
Toute sauce exotique aigre-douce : 22
Toute sauce exotique sucrée : ... 23
Toute sauce sucrée : 23

Sauces froides

Anchoïade : 22
Aux agrumes : 16
Aux canneberges : 20
Chili : 22
Chili con queso : 22
Coulis de poivron : 20
Coulis de tomate : 20
Coulis de tomate au basilic : 20
Gelée à la menthe : 17
Harissa : 25
Mexicaine : 22
Molho verde : 21
Mojo (sauce piquante) : 22
Mojo (verte) : 21
Pesto ou pistou : 24
Soya : 21
Teriyaki : 22
Tatziki : 19

Les huiles

Sauces chaudes à base de volaille

Sauces chaudes à base de lait ou de crème

Sauce tomate

Les fonds, fumets et leurs dérivés

Toute sauce brune + vin rouge: 27
Toute sauce brune + vin blanc:.................................... 25
Tout fond de veau + baies des champs:................................ 24
Tous les fumets + vin blanc: 22
Tous les fumets + porto ou liqueur aux baies:.................... 26
Toute sauce brune + porto ou liqueur aux baies: 28
Tous les fumets + alcool fort..... 24
Toute sauce brune + alcool fort: 27

Les sauces froides à base de lait ou de crème

Clotted cream:........................ 24
Crème du Devon:..................... 24
Crème crue: 22
Crème Chantilly: 35
Crème fraîche:........................ 22
Crème légère:......................... 21
Crème fouettée (non sucrée):... 22
Crème champêtre:.................. 22
Crème fleurette:...................... 22
Crème de table:....................... 21
Crème à café:......................... 20
Crème sure:............................ 24
Mousseline:............................ 22
Toute autre sauce froide à base de lait ou de crème:......... 22

Vinaigres

Dans le cas où vous feriez réduire l'un de ces vinaigres, ajoutez 5 points IMV à celui-ci.

Balsamique:........................... 19
Balsamique (réduction): 24
Blanc: 16
De cidre: 17
D'estragon:............................ 18
De framboise:......................... 19
De Madère: 16
De vin rouge:......................... 17
De Xérès:............................... 16
Tout autre vinaigre:................ 17

Sauce à base de fumet de poisson ou de crustacé

Autre garniture

Les herbes fines et épices

Les noix et graines

Les IMV par Cépages

Les cépages blancs

ALIGOTÉ

Principales régions de production : Bourgogne

Particularités : vif, délicat

Arômes caractéristiques : noisette, citron, floral

Accords mets et vins : poissons à chair blanche, coquillages

IMV : 63

CHARDONNAY

Principales régions de production : Bourgogne, Champagne, Languedoc, Nouveau Monde

Particularités : gras, parfois vif dans les régions froides, complexe, aromatique, de léger à corsé surtout lorsqu'élevé en fût de chêne

Arômes caractéristiques : noisette, beurre frais, brioche, pain grillé, pomme, poire, fruits tropicaux, amande

Accords mets et vins : poissons légers à corsés, crustacés, blanc de volaille

IMV : 63 - 66

CHENIN BLANC

Principales régions de production : Loire, Afrique du Sud

Particularités : vif, complexe, de léger à moyennement corsé

Arômes caractéristiques : pomme verte, pamplemousse, verveine, tilleul, noisette, girofle, miel

Accords mets et vins : poissons à chair blanche ou rose, crustacés, coquillages

IMV : 63 - 66

GARGANEGA

Principales régions de production : Italie (Soave)

Particularités : gras, souple, de léger à moyennement corsé

Arômes caractéristiques : pomme, poire, fleurs blanches, caramel

Accords mets et vins : poissons à chair blanche, crustacés, coquillages

IMV : 63 - 64

GEWURZTRAMINER

Principales régions de production: Alsace, Allemagne, Autriche

Particularités: gras, parfois demi-doux, peut-être vinifié en liquoreux, très aromatique et parfumé

Arômes caractéristiques: floral (rose, pivoine, géranium, acacia), girofle, pêche, litchi, abricot

Accords mets et vins: cuisine asiatique, cuisine indienne, fromage

IMV: 62; 105 pour les liquoreux

GRENACHE BLANC

Principales régions de production: Vallée du Rhône, Sud de la France

Particularités: gras, aromatique et corsé, parfois vinifié en liquoreux

Arômes caractéristiques: floral, miel, fruits tropicaux

Accords mets et vins: poissons à chair blanche ou rose, crustacés, coquillages, blanc de volaille

IMV: 65 - 66 pour les vins secs; 104 pour les liquoreux

MUSCADET (MELON DE BOURGOGNE)

Principales régions de production: Loire

Particularités: vif, peu aromatique, léger

Arômes caractéristiques: fleurs blanches, notes iodées, poire, pomme verte

Accords mets et vins: coquillages, poissons à chair blanche

IMV: 63

MUSCAT

Principales régions de production: Alsace, Rhône, Italie, Sud de la France

Particularités: de vif à liquoreux, aromatique et parfumé

Arômes caractéristiques: fleurs blanches, abricot, citron, ananas, melon de miel, figue, miel

Accords mets et vins: cuisine asiatique et indienne, asperges, desserts aux fruits lorsque liquoreux

IMV: 62 pour les vins secs; 102 pour les liquoreux

PINOT GRIS (PINOT GRIGIO)

Principales régions de production: Alsace, Italie

Particularités: gras, très aromatique et fruité, de léger à corsé

Arômes caractéristiques: pêche, ananas, pomme rouge, acacia, noisette, champignon, miel, praline

Accords mets et vins: poissons à chair blanche ou rose, crustacés, blanc de volaille, fromage à croûte lavée

IMV: 64 - 67

RIESLING

Principales régions de production : Alsace, Allemagne, Autriche, Nouveau Monde

Particularités : vif, parfois demi-sec, parfois liquoreux (vin de glace), complexe, aromatique, de léger à moyennement corsé

Arômes caractéristiques : citron, citronnelle, pamplemousse, abricot, pétrole, romarin, miel

Accords mets et vins : sec et demi-sec : coquillages, poissons à chair blanche; liquoreux : dessert aux fruits, foie gras

IMV : 62 pour les vins demi-secs; 62 - 65 pour les vins secs, 103 pour les liquoreux

SAUVIGNON (FUMÉ BLANC)

Principales régions de production : Loire, Bordeaux, Sud de la France, Nouveau Monde

Particularités : vif, expressif et complexe, parfois vinifié en liquoreux

Arômes caractéristiques : bourgeon de cassis, citron, pamplemousse, ananas, pipi de chat, fenouil, pierre à fusil, anis, foin coupé

Accords mets et vins : poissons à chair blanche ou rose, crustacés, coquillages

IMV : 61 - 65 pour les vins secs; 102 pour les liquoreux

SÉMILLON

Principales régions de production : Bordeaux

Particularités : gras, complexe et fruité, souvent vinifié en liquoreux

Arômes caractéristiques : miel, cire d'abeille, fruits jaunes, vanille, épices douces

Accords mets et vins : poissons à chair blanche, crustacés, coquillages, fromages

IMV : 65 - 67 pour les vins secs; 102 pour les liquoreux

TREBBIANO

Principales régions de production : Italie (Orvieto)

Particularités : vif, léger et fruité

Arômes caractéristiques : floral, poire, pomme

Accords mets et vins : coquillages, poissons à chair blanche

IMV : 62 - 63

VIOGNIER

Principales régions de production : Rhône, Sud de la France, Nouveau Monde

Particularités : vif, aromatique et fruité

Arômes caractéristiques : abricot, pêche, pomme, acacia, anis, amande grillée

Accords mets et vins : poissons à chair blanche, coquillages, crustacés, blanc de volaille

IMV : 63 - 65

Les cépages rouges

BARBERA

Principales régions de production : Italie (Piémont)

Particularités : fruité, de léger à moyennement corsé

Arômes caractéristiques : cerise, baies des champs, parfois boisé

Accords mets et vins : veau, porc, poulet rôti, pâtes sauce aux tomates

IMV : 86 - 89

CABERNET FRANC

Principales régions de production : Bordeaux, Loire, Nouveau Monde

Particularités : de souple à moyennement corsé, complexe

Arômes caractéristiques : baies des champs, poivron vert, truffe, souvent boisé

Accords mets et vins : petit gibier à poil, veau, porc, bœuf, canard

IMV : 86 - 89

CABERNET SAUVIGNON

Principales régions de production : Bordeaux, Sud de la France, Nouveau Monde

Particularités : charnu, fin et complexe

Arômes caractéristiques : baies des champs, violette, poivron vert, gomme de pin, vanille, chocolat, épices douces, réglisse, cacao, la plupart du temps boisé

Accords mets et vins : viandes rouges, agneau, bœuf, gros gibier à poil, canard

IMV : 88 - 91

GRENACHE NOIR (CANNONAU)

Principales régions de production : Rhône, Sud de la France, Espagne, Italie (Sardaigne)

Particularités : de souple à corsé, riche en alcool

Arômes caractéristiques : cerise, baies des champs, épices, fines herbes (garrigue), parfois boisé

Accords mets et vins : agneau, bœuf, veau, petit gibier à poil

IMV : 87 - 89

GAMAY

Principales régions de production : Beaujolais, Loire

Particularités : souple et fruité

Arômes caractéristiques : petites baies rouges, banane, confiserie, sucre d'orge, très rarement boisé

Accords mets et vins : charcuteries, porc, petit gibier à poil, volaille

IMV : 82 - 86

MALBEC

Principales régions de production : Sud-Ouest (Cahors), Bordeaux, Argentine, Nouveau Monde

Particularités : de corsé à très corsé, riche et complexe

Arômes caractéristiques : baies des champs, violette, sous-bois, la plupart du temps boisé

Accords mets et vins : viandes rouges goûteuses, agneau, gros gibier à poil, bœuf, canard

IMV : 89 - 92

MERLOT

Principales régions de production : Bordeaux, Nouveau Monde

Particularités : de léger à très corsé, fin et complexe

Arômes caractéristiques : fruits à noyau, baies des champs, cuir, sous-bois, la plupart du temps boisé

Accords mets et vins : les plus souples : volaille rôtie, veau, porc, petits gibiers à poil; les plus corsés : bœuf, agneau, gros gibier à poil, canard

IMV : 86 - 91

MOURVÈDRE

Principales régions de production : Sud de la France, Rhône, Espagne

Particularités : assez corsé, riche et complexe

Arômes caractéristiques : baies noires, réglisse, poivre, garrigue, épices douces, souvent boisé

Accords mets et vins : agneau, bœuf, gros gibier à poil, canard

IMV : 88 - 91

NEBBIOLO

Principales régions de production : Italie (Piémont)

Particularités : corsé, riche, complexe et fin

Arômes caractéristiques : baies noires, tabac, épices, goudron, la plupart du temps boisé

Accords mets et vins : agneau, bœuf, gibier à poil, canard, pâtes au four

IMV : 88 - 91

NERO D'AVOLA

Principales régions de production : Sud de l'Italie, Sicile

Particularités : moyennement corsé à corsé et fruité,

Arômes caractéristiques : petits fruits rouges, floral, épices douces

Accords mets et vins : pâtes à l'italienne, veau, bœuf

IMV : 87 - 89

PINOT NOIR

Principales régions de production : Bourgogne, Champagne, Alsace, Nouveau Monde

Particularités : de léger et fruité à moyennement corsé, complexe, fin, élégant

Arômes caractéristiques : baies rouges, fruits à noyau, sous-bois, cuir, souvent boisé

Accords mets et vins : bœuf, veau, porc, volaille, charcuteries

IMV : 83 - 88

SANGIOVESE

Principales régions de production : Italie (Toscane, Chianti, Brunello di Montalcino, Émilie-Romagne)

Particularités : assez corsé, riche et fruité

Arômes caractéristiques : baies des champs, fruits à noyau, sous-bois, réglisse, cuir, la plupart du temps boisé

Accords mets et vins : pâtes à l'italienne, bœuf, agneau, gros gibier à poil

IMV : 87 - 91

SYRAH (SHIRAZ)

Principales régions de production: Rhône, Sud de la France, Australie et autres pays du Nouveau Monde

Particularités: de moyennement corsé et fruité à corsé et riche

Arômes caractéristiques: baies noires, framboise, violette, épices douces, sucre d'orge, poivre, tabac, souvent boisé

Accords mets et vins: les plus légers: volaille rôtie, veau, porc, petit gibier à poil; les plus corsés: agneau, bœuf, gros gibier à poil, canard

IMV: 86 - 90

TEMPRANILLO

Principales régions de production: Espagne, Portugal

Particularités: de moyennement corsé à corsé, riche et complexe

Arômes caractéristiques: cerise noire, framboise, tabac blond, épices douces

Accords mets et vins: veau, porc, bœuf, agneau, gros gibier à poil

IMV: 87 - 90

TOURIGA NACIONAL

Principales régions de production: Portugal (Douro, Dâo)

Particularités: assez corsé, complexe et fruité

Arômes caractéristiques: fruits noirs, épices, cuir

Accords mets et vins: agneau, bœuf, gros gibier à poil

IMV: 88 - 90

ZINFANDEL (PRIMITIVO)

Principales régions de production: Californie, Sud de l'Italie (Pouilles)

Particularités: moyennement corsé à corsé

Arômes caractéristiques: baies des champs, moka, épices

Accords mets et vins: bœuf, agneau, veau, porc, gros gibier à poil

IMV: 86 - 90

Les accords vins et fromages

Il n'est pas toujours facile de s'y retrouver en matière d'accords vins et fromages. Doit-on boire du blanc ou du rouge? Pourquoi pas un porto? Voici une section qui vous aidera à orienter vos choix.

Type de fromage : fromage à pâte fraîche
Exemples : chèvre frais, bocconcini, ricotta, mascarpone
Type de vin idéal : vin blanc, sec et fruité
Par cépage : sauvignon blanc, chenin blanc, muscat
Par IMV :
- Blanc : de 61 à 66
- Rouge : à éviter
- Liquoreux : de 102 à 105

Type de fromage : pâte molle à croûte fleurie
Exemples : brie, camembert
Type de vin idéal : vin blanc sec ou liquoreux, gras et fruité
Par cépage : chardonnay, pinot gris, pinot noir, sémillon
Par IMV :
- Blanc : de 64 à 77
- Rouge : de 81 à 86
- Liquoreux : de 102 à 105

Type de fromage : pâte molle à croûte lavée, naturelle ou mixte
Exemples : Kénogami, Maître Jules, Mi Carême
Type de vin idéal : vin blanc sec ou liquoreux, expressif et fruité
Par cépage : gewurztraminer, muscat, pinot gris, chardonnay, sémillon
Par IMV :
- Blanc : de 62 à 70
- Rouge : de 80 à 86
- Liquoreux : de 102 à 108

Type de fromage : pâte semi-ferme
Exemples : Le Cendré, Cantonnier, Comtomme, Le Migneron de Charlevoix, Oka, Pied-De-Vent, Tomme de Grosse-Île, Victor et Berthold
Type de vin idéal : vin blanc sec ou liquoreux, fruité et gras
Par cépage : chardonnay, pinot gris, gewurztraminer, sémillon, pinot noir
Par IMV :
- Blanc : de 63 à 65
- Rouge : 61 à 86
- Liquoreux : de 102 à 105

Type de fromage : pâte ferme
Exemples : gouda, cheddar, edam, emmental, gruyère Alfred le Fermier, Le Gré des Champs, Le Jersey du Fjord
Type de vin idéal : vin blanc ou rouge, sec ou liquoreux, fruité
Par cépage : chardonnay, chenin blanc, pinot blanc, trebbiano
Par IMV :
- Blanc : de 62 à 64
- Rouge : 80 à 86
- Liquoreux : de 102 à 108

Type de fromage : pâte persillée
Exemples : Bleu Bénédictin, Ermite, Le Ciel de Charlevoix, Le Rassembleu, roquefort, gorgonzola
Type de vin idéal : blanc liquoreux, porto ou rouge très corsé
Par cépage : sémillon, muscat, grenache noir ou blanc, touriga nacional
Par IMV :
- Blanc : à éviter
- Rouge : de 90 à 92
- Liquoreux : de 105 à 112

Index des plats

A-

B-

C-

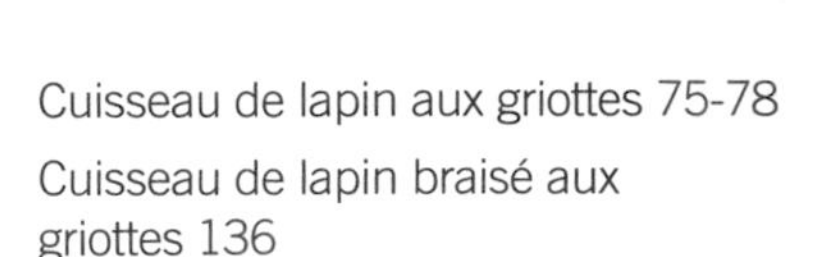

G-

H-

L-

M-

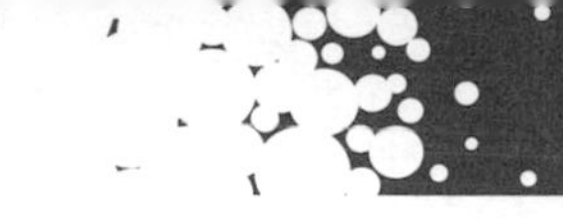

Index des vins en ordre alphabétique

Les coups de cœur sont identifiés par ce symbole : ♥

C-

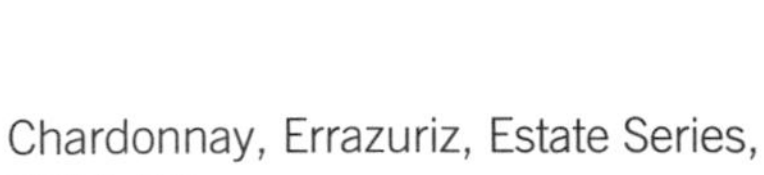

D-

E-

F-

G-

H-

I-

J-

L-

M-

N-

O-

P-

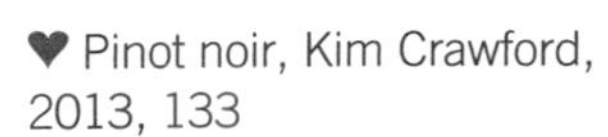

Q-

R-

S-

T-

U-

V-

W-

Y-

Z-

MARQUIS
Québec, Canada

FSC
www.fsc.org
MIXTE
Papier issu de
sources responsables
FSC® C103567